JUSQU'AU BOUT DU MONDE

Tim Griggs

JUSQU'AU BOUT DU MONDE

Roman

Traduit de l'anglais par Jacques Martinache

PRESSES
DE LA CITÉ

Titre original : *The End of Winter*

© Tim Griggs, 2003
© Presses de la Cité, 2004, pour la traduction française, 2005 pour la présente édition
ISBN : 2-258-06381-7

1

C'était le soir des adieux de mon père.

Voici le souvenir que j'en ai gardé.

Mes livres de classe étaient étalés devant moi sur la table en Formica de la cuisine tandis que le trio rentré du restaurant depuis deux heures maintenant faisait un raffut de tous les diables dans le salon. Ils hurlaient de rire, tous les trois, ils se parlaient en criant par-dessus une musique trop forte qu'ils n'écoutaient pas. Je les détestais quand ils étaient comme ça. Je détestais cette bicoque de location minable. Je détestais les manuels aux couleurs criardes dont les dessins représentaient des adolescents auxquels j'étais censé m'identifier, qui faisaient du sport, flirtaient, arboraient des sourires idiots. Je n'avais pas envie de sourire. Mon père partait pour l'Afrique dans dix heures. Il passerait des mois dans un lieu sauvage et lointain où les hommes chassaient avec des sagaies, où un soleil dur brûlait des broussailles cassantes. Il ne m'emmènerait pas. J'avais treize ans et je ne voyais aucune raison de sourire un jour.

La musique mourut et Anthony se leva. Sa silhouette de pingouin grassouillet emplit la limite de mon champ de vision par la porte ouverte. Il n'avait sans doute pas encore quarante ans, mais sa tenue était déjà démodée, costume à fines rayures fripé, agrémenté d'une pochette.

— A Duncan, dit-il en levant son verre.

Il avait une voix sonore, comme toujours après quelques cognacs, et je croyais presque entendre mon père l'imiter. Il était doué pour ça et n'épargnait personne, surtout pas son plus vieil ami.

— A Duncan! s'exclama de nouveau Anthony en clignant des yeux comme un hibou.

Je refermai mon livre avec un claquement sec en espérant qu'ils l'entendraient et que cela troublerait leur fête ridicule. Sous le bras levé d'Anthony, ma mère me lança un coup d'œil qui avait quelque chose d'hostile. Dans quelques heures, elle serait elle aussi séparée de mon père et elle n'entendait pas gaspiller ce temps pour moi. Ils renouvelèrent le toast, tintements de verre, éclats de rire, et la fête se termina abruptement. Un instant plus tard, ils passèrent dans la cuisine pour sortir par-derrière, braillards et roses, éblouis par la lumière plus forte.

Anthony rayonnait derrière ses lunettes mais ne regardait personne directement. Il enfila maladroitement son manteau avec des gestes un peu trop amples. Je savais que ce départ le bouleversait, malgré l'hilarité générale. Il y avait des jours où je le trouvais ridicule, mais il faisait de son mieux pour être un ami pour moi quand mon père était absent et je sentis monter en moi une bouffée d'affection.

— Nous veillerons sur eux, n'est-ce pas, Michael? me dit-il en me touchant l'épaule d'une main hésitante.

Anthony était célibataire, il n'avait pas l'habitude des enfants.

— Ta mère et les petits, hein, mon vieux? poursuivit-il. Nous veillerons sur eux pour l'intrépide voyageur, hein?

Je ne répondis pas. J'avais soudain envie de pleurer et je savais qu'Anthony le sentait.

— De l'action, mon garçon! tonna-t-il. C'est ce qu'il faut pour occuper l'esprit. De l'action!

Il le répétait souvent, mais l'idée qu'il se faisait de l'action, c'était une soirée à l'opéra ou une expédition dans une braderie. Pour l'heure, il restait planté dans la cuisine, ressemblant moins à un homme d'action que n'importe quel autre adulte que je connaissais. La seconde d'après, ma mère l'embrassa sur la joue, ferma son pardessus d'un geste protecteur et le poussa vers la porte de derrière en le prévenant que le taxi n'attendrait pas.

Une rafale d'air froid s'engouffra dans la pièce quand la porte s'ouvrit; des pas pressés résonnèrent dans l'allée, une portière claqua, une voiture s'éloigna. Ma mère s'adossa à la porte pour la refermer, frotta ses bras nus pour se réchauffer. Son sourire s'estompa. Elle ne me regardait pas, elle avait les yeux fixés sur mon père. Appuyé au mur d'en face, il fumait un cigare et examinait les jointures de sa main droite en plissant le front. Je savais que c'était le moment qu'elle redoutait, quand plus rien ne pouvait la distraire de la réalité de son départ, quand plus rien ne pouvait l'empêcher de le regarder et de penser qu'il serait bientôt parti.

— Monte, Pat, dit-il sans lever les yeux. Je te rejoins dans une minute.

Elle passa devant lui sans rien dire, le dos anormalement raide, et disparut dans le séjour. Son pas s'éloignait rapidement dans l'escalier.

Mon père me regarda à travers la fumée. Il était mince, encore hâlé de son dernier voyage, et, un instant, le cigare lui donna l'air d'un hors-la-loi dans un vieux western en noir et blanc. Il abaissa les coins de sa bouche, haussa les sourcils. Je connaissais le coup : solidarité masculine devant le mélodrame féminin. Je lui en voulais de recourir à une tactique aussi évidente, je détestais son assurance désinvolte, et même sa beauté. Tout le monde disait que j'en avais hérité, mais, à ce moment précis, j'espérais ardemment que ce n'était pas vrai. Je ne voulais rien de lui. Je savais que son envie de partir était plus forte que mon envie de le voir rester, et c'était cela que je haïssais.

Il considéra le cigare qu'il tenait à la main comme s'il ne l'avait pas remarqué avant.

— Je ne sais pas pourquoi je fume ces saletés, dit-il. C'est ce foutu Anthony Gilchrist qui m'y pousse.

Il chercha des yeux un cendrier, n'en vit pas dans la cuisine et retourna au salon. Il en trouva sans doute un là-bas car, lorsqu'il revint, la bouche plissée en une expression de dégoût comique, il n'avait plus de cigare. Il tira une chaise à lui et s'assit en face de moi.

— Allons, fils, me dit-il d'un ton qu'il n'avait jamais utilisé avec moi. Essaie de comprendre. C'est mon boulot.

— Tu pourrais en chercher un autre, répliquai-je d'une voix étranglée.

— Je suis ingénieur de projet, Mike, fit-il avec lassitude. Je dois aller là où sont les projets. Ça ne veut pas dire que j'aime vous quitter. Tu le sais, non ?

— Deb et Paul s'en fichent, que tu partes. Ils sont trop jeunes. Ils oublient au bout de deux jours.

J'étais étonné de m'entendre parler de cette façon. J'avais le visage brûlant et ma voix semblait provenir d'un point situé derrière moi.

— Et maman, elle s'arrange pour aller te voir à chaque fois.

10

— Ce ne sont pas des vacances, Mike. Ça n'a rien de drôle, tu t'ennuierais.

Il tendit le bras, fit glisser vers lui un de mes livres et le feuilleta comme s'il n'avait jamais vu de dictionnaire.

— Bientôt tu retourneras au collège, dit-il pour se rassurer. Ça ira.

Je le fixai en silence puis me dis : A quoi bon? Le fossé entre nous était trop large. Je songeai à cet internat des Midlands battu par la pluie et imaginai le monde dans lequel mon père évoluait : poussière brûlante, 4 x 4, forêts émeraude et fleuves couleur café. Comment pouvait-il croire que j'aimais mieux avoir ma vie à moi que partager la sienne? C'était inutile de tenter de communiquer avec quelqu'un qui comprenait si peu les choses.

— Les profs vous ont parlé d'Ulysse? demanda-t-il soudain en repoussant le dictionnaire.

— Le livre ou le Grec?

Il me lança un regard désabusé.

— Ce n'était pas une question à choix multiple. Le Grec.

— Oui, et alors?

— Il a mis un bout de temps à rentrer à Ithaque, après la guerre de Troie. Dix-neuf ans. Mais il a fini par y retourner, par retrouver sa femme et ses gosses. Quand il a été prêt. Quand les dieux ont été prêts à le laisser rentrer.

Silencieux, je retins ma respiration.

— Tu sais que ça existe vraiment, Ithaque, dit-il, comme je m'y attendais. C'est une île grecque. Dans la mer Ionienne. J'ai toujours pensé que ce serait un beau voyage à faire. Nous pourrions peut-être y aller tous ensemble, un jour...

— Quand? demandai-je aussitôt.

Il y eut un bruit en haut, étouffé et indistinct. Une chaussure tombant sur le sol, peut-être. Nous l'entendîmes tous deux — c'était le but —, signal aussi évident que mon livre sèchement refermé. Nous levâmes les yeux vers le plafond, mon père et moi, puis nous nous regardâmes et je sus à cet instant que nous n'irions jamais à Ithaque ensemble, ni ailleurs.

Il me pressa le poignet et reprit son ton bidon d'homme à homme :

— J'ai besoin que tu t'occupes de la maison. De nous tous, d'une certaine façon. Jusqu'à mon retour. Quelques mois seulement. Ensuite, nous verrons.

Je pouvais presque voir ma colère rougeoyer en moi comme des braises. Mon père, lui, ne voyait rien. Il me lâcha le poignet, se leva et me sourit comme si nous venions de tout régler. Puis il traversa le salon et j'entendis les marches de l'escalier craquer sous son poids. Quand les derniers bruits moururent en haut — eau coulant du robinet, portes doucement fermées —, je me levai et passai en silence dans le salon. Deux bouteilles vides encombraient la table, et des verres tachés de vin rouge étaient perchés sur les bras des fauteuils. La pièce empestait la fumée de cigare. Un atlas ouvert sur le parquet, devant le radiateur à gaz, montrait une carte de l'Afrique aux couleurs vives. J'éteignis le radiateur, la chaîne stéréo qui bourdonnait encore, j'emportai deux des verres dans la cuisine et les posai sur l'égouttoir, puis j'éteignis la lumière. Je restai un long moment immobile à écouter le radiateur cliqueter en se refroidissant et le vent gifler la fenêtre.

J'ouvris la porte de derrière, m'avançai dans le noir de l'hiver. C'était une nuit violente, une nuit de brigands, où des arbres noirs fouettaient les jardins de banlieue, où la neige fondue tombait à l'horizontale entre les maisons prétentieuses. Je frissonnais mais j'étais libre, j'étais un esprit dans la nuit et la tempête, j'en faisais partie, j'en étais le cœur, peut-être. Je me sentais sauvage et rebelle. M'occuper d'eux? Qu'ils s'en chargent eux-mêmes. Je tournai la clé dans la serrure derrière moi et partis en courant dans la rue obscure et déserte.

2

L'endroit était étrangement calme, plus calme qu'il n'aurait dû l'être : pas de voix, pas de bruits de pelle, pas de grondement de bulldozer ou d'autre engin de terrassement. Le tremblement de terre avait transformé les bâtiments en monticules de gravats de chaque côté de la route. La poussière jaune qui flottait dans l'air sentait le ciment et, plus fort à présent, la putréfaction. Nous formions un groupe près de la Jeep et nous regardions autour de nous. La chaleur croissante faisait ruisseler la sueur dans mon dos.

Les bottes de Stella crissèrent sur le gravier quand elle bougea derrière moi, un petit signal pour me rappeler qu'elle était là, à la fois pour me rassurer et exprimer son impatience. Je plaçai une main en visière au-dessus de mes yeux sans la regarder. Loin en dessous de nous, sur la route de Caracas défoncée, le camion transportant Patrick, Julio et leur équipement était immobilisé entre des champs de canne qui brillaient tellement au soleil qu'ils faisaient mal aux yeux. Même de là-haut, je voyais leurs silhouettes minuscules s'affairer autour du bahut paralysé. Patrick, l'expert en logistique, était un homme efficace qui s'attendait que les choses marchent : véhicules, systèmes, personnes. La panne devait le rendre dingue de frustration et je l'imaginais donnant des coups de pied dans les roues en jurant.

Je me tournai vers le chauffeur.

— On y est?

Il marmonna quelque chose en espagnol et chercha sa carte. Le bruissement du papier parut assourdissant dans le silence. Je savais que nous étions arrivés, mais je voulais du temps pour réfléchir. Je n'aimais pas être coincé là-haut dans cette désolation avec le reste de l'équipe en rade, injoignable. Je n'aimais pas le regard de Stella sur mon dos. Je n'aimais pas penser à ce qu'on nous demanderait peut-être et que nous ne serions pas capables de faire.

J'entendis un bruit de bottes et un major de l'armée vénézuélienne contourna à grands pas les contreforts de la montagne de débris pour nous rejoindre. J'eus l'impression qu'il avait surgi de nulle part. C'était un homme massif, mesurant quatre ou cinq centimètres de plus que moi, et sa présence aurait été intimidante si je n'avais remarqué, quand il s'approcha, que la fatigue avait éteint son regard, que sa peau et ses cheveux étaient recouverts d'une couche de poussière et de transpiration. Le foulard kaki qu'il portait sur la bouche et le pistolet suspendu à sa hanche dans un étui lui donnaient l'air d'un bandit de dessin animé. Je m'avançai à sa rencontre, mais quelqu'un que nous ne pouvions voir poussa un cri, un chien émit un jappement excité. Le major leva une main comme un policier réglant la circulation et je m'arrêtai net. L'animal invisible se remit à aboyer, de manière plus insistante cette fois.

Le major ôta le foulard de sa bouche et, sans me quitter des yeux, lança par-dessus son épaule :

— *¿Qué pasa?*

La réponse fusa, confuse et joyeuse, puis d'autres voix

s'élevèrent, nerveuses, mais je ne pus saisir ce qu'elles disaient. Le major continuait à me fixer en écoutant.

— Je suis Michael Severin, dis-je en montrant l'insigne de Médecins sans frontières épinglé à ma saharienne. Nous sommes attendus.

Son regard sans expression passa de moi à Stella. Derrière lui, les voix babillaient.

— Vous êtes venus nous aider?

Il semblait incrédule, ou peut-être amusé, et un instant je vis aussi clairement que lui l'ironie désespérée de la situation : un homme et une femme contre un tremblement de terre.

— Il y en a deux autres, déclarai-je, me rendant compte aussitôt de la double absurdité de cette réponse. Mais le camion est en panne dans la vallée.

Il eut un mouvement du menton pour prendre acte de mes propos. Nos problèmes ne l'étonnaient pas, ils devaient lui paraître peu de chose, comparés à ce qu'il avait vu ces deux derniers jours. Son nom — *P. Rivera* — se détachait en lettres blanches sur une plaque de plastique noir surmontant sa poche de poitrine. Il regarda de nouveau mon badge de Médecins sans frontières.

— Vous êtes français?

Il semblait chagriné, comme si j'ajoutais un détail insensé à un monde qui l'était déjà suffisamment.

— On nous envoie des docteurs de France?

— Nous sommes une équipe britannique.

Comme il me considérait d'un air morne, je demandai :

— Nous devons partir?

— Peut-être, oui.

Il fit un pas, sembla se rappeler quelque chose, nous regarda, Stella et moi, se redressa de toute sa hauteur et dit :

16

— Il faut que je... Je souhaite vous remercier. D'être venus à nous. Au cas où c'est oublié plus tard. Au cas où les paroles ne sont pas dites.

A mon grand embarras, il m'adressa un salut plein de raideur qui dura une bonne dizaine de secondes. J'entendis Stella remuer les pieds derrière moi et je m'apprêtais à lui répondre avec désinvolture quand je m'aperçus qu'il avait les larmes aux yeux.

Le chien rampa hors du trou le premier. C'était un épagneul marron et blanc, content de lui, qui agitait joyeusement la queue. Il avait l'air aussi déplacé dans cet endroit que le chien de manchon d'une vieille dame. Un caporal émergea après l'animal et fut tiré à la lumière par ses camarades. Il cracha de la poussière. Quelqu'un lui tendit une gourde; il y but, se racla la gorge, cracha de nouveau et se mit à parler en espagnol en agitant les mains.

— Il dit qu'il y a un tunnel sous l'église, traduisit l'interprète. Pas très long. Il a laissé un ruban de plastique pour marquer le passage. Le chien a trouvé un homme...

Il s'interrompit pour suivre le débit rapide du caporal, reprit sa traduction :

— Il pense qu'il n'y en a qu'un. Un vieux, d'après lui.

— Mort?

— Non, non. Il parle. Il prie, peut-être. C'est peut-être le père Rafael. Il dit qu'il n'a pas pu s'approcher plus, le tunnel est dangereux. Il y a de l'eau. Et il a senti les pierres bouger.

L'interprète me regarda et veilla à ne pas changer d'expression quand il ajouta :

— Je crois qu'il a eu peur d'aller plus loin.

— Dites-lui qu'il s'est conduit en héros.

L'interprète s'exécuta, mais le caporal baissa la tête et s'agenouilla pour câliner le chien. Il savait qu'il n'était pas un héros et je me sentais idiot. Je me faufilai dans le petit groupe de soldats et de paysans, m'accroupis près du trou. Le soleil était haut à présent et se reflétait sur les pans de murs effondrés. La bouche du tunnel était d'un noir de velours et une mince volute de poussière s'en échappait. J'entendis le grincement d'une excavatrice qui se mettait en route et, faiblement, dans le lointain, les rotors d'un hélicoptère qui fouettait l'air en s'élevant de la ville. Autour de moi, les hommes et les femmes gardaient le silence. Stella me posa une main sur l'épaule.

— Ils pourront peut-être l'atteindre par en haut.

Son accent écossais semblait curieusement clair et détaché, comme si elle commandait à boire dans un pub d'Edimbourg. C'était presque comique de l'entendre ici, discutant de la vie d'un homme.

Je me relevai, m'époussetai les mains.

— Ah oui ?

— Nous ne sommes pas obligés de faire ça, tu sais, argua-t-elle, prenant cette fois sa voix d'institutrice. Je te le dis franchement, Michael : je vote contre. Nous ne sommes que l'équipe d'évaluation. Nous devrions au moins attendre le camion. Attendre les autres.

Mais je devinai à son ton qu'elle avait déjà pris sa décision.

Il faisait une chaleur étouffante dans le tunnel et la puanteur était si forte que je dus faire halte quelques secondes pour reprendre le contrôle de mon estomac. Devant moi, l'obscurité était si dense que je la sentais presque sur mon visage. J'allumai la torche électrique qui projeta une lance blanche dans la galerie, toucha de vieilles poutres, des briques brisées et un enchevêtrement de dalles effondrées, inclinées selon des angles absurdes. Le ruban laissé par le caporal courait le long d'une partie du sol qui s'était écroulée dans ce qui avait dû être la crypte. Une voûte en brique bloquait les gravats d'un côté, un entrelacs d'étais en bois et en ciment formait un plafond grossier. J'avançai à quatre pattes, avec un espace d'une dizaine de centimètres au-dessus de moi si je baissais la tête. Je me répétais que ce ne serait peut-être pas si difficile, mais à chaque fois que je prononçais ces mots dans mon esprit, ils me semblaient moins convaincants.

J'entendais Stella ramper derrière moi, et ma propre respiration sifflait à mes oreilles. Je m'arrêtai, contraignis mon corps à faire silence, levai une main pour enjoindre à Stella de m'imiter et écoutai les autres bruits autour de moi : le cliquetis d'une des boucles de mon harnais, de l'eau clapotant quelque part à proximité. Inconsciemment, je cherchai sous mes vêtements la chaîne à laquelle était accroché mon talisman. La vieille clé Yale était patinée comme un bronze depuis toutes ces années que je la portais ; je la caressai de nouveau et ce geste me rasséréna. Puis il y eut un autre bruit, une note aiguë, mélodieuse et répétée comme un cri d'oiseau. Il me fallut un moment pour reconnaître une voix humaine.

Je repris ma progression. Au bout du ruban laissé par le caporal, le tunnel se rétrécit encore. En forçant pour passer les épaules, je fis s'ébouler un ruisseau de gravats écrasés, dans un crissement qui me parut effroyablement fort dans l'obscurité. Des gravillons m'emplirent le nez, les yeux. Je suffoquai, et, quand ma vision s'éclaircit, de la poussière tourbillonnait dans le faisceau de ma lampe qu'elle teintait d'un jaune maladif. Braquant ma torche vers la droite, je découvris à moins d'un mètre un sarcophage en pierre descellé par le séisme et son occupant qui riait de moi en silence de tous ses chicots d'ivoire. Je m'arrêtai de nouveau, pantelant.

— Michael? appela Stella.

Elle me rejoignit et eut un hoquet en voyant la tombe ouverte.

— On ne peut plus rien pour celui-là, dit-elle.

La voix résonna à nouveau dans le noir, frêle mais joyeuse, chantant un poème, peut-être, ou un hymne.

— Je l'entends, fis-je. Il chante.

— Manquait plus que ça, maugréa Stella. Faire tout ce voyage pour déterrer Pavarotti.

— Si c'est Pavarotti, c'est toi qui le portes.

Elle me toucha le bras.

— Michael, tu crois qu'il est loin?

— A ton avis?

— Pourquoi tu réponds toujours à une question par une autre question?

— Qu'est-ce qui te fait dire ça?

— Il est peut-être loin, dit-elle d'une voix changée.

— Je l'entends chanter, répétai-je, comme si cette réponse suffisait. Reste ici et accroche-toi à la corde. Je t'appellerai quand tu pourras m'aider.

La galerie tourna en descendant abruptement de deux mètres, déboucha soudain dans une vaste cavité. Je me tenais dans l'eau, une quarantaine de centimètres d'une eau étonnamment froide. L'odeur de l'air était devenue fétide.

— Père Rafael? Vous m'entendez?

Un silence, puis :

— Vous êtes anglais?

La voix était claire et proche.

— Oui. Anglais. Je suis médecin.

La voix désincarnée partit d'un rire sifflant.

— Soyez le bienvenu dans mon pays.

Je l'avais repéré, maintenant : un mouvement devant le mur de débris, près de la surface de l'eau noire.

— Faites attention, il y a un puits, me prévint-il.

J'avançai, sentis un sol ferme sous mes pieds. Je fis un autre pas, un troisième. Cette fois, ma jambe s'enfonça jusqu'à la cuisse. Du pied, je cherchai le rebord du puits et le contournai lentement en tirant mon sac derrière moi jusqu'à ce que je puisse m'agenouiller devant le prêtre.

— Père Rafael?

A la lumière de ma torche, je vis qu'il avait le visage noir de poussière, veiné çà et là par l'eau qui dégouttait, des yeux incroyablement grands et lumineux. C'était un vieil homme chauve, ridé et souriant. Je me demandai s'il délirait. Ses deux bras étaient libres, apparemment indemnes, et le haut de son corps aussi, mais je ne voyais pas le reste.

— Vous pouvez bouger, mon père? Vous sentez vos jambes?

— Montrez-moi votre visage.

Sa demande me surprit et comme je ne répondais pas immédiatement, sa main chercha à tâtons dans le noir, trouva mon avant-bras et s'y agrippa comme une serre.

— Je voudrais voir le visage d'un autre homme, dit-il.

Je me redressai, dirigeai vers moi le faisceau de ma lampe.

Le père Rafael m'examina longuement et murmura enfin :

— Vous savez ce que c'est qu'avoir peur, jeune homme.

Je ne répondis pas.

— J'ai aussi connu la peur, ces trois derniers jours, poursuivit-il. Plus maintenant.

— Vous n'avez plus aucune raison d'avoir peur, assurai-je.

J'ouvris le sac accroché à ma ceinture et, content d'avoir trouvé quelque chose à faire, j'ajoutai :

— Nous sommes là pour vous aider.

J'avais cependant conscience que c'était le prêtre qui m'offrait son réconfort et non l'inverse. J'éprouvais une irrépressible envie de continuer à parler.

— Maintenant que nous vous avons trouvé, nous allons vous sortir de là.

— Le temps de rêver est passé, répondit le père Rafael. L'eau monte. Dans une heure, peut-être moins, je serai noyé.

— Nous allons vous sortir de là, répétai-je.

— Jeune homme, l'Eglise me bloque les jambes. Même vous, vous n'arriverez pas à faire bouger notre sainte mère l'Eglise en une petite heure.

Il émit de nouveau son rire sifflant de concertina.

— L'Eglise est un roc, non ? Je sais maintenant à quel point elle est lourde.

Stella s'approcha de moi en pataugeant dans l'eau peu profonde bien que je ne l'aie pas appelée. Je fus heureux de voir sa silhouette sombre et l'épieu de lumière projeté par son casque. D'un ton que mon soulagement rendait bourru, je lui lançai :

— Fais attention au puits ! Et vérifie ses fonctions vitales. Je veux voir ce qui l'emprisonne.

Comme si nous n'étions pas là, le vieil homme se remit à chanter de sa voix grêle, quelque chose en latin, un air ancien et plein de joie. Je fis descendre mes mains le long de son corps, de la hanche à l'extrémité de sa jambe droite. La majeure partie du membre se trouvait sous l'eau. Juste au-dessus du genou, je sentis la bosse de ce qui devait être une fracture, mais il ne broncha pas quand je la touchai. Je tâtai ensuite la jambe gauche, tordue selon un angle impossible. Là où aurait dû être le genou, mes doigts glissèrent dans la chair écrasée, effleurèrent l'arête tranchante d'un os. Le vieil homme cessa de chanter mais ne montra aucun autre signe de douleur. Je passai derrière lui et, de cette position, je pus voir dans le cône de ma lampe l'endroit où le membre disparaissait sous un gros pan de brique. La chair déchirée était brunâtre et boursouflée.

— Pouls à cent trente et faible, annonça Stella d'un ton qu'elle voulait neutre en rangeant le stéthoscope dans son sac. Tension artérielle basse. Il est très déshydraté.

Au bout d'un moment, elle reprit :

— Nous pouvons peut-être faire descendre des pompes pour empêcher l'eau de monter jusqu'à ce que Patrick nous rejoigne avec le camion...

— Pas le temps.

Je scrutai l'obscurité ruisselante. C'était peut-être un effet de mon imagination, mais j'avais l'impression que l'eau avait monté depuis mon arrivée.

— Il va falloir l'amputer pour le tirer de là.

Stella ne répondit pas mais je sentis de la désapprobation dans son silence. Je savais qu'elle se posait les vieilles questions tacites qui pesaient toujours sur des décisions extrêmes comme celle-là : qui profiterait d'un surcroît de souffrance? Qui en profiterait vraiment?

— C'est un peu un numéro d'Houdini mais je peux atteindre l'endroit où la jambe est écrasée. Avec de la chance, nous pourrons l'amputer sous perfusion de midazolam et de fentanyl. Va chercher le matériel dans la Jeep, je reste avec lui.

Elle n'hésita pas plus d'une seconde avant de se retourner et de repartir dans le tunnel en pataugeant. Je me demandai comment le prêtre avait pu survivre dans cette obscurité, dans cet anéantissement. Je pris une longue inspiration pour recouvrer mon calme.

— Je dois vous expliquer ce que nous allons tenter de faire, mon père. Je ne prétends pas que nous ayons beaucoup de choix...

La main osseuse me chercha de nouveau à tâtons.

— Pourquoi êtes-vous venu ici, jeune homme?

— C'est mon boulot.

— Pour me sauver? insista-t-il. Vous êtes venu pour me sauver? Mais vous m'avez déjà sauvé. Vous m'avez épargné une mort solitaire, sans voir une dernière fois le visage d'un homme bon. Ce n'est pas pour cela que vous êtes venu. Pas seulement.

La force de ses mots me fit le regarder. Dans la lumière de la lampe, le blanc de ses yeux brillait comme de la porcelaine. J'eus l'étrange sentiment que cet homme en savait plus sur moi qu'il ne l'aurait dû et je sentis les poils de ma nuque se hérisser.

— Nous avons une chance, dis-je en m'efforçant de rester calme. Mais je vais devoir...

— Vous ne pouvez pas tous nous sauver, dit le père Rafael. Tous ceux qui souffrent et sont malades, pris au piège. Toutes les victimes.

J'entendais ma respiration haletante dans le noir.

— Je dois essayer, murmurai-je. Vous comprenez? Je dois essayer.

Le vieillard eut un sourire qui fit étinceler ses quelques dents, son étreinte se referma sur mon bras.

— Mon jeune ami, nous sommes tous les deux pris au piège.

Derrière moi, Stella tomba dans l'eau et sa voix, rendue aiguë par la peur, résonna dans le tunnel.

— Michael? Tu as senti?

Je n'entendais rien par-dessus les battements de mon cœur. Y avait-il eu quelque chose? Un grondement de la terre, plus ressenti qu'entendu? On pouvait facilement imaginer ce genre de chose ici en bas avec ce vieux lutin qui me lorgnait de l'orée de la mort. Quelque chose me frôla la joue. Je levai les yeux : au-dessus de nos têtes, le pan de mur s'effritait sous le poids qu'il supportait, des particules de ciment piquetaient la surface de l'eau, mes vêtements, ma peau.

— Viens ici! criai-je à Stella.

Elle revint derrière moi, le souffle court, et nous entamâmes la routine des gestes familiers : je brisai l'ampoule de fentanyl, remplis la seringue, la regardai à la lumière en clignant des yeux.

— Cela fera disparaître la douleur, mon père. Stella, passe derrière et garrotte-lui la jambe.

Elle fit un pas sur le côté, braqua sa torche vers l'obscurité.

— Michael, pour l'amour du ciel, elle est sous l'eau. C'est sans espoir.

— Fais ce que je te dis.

Elle me saisit l'épaule, me tira brusquement contre elle et murmura :

— Ecoute-moi. Tu vas nous faire tous mourir. Enfonce-lui cette aiguille et foutons le camp. C'est le mieux que tu puisses faire pour lui.

— Elle a raison, approuva le prêtre. Elle sait, elle...

Je fis frénétiquement passer mon regard de l'un à l'autre. Puis cela recommença, et cette fois il n'y avait aucun doute. Le sol tremblait. Autour de mes jambes, l'eau ondulait en cercles d'argent brisés.

La voix de Stella monta d'une octave :

— Michael!

— Allez, maintenant. Vite, fit le prêtre.

Sa main libéra mon bras et me poussa si durement que je trébuchai en arrière. Je lâchai ma lampe qui tomba dans l'eau et tournoya dans le puits. Une gigantesque crevasse s'ouvrit au-dessus de moi, quelque chose de lourd me heurta le bras et je laissai tomber la seringue. Stella cria, tira sur la corde avec une telle violence que je passai par-dessus le puits en battant des bras. Puis je vis la lampe de son casque, je l'entendis crier, sangloter, tandis qu'elle me tirait derrière elle, je sentis de nouveau le sol sous mes pieds et nous remontâmes le tunnel que la poussière et l'odeur de la mort envahirent lorsque la cavité s'effondra.

Un soldat aspergeait mon visage avec l'eau froide d'une gourde. Tout à coup le soleil m'aveugla et je toussai comme un volcan pour me dégager les poumons. Autour de moi, des hommes s'affairaient, me posaient des questions, me palpaient les membres. J'étais couvert d'écorchures, j'avais mal à un bras, la poussière m'oppressait et mon pouls battait à une vitesse folle, mais l'air et la lumière m'emplissaient d'une joie coupable.

— Ça va, dis-je en leur faisant signe de s'écarter. Laissez-moi une minute.

Ils échangèrent des regards dubitatifs mais reculèrent.

Un nuage jaune suspendu devant l'entrée du tunnel faisait comme une tache sur le ciel d'un bleu dur. La pierre tombale du père Rafael, pensai-je, de la poussière dérivant au soleil. C'était plus que ce à quoi auraient droit la plupart des autres victimes. Derrière moi, Stella était assise sur le flanc d'une colline de débris, le visage posé sur ses bras croisés. Son attitude n'incitait pas au réconfort. Au bout d'un moment, elle se leva et escalada la pente en titubant, sans me regarder.

3

Penché par-dessus la balustrade du balcon, je buvais de la Polar au goulot. On nous avait logés dans une vieille caserne, à trente kilomètres de Caracas. Le balcon donnait sur un terrain de manœuvres en terre battue et des dépendances. Trois Jeep étaient garées dans la cour. Devant la grille, des sentinelles armées de fusils-mitrailleurs montaient une garde nonchalante. Il faisait presque noir et, petit à petit, les lumières de la ville, de l'autre côté de la clôture, vacillaient dans l'air chaud. Je pouvais voir les feux des avions qui descendaient vers l'aéroport international et ceux d'autres appareils qui attendaient derrière, dans le ciel cobalt. Ils apportaient encore des vivres, des tentes et des abris, du matériel de stérilisation, des équipes de recherches et de secours. Les choses seraient peut-être bientôt plus faciles. L'aide serait peut-être bientôt suffisante et il n'y aurait plus d'autre père Rafael.

La porte s'ouvrit derrière moi. J'entendis les conversations et les cliquetis de couverts de ceux qui mangeaient en bas à la cantine, mais je n'eus pas envie de les rejoindre. Stella s'approcha, posa les mains sur la balustrade à côté de moi. Elle buvait de la Polar, elle aussi. Au bout d'un moment, elle écrasa un moustique sur son bras nu.

— Pas faim, hein? fis-je.

Elle ne répondit pas.

— Moi non plus.

En bas, une quatrième Jeep déposa la relève, et les deux groupes de soldats se mirent à bavarder, l'arme au creux du bras. Aucun d'eux ne semblait pressé de partir. Ils fumèrent, parlèrent, rirent un moment, les points rouges de leurs cigarettes bougeant dans l'obscurité. Cela donna peut-être envie à Stella qui se retourna pour s'adosser à la balustrade, tira un paquet de la poche de sa jupe, alluma une cigarette et rejeta la fumée vers le ciel avec satisfaction. Sans me regarder, elle me tendit le paquet.

— Non, merci.

— Tu as peur de te ruiner la santé?

— Qu'est-ce que j'aurais dû faire, Stella?

J'entendais encore chanter le père Rafael.

Elle se tourna vers moi, approcha son visage du mien.

— Tu sais ce que c'est, ton problème, Michael? fit-elle avec un accent écossais plus marqué. Tu ne sais pas t'arrêter.

— Je suis désolé. J'aurais dû te faire sortir de là.

— Me faire sortir? C'est *toi* que tu aurais dû faire sortir, espèce d'idiot!

— J'ai pensé simplement que nous pourrions être utiles...

— Michael, nous sommes l'équipe d'évaluation, tu te souviens? Nous sommes censés évaluer, pas faire de la spéléologie pour retrouver des prêtres chanteurs. Bon Dieu, nous ne devrions même pas être ici : au départ, nous devions organiser un programme chirurgical bien tranquille à Caracas...

— Ce n'est pas moi qui ai provoqué le tremblement de

terre, me justifiai-je. Il s'est trouvé que nous étions sur place...

Elle jeta sa cigarette à demi consumée dans le vide noir.

— J'arrête, Michael. Terminé. C'était ma dernière mission.

— Tu ne parles pas sérieusement...

— Oh si, très sérieusement. Je rentre demain, comme prévu.

— Je pensais que tu resterais, dis-je prudemment. Que nous resterions tous les deux. Pour travailler un moment avec l'équipe.

— Je rentre chez moi et j'ai l'intention d'y rester.

Après une pause infime, elle précisa :

— J'épouserai Gordon.

— Gordon! Il est au courant?

— Il fera ce qu'on lui dira. J'épouserai Gordon et j'aurai quatre ou cinq gros marmots. Et des plantes en pot. Et une perruche.

— Tu feras date dans l'histoire de la gynécologie.

— Très amusant! fulmina-t-elle dans la nuit.

Je fis surgir dans mon esprit l'image de Gordon : notable à lunettes en costume sombre. Gordon était actuaire. Le reste de l'équipe de traumatologie de St Ruth le connaissait et n'était pas tendre avec lui. Ils disaient qu'il avait voulu être notaire mais qu'il n'avait pas le charisme requis. Je me remémorai les endroits où j'avais vu Stella travailler, en Grande-Bretagne et à l'étranger, descendant en rappel une paroi à pic pour parvenir jusqu'à une voiture de chemin de fer retournée, traversant une route inondée, de l'eau jusqu'aux aisselles. Nous avions opéré tous les deux dans une cave de Bosnie, avec un obus de char non explosé dépassant du plafond.

— Tu mourras d'ennui, lui prédis-je.

— Après aujourd'hui, je supporterai l'ennui.

Elle but une gorgée de sa bière et, au bout d'un moment, tourna la tête et me regarda. La colère semblait l'avoir quittée.

— Tu devrais y songer aussi.

— Je n'ai pas l'intention d'épouser Gordon.

— Tu approches de la quarantaine. Tu as une superbe femme que tu ne vois pas beaucoup.

— Cate comprend, répliquai-je un peu sèchement.

Je ne savais pas pourquoi, mais chaque fois que Stella parlait de Caitlin, cela me contrariait.

Elle détourna les yeux.

— Michael, tu as bien assez de boulot comme ça à Londres, comme fils spirituel désigné du professeur Curtiz. Laisse donc les plus jeunes jouer aux héros. Accorde-toi un peu de repos. Accorde-nous un peu de repos.

— Tu es remarquablement philosophe, ce soir.

— C'est peut-être parce que j'ai failli être écrasée par cinq mille tonnes de gravats, repartit-elle.

Après un silence, elle reprit d'un ton plus calme :

— Tu sais, Michael, même en y retournant je ne sais combien de fois, tu ne les sortiras jamais tous. Tu devrais regarder la réalité en face.

Comme je ne répondais pas, elle poursuivit :

— Je vais me soûler un peu. Tu m'accompagnes ?

— Non. Vas-y.

Elle hésita, parut sur le point d'ajouter quelque chose, se pencha en avant, m'embrassa légèrement sur la joue, franchit la porte et descendit.

Je regardai la porte se refermer derrière elle. Je lui avais raconté l'histoire — la majeure partie —, un soir, dans un camp de réfugiés kurdes en Turquie. Je lui avais dit comment, à treize ans, je n'avais pas été assez vigoureux pour échapper aux bras d'Anthony tandis que les tuyaux crachaient leur eau, que les pompes grondaient, que les sirènes hurlaient, que les voisins horrifiés se rassemblaient et poussaient des cris désespérés dans notre rue de banlieue. Je ne lui avais pas tout dit. Je ne lui avais pas parlé de la force avec laquelle Anthony me retenait ni de ses grognements. A l'époque, je n'avais pas compris ce que ce bruit signifiait : je n'avais encore jamais vu un adulte pleurer. Je ne lui avais pas parlé des silhouettes à la fenêtre de la chambre de mes parents, deux grandes et deux petites, se découpant sur la lueur du brasier, main dans la main. Personne d'autre ne les avait vues, se tenant là comme pour une photo de famille dans laquelle je ne trouverais plus jamais ma place. Personne d'autre ne les avait vues, parce qu'il était en fait impossible qu'elles soient là : elles étaient déjà mortes à ce moment-là. Mais cela n'y changeait rien parce que je les avais vues, moi. Je les voyais encore. Je me rappelai que je m'attendais à avoir des problèmes ce soir-là parce que je rentrais très en retard à la maison. J'avais *voulu* qu'il y ait des problèmes. Mais pas à ce point.

En bas dans la cour, un chauffeur mit en marche le moteur d'une des Jeep et quatre des gardes y grimpèrent. Dans un chœur d'au revoir, de plaisanteries et de rires, le véhicule passa sous l'arche de l'entrée et s'éloigna dans la nuit étouffante. Je bus une gorgée de ma bière, la trouvai chaude et me rendis compte que je venais de passer près d'une heure sur le balcon depuis le départ de Stella. Je me demandai si les soldats rentraient chez eux le soir. Je l'espérais. Je me plaisais à penser qu'ils retrouvaient des mioches braillards, des piles de tortillas et des femmes aguichantes en robe de coton à fleurs délavé.

Je quittai le balcon pour descendre à la cantine. Il était

tard et la grande salle nue était presque vide. Une demi-douzaine d'infirmiers de la Croix-Rouge allemande jouaient aux cartes, buvaient de la bière et fumaient dans un coin, tandis que deux femmes du pays faisaient le ménage autour d'eux, essuyaient les tables et lavaient le sol. Une radio jacassait en espagnol, un ventilateur brassait paresseusement la fumée de cigarette au plafond. Je fus content de ne voir ni Juan ni Patrick : je n'avais pas envie de parler.

Quelques autres femmes travaillaient encore dans la cuisine et je m'approchai du passe-plat pour recevoir une minuscule tasse de café et refuser le sandwich offert. Le café était très fort, je savais qu'il m'empêcherait de dormir, mais, de toute façon, je ne pensais pas que je parviendrais à trouver le sommeil. J'entendis de la musique en provenance de l'autre côté de la cour et je vis les lumières du bar de fortune clignoter à travers les stores. J'y avais jeté un coup d'œil un peu plus tôt : une pièce minable, avec un long comptoir et quelques caisses de bouteilles de bière empilées.

Je me demandai quelle heure il pouvait être en Angleterre et si Caitlin était à la maison. Je l'imaginai parcourant les pièces lumineuses et bien rangées de notre maison de Notting Hill, fredonnant en s'occupant des corvées ménagères. Ou peut-être était-elle dans la pièce au grenier — son antre, disait-elle —, lisant ou écoutant de la musique. Ou en train de faire les courses. Je fermai les yeux et vis les bannes à rayures de Notting Hill Gate, Caitlin marchant dans la rue, grande, mince et blonde, le sac à l'épaule, les lunettes de soleil relevées sur ses cheveux récemment coupés. Je me la représentai portant des jonquilles enveloppées de papier journal, riant avec les commerçants qui la connaissaient — Stavros au café, Julian le fleuriste, Ivan le bouquiniste. Tous l'adoraient et auraient fait n'importe quoi pour elle. Tout le monde aimait Caitlin. Je fus envahi par une bouffée de tendresse si forte que j'en eus mal.

Les types de la Croix-Rouge allemande étaient maintenant hilares. C'étaient tous des costauds et ils emplissaient la salle de leur gaieté. Par-dessus le vacarme, l'un d'eux s'écria, dans un anglais d'opérette :

— C'est le Venezuela, soyez-y les bienvenus !

Les infirmiers allemands rugirent de rire en frappant la table. Ce devait être une plaisanterie récurrente chez eux, cette imitation de l'officiel pompeux qui les avait accueillis, mais cet accent comique me rappela le père Rafael et je sentis de nouveau la poussière de ciment dans l'air chaud, je revis le blanc des yeux du vieux prêtre. Un instant de plus et nous serions encore là-bas, Stella et moi, sous ces mêmes ruines qui avaient privé de vie le père Rafael. Un verre ne me ferait peut-être pas de mal, finalement. Je reposai ma tasse sur le comptoir, sortis de la cantine, empruntai le long couloir menant à la porte puis traversai la cour.

Devant le bar, j'hésitai. La salle était bruyante, pleine d'une foule mélangée, médecins, infirmiers, personnel d'assistance d'une demi-douzaine de pays. Quelqu'un avait trouvé une guitare et s'essayait au flamenco, soutenu par un chœur de buveurs qui tapaient sur les tables, entrechoquaient leurs canettes et braillaient. Stella sortit à reculons, une bière dans une main, une cigarette dans l'autre, riant et criant quelque chose à quelqu'un resté à l'intérieur. Elle me heurta, se retourna et leva vers moi des yeux troubles.

— Hé, mais c'est le docteur Michael ! Je me demandais où t'étais passé...

Elle vacillait un peu et une mèche de ses cheveux roux était collée à son front. Les lèvres plissées, elle me fixa avec une intensité croissante en haussant les sourcils. Je savais que ce que je ressentais se lisait sur mon visage et je la vis retrouver son sérieux en me regardant.

— Une soirée animée, commentai-je en désignant le bar.

— Ils évacuent seulement la pression.

— C'est bien.

— Vas-y, si tu veux voir un anesthésiste hollandais complètement nu chanter *Carmen*...

— C'est tentant mais...

— Tu devrais voir où il a mis la rose.

— Ça règle la question : je vais me coucher.

Au lieu de me laisser passer, elle posa sa bière sur le rebord de la fenêtre, jeta sa cigarette. Je relevai la mèche tombée sur son front, posai mes mains sur ses épaules, l'embrassai brièvement sur la joue et la contournai. Je n'étais pas arrivé au bout du couloir qu'elle m'appelait, comme j'aurais dû le prévoir.

— Michael ?

Elle s'approcha de moi, referma les bras autour de mon cou et m'embrassa avec passion. Sa bouche sentait la cigarette.

Je m'écartai, tentai de desserrer ses bras.

— Stella, je...

— Je sais tout ça, Michael, gaspille pas ta salive.

— Tout quoi ?

— Le boniment sur la loyauté et la confiance que tu vas me servir.

Je la tins à bout de bras.

— Infirmière Cowan, si vous êtes raisonnable, je vous mettrai au lit et je vous lirai une histoire. Mais c'est tout. D'accord ?

Avec un sourire entendu, elle se laissa aller contre moi. Je passai un bras autour de ses épaules et sentis la chaleur de son corps à travers sa blouse. Elle me prit par la taille et me tint serré contre elle tandis que nous descendions maladroitement le couloir.

Sa chambre se trouvait à l'arrière et donnait sur la clôture et la route de terre battue, au-delà. Je la fis asseoir sur le lit, allai à la fenêtre fermer les volets. Dans l'air qui avait un peu fraîchi, le pétrole mêlait son odeur à celle des fleurs et de la poussière. Debout à la fenêtre, j'entendis la musique d'une *cantina,* au bout de la rue. De temps à autre, une Jeep ou un camion de l'armée passait en grondant. Des insectes tournoyaient dans le halo d'un réverbère qui projetait trois barres de lumière jaune dans la chambre, zébrant le lit et le sol.

Stella se dévêtit sans la moindre coquetterie, comme si je n'étais plus dans la pièce. La dernière fois que je l'avais vue se déshabiller, c'était neuf ans plus tôt, ce même soir en Turquie, et je m'aperçus que j'avais gardé un souvenir extrêmement précis de la manière dont elle se tenait quand elle était nue. Elle avait un corps ferme dont la nudité ne l'embarrassait absolument pas, presque comme un modèle posant devant une classe aux Beaux-Arts. Je me sentis sourire de la façon dont elle jetait négligemment ses habits dans un coin : l'ordre n'était pas son fort. Je ne pus m'empêcher de penser qu'elle était très différente de Caitlin, à tout point de vue. Caitlin se mouvait comme un lynx, toujours enveloppée d'un parfum de mystère. Il n'y avait rien de prude chez Caitlin, mais une partie d'elle demeurait toujours à découvrir. Avec Stella, tout était à l'étalage.

Elle avait déniché deux verres et les emplissait d'un alcool jaunâtre. A peu près stable sur ses jambes, elle tint les verres à la lumière pour vérifier que le niveau était le même pour chacun d'eux. Les bandes jaunes barraient son dos et le renflement de ses fesses. Elle était agréable à regarder et je ne m'en privai pas. Un sentiment de familiarité et de réconfort croissait en moi à mesure que la sensation de vide de mon estomac s'estompait. Je me rappelais tout des heures passées au lit avec Stella — son odeur, le goût de sa peau — et je fus envahi par une sorte de nostalgie. Elle s'approcha, me tendit un verre que je reniflai.

— Bon Dieu, c'est quoi, ce truc?

— On est censé boire du rhum dans des endroits pareils, non? C'est de la pisse d'âne quand on l'achète à l'étranger, mais sur place c'est mortel.

Elle fit un pas vers le lit, rabattit le drap et s'étendit puis posa son verre sur la table de chevet et s'étira. Elle rebondit un peu sur le matelas, fit grincer les ressorts du sommier. Les mains derrière la tête, elle m'adressa un signe. J'étais planté au milieu de la chambre, toujours habillé.

— Qu'est-ce qui se passe? dit-elle. C'est plus le sexe sans mauvaise conscience, c'est la mauvaise conscience sans le sexe?

Je m'assis au bord du lit, remontai le drap sur elle.

— Bois ton rhum bien chaud et nous nous quitterons en paix.

Elle saisit ce que je voulais dire et détourna vivement les yeux.

— Nous avons failli mourir, aujourd'hui. Je voulais juste fêter le fait d'être encore vivante, argua-t-elle.

— Je sais. Je suis désolé.

Elle ne dit rien pendant quelques secondes puis soupira bruyamment.

— Tu es tout le temps si engagé, bon Dieu, Michael. Tu la joues j'm'en-foutiste, mais sous la surface t'es un puritain pur jus. Ça ne te vaut pas beaucoup d'amis...

36

Elle dut lire ma stupeur sur mes traits car elle me pressa aussitôt le poignet.

— Je ne voulais pas dire ça. Mais tu es toujours lancé dans ta foutue quête. Tu ne laisses pas les gens t'approcher. Pas vraiment.

— Je m'estime satisfait de ce que j'ai, je suppose.

Elle me regarda droit dans les yeux.

— Michael, si tu es satisfait, qu'est-ce que tu fous ici? Dans ma chambre? En pleine nuit? Dans ce pays de merde?

Je me levai et Stella battit en retraite :

— D'accord, tu es peut-être ici pour le climat. Les plus belles catastrophes arrivent sous les tropiques. A Londres, c'est toujours l'hiver.

L'hiver. Je fus ébloui par une vision de Londres sous le crachin, les traces noires des feuilles sur les trottoirs, la glace craquant sous les chaussures. Qu'est-ce que je faisais ici? Il y avait peut-être du vrai dans ce que Stella disait. J'étais peut-être attiré par la violence du soleil et le goût de la chaleur, par un monde où les couleurs étaient primaires, et les choix simples. Elle avait raison : c'était toujours l'hiver, à Londres.

Elle se redressa et leva son verre dans ma direction.

— Arrosons ça, au moins, suggéra-t-elle. La fin de l'hiver.

Je levai mon verre moi aussi et le fis tinter contre le sien. Nous bûmes.

Le calme s'était fait autour de nous, semblait-il. On n'entendait plus aucun bruit dans le bar, de l'autre côté de la route, rien que le bourdonnement des insectes nocturnes, dehors : le silence des tropiques. J'avais eu l'intention d'ajouter quelque chose, quelques mots de gratitude ou d'affection, mais je fus soudain saisi d'un désir si vif que pendant une seconde je fus incapable de dire ou de penser quoi que ce soit. Je me penchai dans la pénombre et embrassai Stella, nous prenant elle et moi par surprise. Aussitôt ses bras m'enlacèrent, elle se colla à moi; son verre tomba avec un bruit sourd et roula par terre. Elle m'embrassa avidement et je sentis sur sa bouche un goût de rhum et de cigarette. Puis elle respira bruyamment à mon oreille, murmura en tirant sur la boucle de ma ceinture. Je m'écartai, posai ma main sur la sienne.

Elle ramena sa tête en arrière, mais je sentais ses seins se soulever contre moi.

— Quoi? demanda-t-elle. Quoi, Michael? répéta-t-elle, plus durement.

Je me levai avec gaucherie, détournai les yeux en remettant le bas de ma chemise sous ma ceinture.

— Si tu dis que c'était une erreur, je t'en colle une, menaça Stella, je te le jure.

Je lui fis face.

— Tu sais bien que je ne devrais pas être ici.

Elle rabattit le drap sur elle.

— En ce cas, tu ferais peut-être mieux de te tirer et d'aller décider plus loin où tu devrais être.

— Je ferais peut-être mieux, oui.

Je me dirigeai vers la porte et l'ouvris. Je sortis dans le couloir, jetai un coup d'œil derrière moi. Assise dans le lit, le drap toujours autour d'elle, Stella me fusillait du regard. Mais, au moment où je refermais la porte, la colère disparut de ses yeux et elle releva le menton, laissant le drap tomber et dévoiler ses seins.

Au rez-de-chaussée, Patrick avait installé un centre de communications dans une cellule donnant sur la cour. On avait réussi à y caser trois bureaux métalliques encombrés de matériel. Je n'utilisais jamais le téléphone par satellite pour mes appels personnels et je savais que Patrick serait étonné de me voir. Il ne dit rien cependant, et s'approcha d'un des bureaux en enjambant un nid de serpents de câbles. Il décrocha, vérifia la ligne et me tendit l'appareil. J'entendis la tonalité.

— Ça devrait passer, dit-il.

— D'accord.

— A ta place, je ne gaspillerais pas de temps en banalités : tu n'as que deux minutes avant que nous perdions le satellite.

La porte se ferma et je me rendis compte que Patrick était parti. Je tapai le numéro, elle répondit presque aussitôt.

— Cate ?

Avant qu'elle puisse dire un mot ou que j'aie le temps de changer d'avis, je déclarai brusquement :

— Tu avais raison. Tu avais raison pour tout.

Je n'entendis d'abord que de la friture.

— Michael, fit sa voix, qui haletait à l'autre bout du monde. Michael, c'est toi, à cette heure ?

— Il n'est rien arrivé. Je voulais simplement te dire que j'ai réfléchi.

— Il n'est rien arrivé, répéta-t-elle de la même voix stupéfaite.

— Je te raconterai tout à mon retour. Je n'ai jamais tout dit à personne. Là aussi, tu avais raison. Après, nous pourrons peut-être trouver de nouveau notre chemin. Nous pourrons peut-être nous trouver de nouveau.

— Michael, fit-elle, à peine audible, je veux tellement être trouvée.

L'intensité de son ton me surprit.

— Cate ? fis-je en me demandant si elle n'était pas un peu ivre.

Je l'imaginai seule et misérable devant une bouteille de

vin et me sentis coupable. Ou alors il faisait peut-être encore nuit à Londres et je l'avais réveillée.

— Je me suis trompé d'heure? Il est tard?

— Il est tard, Michael. Très tard.

La liaison commença à s'interrompre quand le satellite glissa de l'autre côté de l'épaule bleue de la terre. Entre les grésillements, je percevais encore le bruit de sa respiration. Je l'appelai plusieurs fois mais ne l'entendis pas me répondre. Pourtant, son souffle me parvenait encore, comme le rythme de la mer. Inexplicablement, je sentis quelque chose de glacé couler dans mon estomac, et la communication fut coupée.

4

Le lendemain, Stella partit pour l'aéroport en milieu de matinée. Nous fîmes de notre mieux pour nous éviter jusqu'à l'heure du départ, mais, par la fenêtre du bureau que j'avais occupé, je la vis charger ses bagages dans un taxi blanc déglingué arrêté dans la cour. Il n'y avait personne d'autre pour lui dire au revoir. Elle n'aimait pas les cérémonies et avait probablement choisi son moment pour s'éclipser, pendant que tout le monde était au travail ou sorti. J'hésitai quelques instants puis finis par traverser la cour. Penchée au-dessus de son sac de voyage, elle ne me vit pas approcher.

— Stella?

Elle se redressa, surprise, me regarda avec une expression qui redevint rapidement neutre.

— Je suis venu te souhaiter bon voyage.

— Mmm.

— Bon voyage, donc, fis-je en me dandinant d'un pied sur l'autre. Tu as raison de rentrer. Sérieusement, c'est la bonne décision.

Elle plissa les lèvres.

— Tu devrais en faire autant.

— Ecoute, j'avais des soucis en tête. J'aurais dû être plus clair à ce sujet.

Elle me lança un regard dur, se pencha de nouveau pour tripoter une courroie du sac qui n'avait pas besoin d'être serrée. Je remuai les pieds dans la poussière, regardai en clignant des yeux un oiseau lointain suspendu dans le ciel brûlant.

Stella se retourna lentement.

— Bon, nous n'étions pas sur la même longueur d'onde.

— Je... je ne voulais pas...

Je cherchais le mot juste.

— Je ne voulais pas que quoi que ce soit se mette en travers de notre amitié.

— Il n'y a pas eu grand-chose qui se soit mis en travers de notre amitié, ces neuf dernières années, répliqua-t-elle. Quelquefois, je me demande pourquoi.

Elle ouvrit la portière, jeta son sac sur la banquette arrière. Le moteur du taxi démarra comme un fusil-mitrailleur, son tuyau d'échappement éructant une fumée sale dans la cour. Je savais qu'elle avait autre chose à me dire, mais le temps que ses lèvres commencent à bouger, le raffut m'empêcha de l'entendre.

Elle renonça, me pressa brièvement contre elle puis monta dans la voiture et cria quelque chose au chauffeur. Une seconde après, elle était partie. J'écoutai le véhicule pétarader sur la piste creusée d'ornières jusqu'à la route principale.

Je restai deux jours de plus. J'aurais probablement dû prendre le même vol que Stella mais je n'avais pu m'y résoudre. J'avais des scrupules à partir avant que l'hôpital de campagne ne soit convenablement installé, bien que ce ne fût pas mon boulot à strictement parler. Je voulais en outre briefer le nouveau chef de l'équipe, un jeune Danois qui n'arriverait pas avant le lendemain soir. Je voulais aussi avoir une réunion avec Patrick et Juan, et j'avais encore une douzaine d'autres raisons de rester.

Des prétextes, en fait : plus que laisser les choses en ordre sur le terrain, je voulais mettre de l'ordre dans ma tête avant de rentrer. Je voulais une passation de pouvoirs ordonnée sur tous les plans. Je voulais chasser Stella de mon esprit avant de revoir Caitlin. Et surtout, je ne voulais pas reconnaître qu'il se passait peut-être quelque chose de plus grave à Londres que quelques verres de vin de trop et un coup de cafard. J'essayai de joindre Caitlin trois ou quatre fois par satellite dans les quarante-huit heures qui suivirent. Je n'obtins aucune réponse, mais il n'y avait rien d'inhabituel à cela. Finalement, avec un soulagement coupable, je cessai de l'appeler : je n'avais pas envie d'entendre de nouveau ce halètement obsédant dans sa voix.

Je passai quelques coups de fil et dégotai une place sur un charter pour le lendemain soir.

Les sièges pliants disposés le long du fuselage étaient occupés par une foule d'hommes et de femmes, membres des équipes médicales ou d'aide d'urgence, qui jouaient déjà aux cartes, lisaient ou dormaient. Quelque part un chien invisible geignait, peut-être un chien renifleur d'une équipe de secours, et pendant un instant cette plainte et l'obscurité de l'Hercules me firent de nouveau songer au père Rafael. Je chassai cette pensée de mon esprit. Au centre de l'appareil, un vaste filet maintenait en place un tas de bagages et de matériel. Par la porte arrière ouverte, je vis les lumières de l'aéroport et une frange noire de palmiers le long de la clôture jusqu'à ce que la rampe commence à se relever lentement. Un peu plus tard, le premier des gros moteurs toussa, démarra, la carlingue se mit à gronder. Je me renversai en arrière et fermai les yeux.

Je m'éveillai à moitié vers le milieu de la nuit. Le gros avion tremblait autour de moi, vibrations régulières qui couvraient tout autre bruit. Des petits points lumineux brillaient dans la cabine de pilotage. Autour de moi, les formes des autres passagers dormant sur leurs sièges étaient vaguement visibles. Si les lumières s'allumaient, je ne reconnaîtrais aucun visage, mais je me sentais lié à eux. Je me demandai quels foyers ils regagnaient, ces hommes et ces femmes opiniâtres. Je me demandai quels souvenirs les avaient soutenus pendant leur absence, puis je glissai de nouveau dans le sommeil.

Une nuit d'été, neuf ans plus tôt. La superbe façade géorgienne de Morrow House, un dais sur la pelouse, des lanternes de papier accrochées dans les arbres, un long jardin descendant jusqu'au paisible Gloucester Severn. Un murmure de conversation bien élevée. Le retriever doré de la maison aboya, quelqu'un le fit taire. Le chien parut blessé par cette réprimande et s'éloigna en traînant la patte. Adossé au fût d'un vieux cèdre, je sirotais mon verre en observant mon ami Bruno avec le mélange habituel d'amusement et d'admiration. Bruno, à qui la honte était étrangère, était monté sur le podium, avait réquisitionné le micro et roucoulait maintenant un tube de Randy Newman avec un talent étonnant. C'était le genre de choses dont il était capable.

« Campbell m'en a parlé, m'avait-il crié par-dessus le boucan de son antique Austin Healey sur la M4. Je crois qu'il a été invité, lui. Un pince-fesses pour l'anniversaire d'une sale gosse de riche. Kate... non, Caitlin. Caitlin Hotly-Clambring, quelque chose comme ça. Tu sais, le

44

genre de noms idiots qu'ont ces gens. Le papa est dans le ciment, et c'est tout à fait sa place.

— La tenue de soirée est sûrement de rigueur. On nous flanquera à la porte.

— Tu n'auras qu'à dire que tu es un ami de Caitlin.

— Et toi, qu'est-ce que tu diras?

— Que je suis un de tes amis. »

Bruno termina sur une longue note sanglotante, « *That child done washed us away...* », et d'un geste de la main fit signe à l'orchestre d'arrêter exactement au bon moment. Applaudissements frénétiques. Le chanteur de l'orchestre serra avec ostentation la main de Bruno pour le féliciter, réussissant même à paraître sincère.

— Normalement, je devrais sortir une remarque blessante comme «Il y a des choses qui ne devraient pas sortir de la salle de bains », dit la fille en s'approchant de moi. Mais en fait, je trouve qu'il s'est plutôt bien débrouillé.

Elle était grande et blonde et je sus immédiatement qu'elle évoluait dans une autre sphère. Mon père n'avait pas eu le temps de m'apprendre grand-chose, mais je l'avais entendu un jour faire observer, avec une sorte de mélancolie, qu'il devrait y avoir une loi contre la beauté de certaines femmes. Je savais maintenant que c'était de ce genre de créatures qu'il parlait.

— C'est tout Bruno, ça, répondis-je. Donnez-lui cinq minutes et il décroche un contrat d'enregistrement suivi d'une tournée en Scandinavie...

— Il est très joli garçon, fit-elle d'un ton malicieux.

Avait-elle la voix légèrement pâteuse? Elle avait de grandes pupilles noires et me détaillait avec une franchise sidérante. Je n'étais pas sûr qu'elle attendît une réponse et, pendant que j'y réfléchissais, Bruno sauta du podium et se dirigea vers nous en distribuant poignées de main et tapes dans le dos.

— Garçon ! cria-t-il à un barman s'affairant derrière une table à tréteaux, une ration de votre meilleur Alka Seltzer pour mes amis !

L'homme lui adressa un grand sourire et remplit trois verres de Moët. Si moi j'avais réclamé de l'Alka Seltzer, il aurait appelé les vigiles. Bruno s'empara du plateau, le posa sur une souche, nous donna à chacun un verre étincelant et leva le sien en direction de la fille.

— Caitlin, ma chérie, merveilleuse, cette fête. Et vous êtes éblouissante, comme toujours...

— Trop aimable, cher monsieur, répondit-elle avec un sourire charmeur. Mais, enfin, qui êtes-vous ?

— Michael ne vous l'a pas dit ?

Bruno but une gorgée de champagne et me lança un regard de reproche par-dessus le bord de son verre.

— Mon garçon, nous te serions tous reconnaissants de bien vouloir consacrer un peu plus de temps aux civilités.

D'un geste gracieux, il reposa son verre et repartit avant qu'elle ait pu lui poser une autre question.

— Vous êtes les deux pique-assiettes qui ont laissé ce vieux tas de ferraille dans l'allée. Elle pisse de l'huile sur le gravier, dit-elle avec une grimace, forçant sur l'accent de l'aristocratie terrienne. Père est furieux.

Elle inclina la tête vers la terrasse où un homme de haute taille extrêmement séduisant bavardait avec les invités. Il devait avoir une soixantaine bien sonnée, mais son port très droit et sa moustache parfaitement taillée lui donnaient une présence imposante de général victorien. Même d'où j'étais, je me rendais compte qu'il faisait beaucoup d'efforts pour ne pas regarder dans notre direction.

Je m'écartai de l'arbre, posai mon verre sur le plateau.

— Je savais que c'était une mauvaise idée.

— Vous avez aussi raconté au vigile de la grille que vous étiez de mes amis, dit-elle, avec un rire dans la voix maintenant. C'est très très vilain.

— Moi qui me croyais convaincant...

— C'est vous qui ne devez surtout pas laisser tomber votre autre boulot, fit-elle, me lorgnant de nouveau, savourant ma gêne. Papa m'a envoyée m'assurer que vous êtes un vrai gentleman. Il sait que ce n'est pas le cas, bien sûr.

— Ce qui veut dire qu'on va nous jeter dehors à coups de cravache?

— Votre secret ne risque peut-être rien avec moi, dit-elle en me prenant le bras. Allons faire une promenade.

— Une promenade?

— Vous savez, on met un pied devant l'autre et on recommence plusieurs fois...

— D'accord.

Elle m'entraîna sur la grande pelouse menant au sentier qui longeait la berge, où l'eau brillait comme un plat d'argent entre les arbres noirs.

— Vous ne pouvez pas repartir, de toute façon, reprit-elle. J'ai versé du Moët dans votre réservoir.

— Vous n'auriez pas pu crever les pneus, comme tout le monde?

— La classe, dit-elle en secouant la tête. On l'a ou pas.

La litière de feuilles mortes était douce sous nos pieds; l'allée de troncs noirs s'étirait devant nous et les bruits de la soirée faiblissaient à mesure que nous avancions.

Caitlin s'arrêta.

— Vous entendez? C'est un merle. J'adore ces oiseaux, pas vous? Ils ont l'air si ordinaires, mais leur chant est merveilleux.

Dans l'obscurité chaude, nous écoutâmes un moment

les roulades cascader entre les arbres puis nous reprîmes notre marche en silence.

— Ici.

Elle m'arrêta en levant la main, me fit franchir un rideau d'aulnes et de saules. Une vieille jetée en bois étendait péniblement ses lattes noires, telle une gencive édentée, au-dessus du scintillement de la surface. Caitlin me tendit la main.

— Venez. C'est relativement sûr.

Nous allâmes au bout de la jetée, au-delà des roseaux, là où glissaient les eaux profondes. J'étais à la fois nerveux et excité de sentir le fleuve couler autour de moi à quatre ou cinq centimètres sous mes pieds, murmurant pour lui-même, caressant les piliers en bois. A quelques mètres de nous, le barrage grondait dans le noir sous un fantôme d'écume.

— Tout cela nous appartient, vous savez, dit-elle avec une pointe de dérision. Enfin, à mon père.

— La jetée?

— Pas la jetée, idiot, gloussa-t-elle. Le fleuve. Cette partie, en tout cas.

— Comment peut-on posséder un fleuve? Il ne cesse de disparaître. Quel morceau vous appartient? Celui d'hier ou celui d'aujourd'hui?

— Papa pense qu'il en possède la totalité. Il est d'une richesse écœurante, vous savez. Tout près de la Chambre des lords.

— Alors, vous serez lady Caitlin? C'est comme ça que ça marche? Dommage, j'ai prêté mon annuaire de l'aristocratie au chef jardinier.

Elle ne rit pas.

— Je ne suis personne. Juste une sale gosse de riche.

Je détournai les yeux vers le fleuve, m'éclaircis la voix.

— Je suis sûr que personne ne pense ça.

— Tout le monde le dit, en tout cas. Et vous savez quoi? Quand on vous traite de gosse de riche, vous finissez par vous conduire comme une gosse de riche. Vous êtes cerné par ces crétins d'aristos avec leurs Jaguar, leurs yachts, leurs villas à Davos, et avant de vous en rendre compte, vous faites partie de la bande, vous ne connaissez plus personne d'autre, vous ne pouvez plus vous échapper.

Je gardai le silence, surpris par son changement d'humeur et ne sachant que dire.

— Au bout d'un moment, vous commencez à prendre des risques, poursuivit-elle. Pour que cela soit supportable.

— Des risques?

— Des choses idiotes. Trop de tout, trop souvent, trop vite. Des risques avec des gens, aussi. Pour rompre l'ennui.

Elle leva les yeux vers moi.

— Vous ne comprenez rien à ce que je vous raconte, n'est-ce pas?

Pensant aux réfugiés kurdes que j'avais soignés la veille, je répondis :

— J'ignorais que c'était aussi dur d'être riche.

Il y eut un moment de silence tendu puis elle passa ses longs bras autour de mon cou, m'attira vers elle et m'embrassa. Après quoi, comme s'il n'était rien arrivé, elle s'éloigna, s'allongea sur les planches noires de la jetée et rejeta la tête en arrière pour que la lumière du ciel tombe sur son visage.

— Je venais ici quand j'étais petite fille, dit-elle en écartant les bras, crucifiée sous les étoiles. Je n'avais pas le droit, bien sûr, mais je venais en cachette quand on me croyait au lit et je restais étendue comme ça des heures, à contempler le ciel. Quelquefois, je pensais que le vent m'emporterait, que je tomberais de la Terre comme une plume. Vous n'avez jamais ressenti cela, n'est-ce pas, Michael?

— Non?

— Non. Vous êtes un homme trop terre à terre.

— Vraiment?

— Ce n'est pas un reproche. Mais vous croyez à un univers ordonné. Vous croyez que vous avez pour tâche de le maintenir dans cet état. Vous ne serez jamais emporté comme une plume.

Je m'assis à côté d'elle. Personne ne m'avait jamais décrit de cette façon, et je n'étais pas sûr de l'apprécier. Elle me faisait paraître un peu trop consciencieux et dévoué. En même temps, ce qui me contrariait vraiment, ce n'était pas que Caitlin m'ait mal vu mais plutôt qu'elle m'ait trop bien vu, qu'elle m'ait en quelque sorte percé à jour. Je savais curieusement que je me souviendrais toujours de ses mots. Je laissai une main pendre par-dessus le bord de la jetée, et le fleuve froid me caressa jusqu'à ce que mon poignet me fasse mal.

— Je vais vous dire ce que je crois, répondis-je, surpris par ma gravité. Je crois qu'il n'y a dans le monde que joie et souffrance, et qu'on peut augmenter l'une ou l'autre. A vous de choisir.

Le murmure de l'eau sembla gagner en volume. Un oiseau de nuit poussa un cri, très fort, quelque part non loin de nous.

Je me rendis compte que j'embrassais Caitlin, qu'elle avait un goût de vin, que ses cheveux étaient froids sur le dos de la main avec laquelle je soutenais sa tête. Je me rendis compte aussi que la monnaie s'échappait de ma poche et cliquetait entre les lattes de la jetée avant de tomber dans le fleuve, que nous le savions tous les deux et feignions l'un et l'autre de ne rien entendre.

Elle fit rouler sa tête sur le bois, sourit aux étoiles.

— C'est mon anniversaire, non? Cela signifie que je peux avoir tout ce que je veux.

Je ne me réveillai de nouveau qu'un peu après l'aube, quand l'Hercules se posa à Brize Norton. J'avais dormi dans une mauvaise position, mon dos et mes épaules étaient douloureux, et mon esprit engourdi par les heures passées dans la carlingue vibrante. Mais lorsque je sortis de l'aéroport, clignant des yeux dans le matin d'octobre, je sentis en moi un frisson d'excitation inattendu. C'était une nouvelle journée fraîche et claire, l'air avait un parfum d'automne, et j'allais faire une surprise à Caitlin. Elle n'était plus habituée à ce genre de gestes impulsifs de ma part. J'allais y remédier. J'allais remédier à pas mal de choses.

J'éprouvai une bouffée de désir pour elle et restai un moment au soleil devant les portes en verre du terminal, raide et nerveux. J'étais peut-être encore étourdi par le vol, par l'étrange dépaysement dû au passage du chaos à l'ordre. Je me sentais bien et je pensai soudain : ça va aller. Je n'en étais pas sûr avant mais là, planté sur le trottoir par cette matinée éclatante, je savais que tout irait bien.

La Croix-Rouge avait loué un minibus pour ses membres voyageant par le même avion et j'obtins de me faire emmener avec eux à Victoria Station. Le trajet dura plus de trois heures, principalement passées à se frayer un chemin dans la circulation venant de banlieue. Je songeai à appeler Caitlin sur mon portable, mais si près du but, c'eût été comme se dégonfler au dernier moment. Je voulais la surprendre, faire une véritable entrée. Je serrai ma veste autour de moi et tentai de dormir, mais je compris vite que j'étais trop tendu pour trouver le sommeil.

Quand je descendis devant la gare routière, il n'était pas loin de midi. Londres sentait le gazole et les feuilles jaunissantes des lauriers qui semblaient attendre un signal pour tomber. Bien que la saison fût avancée, la ville grouillait de vie. Je me sentais un peu ivre : les autobus étaient d'un rouge violent, les parcs éclaboussés de fleurs aux couleurs criardes. Tout débordait de vigueur, comme une vaste turbine produisant de l'énergie et du bruit. Je me rendis à la station de métro Victoria, achetai un ticket pour Notting Hill Gate.

Vingt minutes plus tard, je me tenais devant les grilles en face de la maison. Le vasistas de l'antre de Caitlin était ouvert, ce qui voulait dire qu'elle était probablement là. Je traversai la rue, montai le perron, entrai sans faire de bruit et refermai la porte derrière moi. L'intérieur de la maison me parut frais et paisible, après le tapage de la ville. Je demeurai quelques instants dans le couloir à savourer les dessins familiers de la lumière et de l'ombre, les odeurs amicales du lieu : fines herbes, café, fleurs coupées du marché.

— Cate ?

Ma voix résonna dans le hall. Caitlin ne répondit pas. La maison était silencieuse. Plus que silencieuse : muette. Je me tins sans bouger près d'une demi-minute, m'efforçant de nier ce que je savais déjà : quelque chose n'allait pas. La maison semblait sur ses gardes, comme si c'était elle qui m'observait et non l'inverse. Je fis quelques pas, et une tache sur le sol au pied de l'escalier attira mon regard. Des pétales roses éparpillés, piétinés. Je me baissai pour les ramasser. Ils étaient froids au creux de ma paume, pas encore décolorés. Des pétales de géranium, comme ceux du bac devant la porte d'entrée.

— Cate ?

Je commençai à monter l'escalier. J'entendis en haut

un susurrement que je pris d'abord pour le bruit de la circulation, mais je découvris que c'était un rythme musical provenant du grenier. S'il y avait de la musique, Caitlin devait être à la maison. Mon cœur se mit à battre à grands coups. Je laissai tomber mon sac et me ruai vers le palier du premier étage, jetai un œil dans la chambre. La pièce était propre et claire, normale, le lit fait, les vêtements pliés sur une chaise.

— Cate?

Du verre brisé, des tessons de terre cuite, des éclats de marbre, des morceaux de CD brillaient de toutes les couleurs de l'arc-en-ciel au bout du palier. Le sol était collant sous mes semelles. Je la découvris et oubliai de respirer jusqu'à ce que la douleur de ma poitrine me force à le faire. J'entendais une sirène d'alarme ululer quelque part dans ma tête, une sirène purement mentale, et j'avais conscience qu'il y avait à cette sirène des réponses soigneusement répétées, que j'avais moi-même fournies un millier de fois auparavant, avec efficacité et sang-froid. Pas cette fois.

Caitlin gisait dans l'escalier, les jambes écartées selon un angle impossible. Elle me parut plus petite qu'elle ne l'était en réalité. Sa robe retroussée sur ses jambes blanches et nues lui donnait un air dégingandé, vulnérable. Sa tête pendait par-dessus la marche du bas et son visage était tourné vers le mur. Une flasque visqueuse s'était formée sous elle et avait coulé sur le plancher.

Je m'agenouillai près d'elle et lui touchai le cou d'un geste hésitant, incrédule. Sa chair était chaude, son pouls battait faiblement, et cette chaleur, cet infime battement me mirent en mouvement. Comme je ne pouvais pas m'occuper d'elle dans l'escalier, je poussai les débris sur le côté et la fis glisser sur le parquet, conscient que je n'avais ni le choix ni le temps. Là où ma main soutenait sa tête, je sentis quelque chose qui ressemblait à des éclats de porcelaine plantés dans son cuir chevelu.

Je m'entendis lui parler comme on parle à un bébé, en chantonnant, ma voix venant de plus en plus loin à mesure que je m'activais : deux respirations, quinze compressions, deux et quinze, deux et quinze. Les muscles de mes avant-bras commençaient à me brûler sous l'effort, mais Caitlin ne respirait toujours pas. A nouveau je cherchai le murmure de son pouls : une fois je le sentis, l'autre fois je n'en fus pas sûr. Deux et quinze. Encore. Encore. Mes mouvements devenaient maladroits, la sueur coulait le long de ma mâchoire et tombait sur elle ; elle ne respirait toujours pas.

Le téléphone le plus proche se trouvait dans la chambre, à moins de cinq mètres, mais je n'osai pas la quitter pendant le temps qu'il me faudrait pour demander de l'aide. Deux et quinze. Encore. Le pouls était maintenant introuvable, mais je ne m'arrêtais pas. Il y avait toujours une chance qu'elle se remette à respirer, juste assez longtemps pour maintenir son cerveau en vie. Ou que quelqu'un passe la voir et que je puisse l'appeler à l'aide à travers la porte. Bien sûr, je savais qu'elle ne respirerait plus jamais, que personne ne passerait, mais je devais y croire quand même. Au bout d'un moment, même ce lambeau d'espoir cessa de compter. Rien ne comptait hormis continuer, deux et quinze, dans un délire d'épuisement qui n'avait plus rien à voir avec l'espoir, qui n'était qu'un refus entêté d'une partie de mon esprit d'accepter ce que l'autre partie savait parfaitement.

Je franchis une limite à un certain moment, je ne sus pas exactement quand. Mais je savais que du temps s'était écoulé, que je ne m'échinais plus sur elle et que je la berçais en caressant son front qui devenait froid. Il y avait dans son corps une inertie que je reconnus, une relaxation totale qui avait commencé à mouler sa chair sur le plancher, à lisser les fines rides de son visage et de son cou.

Je dus rester longtemps dans cette position car les muscles de mes jambes hurlèrent quand je me relevai. Je défis ma veste, la pliai et en fis un oreiller pour sa tête fracturée, bien qu'elle fût morte. Je m'écartai d'elle. Mes vêtements mouillés collaient à mon ventre et à mes cuisses, là où je l'avais tenue contre moi. Je les sentis refroidir, me dis vaguement que c'était dégoûtant, et, retrouvant quelque réflexe de ma formation, j'allai calmement à la salle de bains, me déshabillai et fourrai les vêtements souillés dans un panier à linge. Puis je me lavai, retournai dans la chambre prendre des vêtements propres et me rhabillai.

A un moment, je me retrouvai perdu au centre de la pièce, à regarder autour de moi, immobile, pendant une ou deux minutes, peut-être plus. Au mur, sur une photo sépia des années vingt, Lavinia, la grand-mère de Caitlin, essayait de ne pas rire, perchée sur sa bicyclette. Sur le lit, l'ours Radieux fixait de son œil unique, flamboyant, le soleil déclinant d'octobre qui entrait par les doubles-fenêtres. Je m'assis à côté de lui et lui caressai distraitement le nez. Radieux était l'ours de Caitlin depuis sa petite enfance et avait le poil râpé par son affection. Je le caressai de nouveau en regardant autour de moi. La pièce paraissait normale dans chacune des parties qui la composaient, mais l'ensemble clochait. Je n'arrivais pas à trouver ce que c'était, mais j'avais l'impression d'avoir oublié de faire quelque chose, quelque chose d'important.

Loin dans Londres, une voiture de police mugissait en roulant vers quelque urgence de routine. Je me levai, traversai la chambre et décrochai le téléphone de la table de chevet.

5

Un craquement dans un coin de la pièce me fit sursauter et je me tournai vers la source du bruit. Un agent en uniforme s'écartant du passage d'un photographe avait fait tomber la fougère capillaire de Caitlin de la commode. Près des feuilles et de la terre sombre répandue, un gros morceau de poterie roulait sur le parquet ciré en cliquetant tel un métronome. Le calme se fit momentanément dans la pièce et je sentis des regards méfiants jetés dans ma direction.

— Désolé, monsieur, s'excusa le policier, ridiculement jeune. Vraiment désolé.

Il se mit à genoux et commença à rassembler la terre et les tessons d'une main maladroite.

— Laissez, dis-je, c'est sans importance.

— J'y tiens, monsieur. J'y tiens.

L'air accablé de remords, il gardait les yeux détournés et semblait au bord des larmes. Il fit un petit tas d'humus et de racines brisées, le tapota comme un château de sable, sans savoir que faire ensuite. Finalement, quelqu'un eut pitié de lui et lui apporta un ramasse-poussière, et peu à peu l'activité reprit dans la pièce.

— Ça va, docteur Severin?

L'inspectrice était une femme boulotte et proprette

d'une cinquantaine d'années, vêtue d'un blazer bleu, les cheveux bouclés par une permanente. Derrière ses épaisses lunettes, de petits yeux ronds auxquels il ne devait pas échapper grand-chose. Je savais qu'elle avait remarqué la façon dont j'avais sursauté en entendant le bruit. Je sentais encore l'adrénaline fuser dans mon sang et mon pouls tardait à recouvrer son calme.

— On peut remettre à plus tard, proposa-t-elle.

— Ça ne rendra pas la chose plus facile.

— A vous de voir.

Je regardai autour de moi pour éviter ses yeux ronds perçants. C'étaient des inconnus, ces hommes et ces femmes au travail dans ma maison, des gens sérieux, concentrés, et ceux qui croisaient mon regard le faisaient avec un manque d'expression étudié. Devant leur détachement professionnel, je commençais à me sentir idiot.

— Je suis désolé, dis-je à mon tour. Je ne vous aide pas beaucoup.

— Vous n'avez pas à vous excuser, docteur Severin. C'est horrible pour tout le monde. Horrible.

L'inspectrice avait une voix basse et rugueuse contrastant avec son aspect convenable. Dans son blazer bleu impeccable, elle me faisait penser au chef comptable d'une firme en difficulté mais respectable, une personne appliquée, assidue. Sa main se porta à son sac de cuir fauve, puis repartit en arrière. Je devinai que cette main s'était lancée dans une mission familière — prendre un paquet de cigarettes, peut-être — et s'était reprise au dernier moment.

— Il est inutile de t'imposer ça maintenant, déclara abruptement Stella, comme si elle retenait cette remarque depuis un moment.

Elle était assise sur le sofa en face de moi, les épaules voûtées, les mains jointes sur son giron. Ses cheveux roux partaient dans tous les sens et elle tremblait, mais on ne pouvait se méprendre sur la posture farouchement protectrice de son corps. Je n'arrivais pas tout à fait à m'habituer à sa présence. La police avait insisté pour faire venir quelqu'un auprès de moi et j'avais avancé le nom de Stella, mais ma perception du temps était si déformée qu'elle semblait être venue miraculeusement vite, et cela me troublait. Comme personne ne lui répondait, elle se leva, fit quelques pas, tira un paquet de cigarettes de sa poche.

— Ne fumez pas ici, lui enjoignit l'inspectrice sans la regarder. Si je peux souffrir, vous le pouvez aussi.

Stella remisa ses cigarettes et se rassit. Cette façon de lui parler m'avait démontré l'autorité de la policière plus clairement que tout ce que j'avais pu entendre jusque-là. Ses lunettes donnaient à son visage doux un air innocent, mais elle était tout sauf stupide.

Je pris plus nettement conscience de l'activité déployée dans la maison. C'était comme si la scène se déroulant autour de moi cessait d'être floue, comme si je me réveillais en sursaut après avoir été drogué. Des hommes et des femmes en combinaison blanche allaient et venaient; le photographe rôdait dans la pièce, mitraillant sous tous les angles; la lumière bleue d'une voiture de police garée sur le trottoir passait à travers les fenêtres. La circulation de fin d'après-midi dans la rue grondait avec une force inhabituelle, à cause de la porte d'entrée restée ouverte.

Des gens aux semelles épaisses marchaient d'un pas pesant sur le plancher de l'antre de Caitlin et dans l'escalier en colimaçon qui y menait. C'était cela le plus étrange : entendre des inconnus là-haut. Leurs pas faisaient trembler et sonner le métal des marches, détournant mon attention. Je n'avais jamais entendu personne là-haut, pas même Caitlin, qui se déplaçait aussi silencieusement qu'un chat.

L'inspectrice continuait à m'observer à travers les petits verres ronds de ses lunettes.

— Excusez-moi, mais quel est votre nom, déjà? m'enquis-je. Vous me l'avez dit plusieurs fois, mais je n'arrive pas à m'en souvenir.

— Emma Dickenson. Lieutenant Emma Dickenson. Nous pouvons faire venir un médecin, si vous voulez. Vous devriez probablement en voir un, d'ailleurs...

— Je ne veux pas de médecin. Je passe ma vie entouré de médecins.

Un homme large d'épaules en veste à carreaux criarde entra dans la pièce d'un pas lent en feuilletant un calepin. Le jeune agent qui portait les débris de la plante dans la cuisine s'immobilisa, l'air coupable.

— C'est toi qui as fait ça, Watts?

— Désolé, sergent.

— Quel empoté tu fais. Où est Soco?

— En haut, sergent. Je crois.

— Va lui dire que t'as bousillé la scène du crime. Il sera très content. Et mets-moi ces trucs dans un sac, avec une étiquette.

— Oui, sergent.

Le jeune agent déguerpit, le costaud nous découvrit, Dickenson et moi, sur la banquette de la fenêtre, derrière lui. Il nous salua d'un signe du menton et sortit de la pièce.

— Je peux vous appeler Michael? me demanda l'inspectrice tout à trac. Nous n'aimons plus tellement les formalités, de nos jours. Moi pas, en tout cas.

J'eus un vague hochement de tête, et elle se renversa en arrière sans me quitter des yeux.

— Bon, quand vous serez en état, Michael, nous pren-

60

drons votre déposition officielle. Ce sera plus facile au poste. Et il y a, vous le comprendrez, deux ou trois détails médicaux dont nous devons nous occuper pour pouvoir éliminer vos empreintes digitales. Il doit y en avoir partout dans la maison. Nous ferons la même chose avec Mlle Cowan, les voisins, la femme de ménage et toutes les personnes qui sont passées ici récemment. Vous connaissez sans doute la routine, étant vous-même médecin, je veux dire.

Elle parcourut la pièce des yeux et son regard s'arrêta sur mes sacs. Quelqu'un les avait montés du pied de l'escalier où je les avais laissés en entrant.

— Vous étiez en voyage, Michael?

— Au Venezuela. Pour le tremblement de terre.

— Le tremblement de terre?

— Stella et moi. Nous travaillons pour MSF. Médecins sans frontières.

— C'est votre boulot?

— Nous sommes bénévoles. Le reste du temps, je fais partie du service de traumatologie de St Ruth. St Ruth, dans Euston Road. C'est mon vrai travail.

Stella prit ma main droite et la pressa, motivée peut-être par la mention de son nom. Je ne voulais pas qu'elle me tienne la main, mais la retirer aurait été grossier et pas très gentil.

— Vous avez été absent longtemps? voulut savoir Dickenson.

— Trois semaines. Presque quatre.

Le sergent baraqué en veste à carreaux s'approcha de nous en criant des instructions par-dessus son épaule. Se rendant compte qu'il nous avait interrompus, il s'arrêta.

— Pardon, chef.

L'inspectrice ne sembla que légèrement chagrinée. Elle

me fit penser à une femme qui aimait beaucoup son rott-weiler, qui était contente de l'avoir près d'elle, tout en se sentant parfois un peu embarrassée par la masse et la maladresse de l'animal.

— Dig, je te présente le docteur Michael Severin.

L'homme tendit une main large et dure que je serrai. Âgé d'un peu plus de quarante ans, il avait des yeux néandertaliens profondément enfoncés sous des sourcils couturés. Je me demandai de quoi Dig pouvait être le diminutif.

— Je vais pas vous servir le boniment habituel, doc, me dit-il. Pendant des semaines, tout le monde vous répétera que c'est tragique, condoléances et tout ça, mais personne ne le sait mieux que vous. Alors, autant la fer-mer et essayer de faire son boulot. De démêler cette affaire. Le plus vite possible.

— Oui, acquiesçai-je.

Je trouvais sa présence physique écrasante et, sans trop savoir pourquoi, j'ajoutai :

— Merci.

— Michael, je vous présente Digby Barrett, mon SI, sergent inspecteur. Nous travaillons ensemble.

Digby. Comment pouvait-on s'appeler Digby? Je fus saisi d'une envie hystérique d'éclater de rire. Je n'osais pas croiser ses yeux de gorille, mais je sentais que le SI Barrett avait capté ce que je pensais.

— Vous avez des enfants, Michael? fit Dickenson.

La question, surprenante, me rendit mon sérieux.

— Des enfants?

— Je suppose que non. A voir la maison...

— Une maison agréable, estima Barrett. Enfin, avant, se corrigea-t-il en tirant une chaise à lui. Vous connaissez les voisins, doc?

— Pas très bien, répondis-je en peinant à me concentrer. La maison de gauche est vide, elle est à vendre depuis un mois ou plus.

— J'arrive pas non plus à trouver quelqu'un de l'autre côté. Ils sont au travail?

— C'est chez Henry. Henry Kendrick. Il est à la retraite.

— Il a peut-être vu quelque chose, alors, s'il est chez lui dans la journée...

— Il est absent, en ce moment.

— En vacances?

— Il a un fils en Nouvelle-Zélande et un autre aux Etats-Unis, il va les voir tous les ans. Il ne rentrera pas avant... je ne sais pas en fait, des semaines sûrement.

Barrett émit un grognement.

— Qu'est-ce qu'elle faisait dans la vie, votre femme? demanda Dickenson.

— Rien.

Je regrettai aussitôt d'avoir dit ça. Cela semblait déloyal et je sentis instantanément un courant froid de désapprobation féminine. Je repris :

— Caitlin s'occupait de...

Il me fallut faire un effort pour me souvenir, pour être précis :

— ... de plusieurs galeries. Des galeries d'art. Elle s'intéressait à l'art, elle passait beaucoup de temps à la Tate, en particulier...

— Elle travaillait à la Tate Gallery?

L'inspectrice semblait tenir à doter Caitlin d'une activité régulière salariée. Peut-être parce que cela l'aidait à se faire une idée d'elle, à la ranger dans une catégorie.

— C'était du bénévolat.

Je m'avisai que j'étais incapable de décrire précisément ce que Caitlin faisait là-bas. Je n'étais pas sûr qu'elle me l'ait expliqué en détail. Je n'étais pas sûr de le lui avoir demandé.

— Elle participait à la préparation des tournées, des expositions. Ce genre de choses.

— Du bénévolat, répéta Dickenson. Mais elle n'avait pas de travail. Pas en tant que tel.

— Pas au sens où...

Je m'interrompis, gêné par mon ignorance.

— Non, pas en tant que tel.

L'inspectrice garda un instant le silence, apparemment pour réfléchir à ce que je venais de dire, puis elle se leva.

— On s'en tiendra là pour le moment, décida-t-elle. Vous avez un endroit où coucher cette nuit, je suppose, Michael? Des amis?

— Oui, intervint précipitamment Stella. Oui, bien sûr, ajouta-t-elle d'un ton plus calme.

Barrett se leva à son tour, et Stella aussi, mais je restai assis.

— Qu'est-ce qui s'est passé ici? murmurai-je.

Dickenson perdit de sa vivacité et, pendant un instant, elle ressembla moins à une inspectrice de police qu'à une femme mûre fatiguée qui en a plus qu'assez de son boulot.

— Il est trop tôt pour le dire.

— Y a de fortes chances que ce soit un cambriolage qui a mal tourné, avança Barrett, comme pour soulager sa collègue du fardeau d'avoir à s'engager. Peut-être un toxico, peut-être un type qui a saisi l'occasion. C'est juste une hypothèse. Mme Severin a probablement eu la malchance d'être à la maison à ce moment-là.

Nous demeurâmes tous un instant silencieux, chacun méditant dans son coin l'inadéquation du langage.

— Je veux en finir, déclarai-je.

Les deux policiers échangèrent un regard.

64

— Je parle de ma déposition, de l'ADN et tout le reste. Je veux être utile. Je veux aider.

Emma Dickenson répondit :

— Si vous vous en sentez le courage, nous ferons tout ça demain matin. Pour en être débarrassés.

Stella jeta mon sac à l'arrière de la voiture et tint la portière ouverte pour moi, mais je m'attardai, observant le train de flottage bloqué que formaient les voitures de police, et la circulation qui tentait de se faufiler. Je n'aimais pas qu'on me mette dehors comme ça, qu'on me force à abandonner ma maison à des professionnels anonymes qui furetaient partout dans la pièce de Caitlin et faisaient tomber ses plantes. Un frisson naquit quelque part au fond de mon ventre, battement d'ailes d'un papillon de nuit.

Me voyant hésiter, Stella demanda :

— Qu'est-ce qu'il y a?

— Tu te souviens de la crypte? Du prêtre? De la façon dont le sol a tremblé?

— De quoi tu parles? répliqua-t-elle, les clés à la main.

Je savais qu'elle était près de craquer, plus que moi, en fait.

— Tu veux que je conduise? proposai-je.

— Quoi? Tu es fou? Monte!

Elle me poussa avec une telle force que je trébuchai sur le bord du trottoir et dus me retenir au toit de sa Golf rouge cabossée.

— Allez, vite.

Je montai, elle claqua la portière derrière moi, fit le tour de la voiture, attrapa au passage la contravention noir et jaune coincée sous l'essuie-glace, la jeta à l'arrière, puis se glissa derrière le volant.

— Tu dormiras chez moi jusqu'à ce qu'on trouve une solution. Au moins jusqu'au retour d'Anthony.

Je n'avais aucune envie de dormir dans son petit appartement humide, je ne voulais pas qu'on me balade ici et là comme un malade.

— Stella...

— Pour une fois, Michael, tu peux faire ce que je te dis sans discuter?

Elle démarra et déboîta, bloquant la partie droite de la chaussée. Le pied sur le frein, elle se tourna pour me faire face. Derrière, une voiture klaxonna, puis une autre, mais elle les ignora et continua à me regarder. Je ne me sentais pas le courage d'affronter son regard. Le concert de Klaxon devenait assourdissant, mais Stella me fixait toujours, comme si elle était sur le point d'ajouter quelque chose.

Finalement elle ôta son pied du frein et se glissa dans la circulation. Une fois lancée, elle conduisit rapidement et avec habileté, trouvant peut-être un exutoire dans la concentration nécessaire pour accomplir cet exploit dans un trafic de plus en plus dense. De nouveau, nous gardâmes le silence. Au moment où nous tournions dans Edgware Road, son portable bourdonna; elle le tira de son sac, pressa le bouton et parla sans modifier son rythme de conduite.

— Oui, dit-elle... Bien sûr qu'il l'est... Dieu soit loué... S'il te plaît... Avant si tu peux, Gordon... Non, ne me demande pas. Je tiens à peine le coup moi-même... O.K.

Elle coupa la communication, posa l'appareil sur le plancher entre ses pieds.

— Gordon essaie encore de trouver Anthony.

— Anthony est à Amsterdam, dis-je. Pour le Salon des antiquaires. Il s'y rend tous les ans.

— Il n'a pas laissé d'adresse où le joindre. Gordon appelle en ce moment tous les hôtels.

— Pauvre Anthony.

Suivant des yeux une file de voitures, je tentai d'imaginer la réaction d'Anthony lorsque Gordon retrouverait enfin sa piste et lui annoncerait la nouvelle. Anthony adorait Caitlin. J'appuyai ma tête à la vitre.

Une heure plus tard, j'étais assis juste derrière les portes coulissantes donnant sur le jardin — minuscule et mal tenu — de l'appartement de Stella, un sous-sol obscur, pas très loin de Queensway. Du sofa, je regardais le soir d'automne tomber derrière les parois de verre. Un jeune saule en pot s'épanouissait telle une fontaine d'or dans le jour finissant. La pièce autour de moi était paisible. Affiches de théâtre sur les murs, tapis mexicain et poufs. Pourtant, elle donnait l'impression d'être inoccupée. Stella passait la plupart de son temps dans l'appartement plus spacieux de Gordon, à Pimlico, chaque fois qu'elle était à Londres, mais même quand elle dormait chez elle, elle ne se souciait pas du ménage. Le petit appartement était un véritable bazar, la chambre sale et en désordre. Stella s'y trouvait en ce moment et je l'entendais défaire les draps du lit, pousser les meubles sur le côté. Elle revint quelques minutes plus tard, fit tomber des pilules dans ma main et me mit un verre d'eau sous le nez.

— Prends ça.

J'avalai machinalement les pilules, pour lui faire plaisir. Stella se recula et me regarda. C'est une fille solide, pensai-je avec un curieux détachement, une jeune femme forte au visage ridé qui avait vu beaucoup de chagrin et de souffrance dans sa vie et avait toujours su y faire face. Mais je sentais que cette fois elle craquait.

— On n'est pas censé mélanger avec de l'alcool mais tant pis, dit-elle.

Elle était tendue comme un ressort et sa voix tremblait. Elle alla dans la cuisine, revint avec deux verres de vin blanc.

— Il est infect, c'est tout ce que j'ai.

Je pris le verre et bus un peu. Le vin était froid et piquant. Dehors dans le jardin, un merle se mit à chanter. Je fus étonné d'être encore capable de remarquer ce genre de choses, de les trouver agréables et paisibles. Caitlin ne goûterait jamais plus de vin. J'extirpai cette pensée de ma tête avant qu'elle y prenne racine.

— C'était Anthony, annonça Stella.

Je remarquai qu'elle avait des cernes sous les yeux.

— Quoi ?

— Le téléphone. Tu ne l'as pas entendu sonner ?

— Non.

— Il est coincé à Schiphol, il y a des problèmes avec les vols. Il a eu le message de Gordon par sa messagerie, mais il ne peut pas être ici avant demain matin.

— C'est sans importance.

En fait, j'étais soulagé : je n'avais envie de voir personne en ce moment, pas même Anthony.

— Il veut que tu t'installes chez lui, à Barnes, dès son arrivée. D'après lui, ce serait mieux pour toi qu'être ici, ajouta-t-elle, de la rancœur dans la voix.

— C'est normal qu'il voie les choses de cette façon, Stella.

Elle se mordit la lèvre à la faire blanchir, posa son verre et pressa ses poings contre ses yeux.

— J'ai tant de peine pour toi, murmura-t-elle. Je sais que ça ne t'aide pas beaucoup...

Elle respira à fond deux ou trois fois, releva la tête.

— Seigneur, on ne croirait jamais que j'ai passé des

années aux urgences. Les choses que j'ai vues. Les choses qu'on a vues, toi et moi. Mais ça n'aide pas, hein?

— Non. Ça n'aide pas du tout.

— Oh, Catey, s'exclama-t-elle. Elle était si belle. Si belle, fit-elle d'une voix brisée.

Dehors, le merle du soir avait repris ses trilles. Caitlin n'entendra plus jamais un merle chanter, pensai-je. Plus jamais une berceuse de Brahms ni un gazouillis de bébé. La liste des choses perdues se déroula dans ma tête comme une bobine de film, lentement d'abord puis plus vite. Plus jamais un Degas ou un lever de soleil. Plus jamais l'odeur du café et des croissants.

Stella enfouit son visage dans ses mains et fondit en larmes. Je me levai, la pris dans mes bras. Caitlin ne sentira plus jamais ça, me dis-je. Mes bras autour d'elle. Elle était allongée quelque part sur un plateau métallique froid, et plus personne ne la prendrait dans ses bras. Ne l'embrasserait, ne la câlinerait. Plus jamais.

— Je m'étais juré de ne pas faire ça, murmura Stella. Je me l'étais *juré*.

Je l'emmenai dans la chambre, la mis au lit, et elle se recroquevilla sous l'édredon, secouée de sanglots. Je m'assis à côté d'elle, caressai un moment son épaule chaude, puis je ressortis sans bruit et tirai la porte derrière moi, retournai dans la pièce principale où je me tins immobile dans l'obscurité, tendant l'oreille, jusqu'à ce que, au bout d'un long moment, j'entende enfin sa respiration saccadée devenir régulière.

Je fus pris par surprise quand cela arriva : je sentis mes jambes se dérober sous moi et, avant de pouvoir réagir, je tombai assis par terre avec un bruit sourd. Je réussis à ne pas renverser la table basse sur laquelle étaient posés les verres et j'en fus heureux car je ne voulais pas alarmer Stella, je ne voulais pas qu'elle se précipite à mon secours dans le couloir, je ne voulais plus de sa compassion angoissée. Je tendis les bras devant moi sur le sol froid, laissai ma tête basculer et se poser dessus. Dehors, dans le jardin sombre, le merle continuait à chanter impitoyablement.

6

Le petit appartement était baigné de lumière et envahi par les bruits caractéristiques du matin : roucoulements de pigeons, radio enjouée d'un voisin, pas résonnant sur le trottoir.

A un moment de la nuit, je m'étais allongé sur le sofa, sous une couverture que je rabattais maintenant avec des gestes hésitants comme après un accident ou une opération. Mes épaules et mon dos étaient raides, la peau de mon visage tendue comme un tambour. J'avais un mal de gorge qui me rappelait des douleurs de l'enfance. Etendu sur le dos, je laissais la chaleur du soleil s'insinuer en moi. Au bout de quelques minutes, je me levai et me douchai dans le placard obscur qui tenait lieu de salle de bains à Stella. Quand j'en ressortis, elle s'affairait dans la cuisine en peignoir, les cheveux attachés en arrière. Le percolateur gargouillait.

— Il est arrivé exactement le contraire de ce que je pensais, dit-elle en posant deux bols dépareillés sur la table. C'est toi qui devais péter un câble, pas moi.

Elle versa le café, m'examina par-dessus la fumée. Ses yeux étaient bouffis, ses cheveux avaient l'air cassants et sans vie.

— Je suis belle à voir, hein ?

Je me penchai en avant, lui pressai la main.

— Tout s'arrangera avec une douche.

Elle remua les épaules et passa en mode infirmière.

— Il n'y a que du café. Je n'ai pas une miette de nourriture à t'offrir.

— Je ne supporterais pas d'avaler même une miette.

Elle désigna de la tête la serviette dont j'étais enveloppé.

— Je t'apporterai des vêtements propres plus tard.

Je lui pressai de nouveau la main.

— Ce type, Barrett, il a appelé pendant que tu te douchais, poursuivit-elle. Il veut que tu ailles là-bas à neuf heures faire ta déposition. Tu penses toujours que tu seras en état?

— Oui.

— Tu veux que je t'accompagne?

— Je préfère y aller seul, Stella, répondis-je avec douceur.

Elle baissa les yeux vers son bol.

Au sortir de chez Stella, le SI Barrett me conduisit à une BMW vert sombre dans laquelle un jeune Noir à l'oreille percée d'un clou d'or était assis, les mains sur le volant.

— Agent enquêteur Baz Ellis, dit Barrett, désignant l'homme du menton et ouvrant la portière arrière pour moi.

Je me glissai sur la banquette, croisai le regard d'Ellis dans le rétroviseur.

— Condoléances, fit-il. Horrible histoire.

Je répondis d'un hochement de tête. Barrett monta à l'avant, et la voiture démarra. L'inspecteur fixait le pare-brise sans dire un mot. Il portait la même veste que la veille et avait les traits tirés : il était sans doute resté debout la majeure partie de la nuit.

Ellis se gara au parking du poste de police de Notting Hill. Barrett me fit entrer par la porte de derrière, et nous montâmes l'escalier de béton. L'endroit sentait le désinfectant et les marches nues crissaient sous nos chaussures. En chemin, Barrett échangea des salutations avec des hommes en uniforme et en civil mais de manière abrupte, comme pour décourager toute plaisanterie irrévérencieuse devant moi. Il franchit des doubles portes en haut de l'escalier, m'entraîna dans un petit couloir puis dans une pièce remplie d'odeurs médicales familières où il me laissa en s'excusant.

Cela prit deux heures, peut-être plus. Je passai un moment dans une cabine pendant que le docteur asiatique de service prélevait des échantillons de ma salive. Plus tard, l'AE Ellis me conduisit à une morne salle d'interrogatoire où une femme blonde fit cliqueter un clavier tandis que je parlais. Elle s'adressait à moi avec douceur, comme à un enfant malade, m'arrêtait de temps à autre pour clarifier un point ou me faire répéter un mot. A un moment, quelqu'un prit mes empreintes digitales et s'excusa pour la tache d'encre restée sur mes mains. Je ne gardai qu'un souvenir confus de la suite, mais repartis avec une impression générale de compétence et de compassion lasse.

— Ils vous ont bien traité, hein, doc ? dit Barrett.

Il me toucha le bras et me guida vers les ascenseurs.

J'acquiesçai.

La cabine monta dans un murmure. Les yeux plissés, Barrett regardait les chiffres défiler au-dessus de la porte. Nous sortîmes de l'ascenseur pour emprunter un couloir longeant une salle délimitée par une cloison de verre. Une demi-douzaine d'hommes et de femmes, jeunes pour la plupart, étaient assis devant des ordinateurs posés sur des bureaux métalliques. De la paperasse et des gobelets en carton occupaient toutes les surfaces disponibles. Sur la paroi de verre étaient fixés des dessins humoristiques et des circulaires. Je lus sur une feuille : *Brigade des stupéfiants : prière de ne pas marcher sur l'herbe.*

Voyant la direction de mon regard, Barrett grommela :

— Des rigolos.

Il frappa à une porte, l'ouvrit sans attendre de réponse et me fit entrer dans un bureau bien éclairé dans l'angle du bâtiment donnant sur une tranche de West London. Il n'y avait personne dans la pièce, dont la pluie piquetait les carreaux. Je fus étonné de découvrir qu'il pleuvait : j'avais perdu contact avec le monde extérieur pendant les heures qui venaient de s'écouler. Un grand bureau en pin disparaissait presque sous un éboulis de papiers, de rapports reliés, de disquettes informatiques et de cendriers pleins. Le sac en cuir fauve de l'inspectrice Dickenson partageait le sommet de la pile avec un briquet en plastique et deux paquets de Marlboro. La fenêtre était entrouverte et il flottait dans l'air un déodorant à senteur de pin qui ne parvenait pas à masquer la puanteur du tabac.

— Je supporte pas les clopes que fume le boss, grogna Barrett.

Il avait l'air gêné qu'elle ne soit pas là et ne savait pas trop quoi faire de moi.

— J'essaie d'arrêter, alors ça me fout en l'air quand j'entre ici, vous pouvez me croire. Asseyez-vous, doc.

Emma Dickenson entra derrière moi d'un air affairé. Je supposai qu'elle venait des toilettes : son rouge à lèvres brillait et un nuage de parfum fraîchement vaporisé l'enveloppait. Elle portait un ensemble en laine lavande apparemment trop chaud pour le bureau et une double

74

rangée de perles. Cela faisait longtemps que je n'avais pas vu une femme portant des perles.

— Merci d'être venu.

Elle s'approcha de moi et je serrai la main qu'elle me tendait, douce et chaude. Son autre main me pressa le poignet.

— Je ne vous demande pas comment vous allez. Etant donné les circonstances...

— Vos gens ont été très bien.

Elle me considéra avec sollicitude à travers ses lunettes rondes.

— Asseyez-vous, Michael, vous devez être épuisé. Nous le sommes tous, d'ailleurs.

Dickenson n'avait pas l'air épuisée, pas moulue de fatigue comme Barrett. Elle tira une chaise vers moi et je m'assis près de la fenêtre, devant une table basse sur laquelle trônait une assiette de sandwiches. Elle s'installa en face de moi, ôta la Cellophane qui couvrait l'assiette.

— Je ne sais pas si vous êtes capable d'avaler quoi que ce soit, Michael, mais en tout cas c'est l'heure de manger. D'accord?

— D'accord.

Barrett fit quelques pas sur le côté et se posta près du bureau, juste au bord de mon champ de vision. C'était comme les pas soigneusement répétés d'une petite danse qu'ils connaissaient parfaitement tous les deux.

— Qui a fait ça? demandai-je. Vous n'en avez aucune idée, hein?

Un sandwich mou pendait aux doigts d'Emma Dickenson.

— Excusez-moi, fis-je. Ce n'est pas ce que je voulais dire.

Ses épaules perdirent leur raideur.

— Il est naturel de vouloir des réponses rapides, Michael. Ne vous excusez pas.

Elle déplia une serviette en papier devant elle, y posa le sandwich et le regarda d'un œil dubitatif, comme si je lui avais coupé l'appétit.

— Qu'est-ce qui lui est arrivé, d'après vous ? insistai-je en fixant l'assiette.

Je les sentis plus que je ne les vis échanger un coup d'œil par-dessus ma tête.

— Nous en saurons davantage quand nous aurons le rapport d'autopsie, répondit Barrett. Dans un jour ou deux.

— Et pour le moment ?

Il prit sa respiration.

— Il semblerait qu'elle ait été projetée en bas de l'escalier par un coup au visage. Un gros pot, ou une statue, serait tombé avec elle. Peut-être parce qu'elle l'a renversé, peut-être parce qu'on l'a jeté.

Il se racla la gorge avant de préciser :

— Jeté sur elle.

— C'était une statue. Un buste. De Wagner. Une sorte de plaisanterie : elle détestait Wagner, en fait. Elle le traitait de sale raciste.

— Oh, fit le SI. D'accord.

Après un silence gêné, il reprit :

— Ecoutez, je sais ce que vous avez envie de savoir, mais y a pas moyen de déterminer avant l'autopsie si c'était une agression sexuelle. Pour le moment, je peux seulement vous dire : apparemment pas. J'irai pas plus loin. O.K. ?

Je hochai la tête.

— Vous m'avez dit hier que vous n'avez pas appelé l'ambulance tout de suite, rappela Emma Dickenson.

— Je ne pouvais pas abandonner Caitlin pour téléphoner, elle ne respirait plus toute seule. Je l'ai expliqué dans ma déposition.

— Simplement pour que ce soit clair : vous avez appelé la police combien de temps après? demanda Barrett. Après avoir découvert votre femme, je veux dire.

— Un quart d'heure? Vingt minutes? Cela m'a paru plus long, mais je ne crois pas que ça l'ait été... Vous pouvez m'expliquer quelle sorte de personne ferait une chose pareille? J'essaie de comprendre, mais je ne trouve aucun sens à cette histoire.

— On n'en trouvera peut-être jamais, Michael. Il n'y a pas toujours d'explication rationnelle à de tels actes.

Je réfléchis à sa réponse, mais elle ne m'aidait pas beaucoup.

— C'est dur à admettre, doc, mais y a un pourcentage de la population qui passe sa vie à attendre une occase. Des drogués, des malfaiteurs professionnels, ou simplement des malades. Je dirai la même chose qu'hier : votre Caitlin a vraiment pas eu de chance, c'est tout.

Ça ne m'aidait pas non plus. Je voulais un enchaînement logique, une cause et un effet. Je m'efforçai de me représenter la scène : un junkie dément aux bras filiformes, un voleur surpris commettant un acte de violence réflexe. Ni l'un ni l'autre ne collait tout à fait. Je me penchai vers la fenêtre ouverte, sentis la fraîcheur de l'air humide sur mon visage.

— Nous ne pouvons pas écarter la possibilité que l'agresseur vous connaissait, déclara Dickenson avec une certaine délicatesse.

Je me redressai.

— Il savait que vous étiez médecin, poursuivit-elle, il aura pensé qu'il y avait de la morphine dans la maison. Ou alors il connaissait Caitlin, ou il l'avait reconnue, tout au moins. Il surveillait l'endroit, il attendait que vous soyez parti.

— « Surveillait l'endroit ? »

— Il est même possible que Mme Severin lui ait ouvert la porte, suggéra Barrett. En le prenant pour un représentant ou quelque chose comme ça.

— Mais il est entré de force, objectai-je. Il y avait du verre partout...

— Non, les dégâts ont été faits à l'intérieur.

Je tentai de saisir ce que cela pouvait signifier, mais je n'arrivais pas à réfléchir normalement.

— Michael, reprit Dickenson, vous m'avez dit hier que vous partez régulièrement en mission avec les gens de MSF...

Elle porta son sandwich à la bouche, le grignota. J'étais tellement sidéré par ce changement de cap qu'elle dut répéter mon nom d'un ton interrogatif :

— Michael ?

— Je pars environ une fois par an avec MSF, mais je fais d'autres voyages. Conférences, congrès...

— Vous restez absent pendant plusieurs semaines ?

— Quelquefois, oui.

— Caitlin vivait bien ces absences ? demanda l'inspectrice, rivant aux miens ses petits yeux ronds. Elle comprenait ?

— Je vois où vous voulez en venir. Vous faites fausse route.

Elle se renversa en arrière.

— Je vais être franche avec vous, Michael. Quand mon cher mari a estimé que je devenais obsédée par mon travail, il s'est trouvé — comment dire ? — d'autres centres d'intérêt.

Je soutins son regard.

— Non.

— Ne le prenez pas mal.

— Je ne le prends pas mal. Nous étions très proches. S'il y avait des ornières sur notre route, nous les connaissions tous deux. Voilà ce que j'entends par « proches ».

Elle haussa les épaules, insista :

— Nous sommes tous humains.

— Je regrette. Il est impossible que nous ayons eu ce genre de problème, je l'aurais su. C'est absurde.

Elle me fixa quelques secondes puis parut prendre une décision et se détendit un peu.

— Oui. Absurde, probablement, admit-elle en posant serviette et sandwich à moitié mangé sur la table. Michael, tout le monde me dit que vous formiez un couple heureux. Oh, je ne parle pas des moments de tension qui surviennent de temps en temps. Nous en avons tous. Les personnes que nous avons interrogées jusqu'ici déclarent toutes que vous étiez faits l'un pour l'autre. Mais je devais poser la question. S'il s'avère que c'est une piste à suivre, autant le faire le plus tôt possible.

Il y eut un silence de quelques secondes.

— Vous êtes rentré plus tôt que prévu? finit par demander Barrett.

Il tendit le bras devant moi et prit un sandwich, faisant tomber des morceaux de laitue sur la moquette.

— Mme Severin ne vous attendait pas...

— Je voulais lui faire la surprise.

— Vous aviez une raison spéciale pour ça? Pour vouloir lui faire la surprise?

— J'avais appelé Caitlin la veille. Du Venezuela. Elle m'avait paru nerveuse. Contrariée. Mais pas plus que ça. Je crois que mon coup de fil l'avait étonnée. Je ne lui téléphonais presque jamais.

— Mais vous vous inquiétiez pour elle? Assez pour rentrer plus tôt?

— J'étais resté longtemps absent. Ma femme me manquait. Alors, j'ai décidé de rentrer, c'est tout.

Je me rendis compte que j'avais légèrement haussé le ton.

— Nous essayons simplement de nous faire une idée, Michael, intervint Dickenson.

— Oui. Je sais.

— Vous avez raison de réagir comme vous le faites. Vous êtes furieux, perdu. Cette histoire est tragique. Obscène. J'ai parfois l'impression que le monde entier devient fou. Nous aussi, il nous arrive d'être furieux, perdus. Les gens croient que non, ils se trompent.

La main de Barrett passa de nouveau devant moi, comme la pelle d'une excavatrice, et s'empara de trois ou quatre autres sandwiches.

— Faut que vous compreniez notre problème, doc. Pour le moment, on a rien. Y a pas eu effraction. Apparemment, rien ne manque : l'argent et les bijoux laissés dans la chambre, le matériel informatique, le téléphone portable, la télé... on a touché à rien. Y a des signes évidents de lutte violente, mais personne n'a vu ou entendu quoi que ce soit de suspect. Les voisins, je veux dire. On a pas de toxico en détresse qui se présenterait de lui-même pour avouer. Aucune rumeur de rue.

— Je ne sais pas comment je peux vous aider, dis-je. Je le voudrais, pourtant.

Je m'aperçus que je mourais de faim mais je me refusais à manger quoi que ce soit, l'idée me semblait indécente. Cependant, je ne quittais pas l'assiette des yeux.

— Vous saviez où elle allait, doc?

— Où elle allait?

— Il y avait une valise dans sa chambre. Faite. Apparemment, on aurait jeté un autre bagage dans l'escalier, par-dessus elle, peut-être.

Je posai sur Barrett un regard interdit.

— Vous n'avez pas remarqué tous ces trucs sur les marches? Vêtements, livres, nécessaire de toilette?

— Je n'ai pas remarqué grand-chose.

Malgré moi, j'étais sur la défensive et cela m'ennuyait.

— Une valise?

— Deux, probablement. Ou une valise et un sac.

— Elle comptait peut-être passer le week-end chez des amis, suggéra Dickenson. Ou dans sa famille.

— Pas dans sa famille, dis-je. Chez des amis, peut-être.

— Pourquoi pas dans la famille? voulut savoir Barrett.

— Nous ne nous entendions pas avec eux. Nous nous détestions, en fait, corrigeai-je.

Je fus envahi d'un sentiment de culpabilité.

— Bon Dieu, j'aurais dû les appeler. L'idée ne m'a même pas effleuré.

— Nous nous en sommes chargés, m'informa l'inspectrice. Ses parents font une croisière, mais j'imagine que la nouvelle leur est parvenue, maintenant. Les pauvres.

— Elle était fille unique.

— Cela ramène les choses à de plus justes proportions, non? fit-elle. Les querelles de famille et le reste.

7

Quelques minutes plus tard, je sortis du poste et fis le tour du bâtiment pour retourner au parking de derrière. La pluie avait cessé, mais l'eau s'étalait en miroirs sur l'asphalte. Je repérai presque aussitôt Anthony, silhouette funèbre dans son costume noir chiffonné, qui remontait lentement l'allée entre les voitures, les yeux sur ses chaussures étincelantes. Il ne me vit pas tout de suite et je m'accordai un moment pour l'observer, en partie afin de laisser mon esprit se rasséréner, en partie parce qu'un écheveau d'associations d'idées m'avait ramené à un autre jour où il était venu me chercher.

C'était le lendemain de l'incendie. La matinée était glaciale, le givre recouvrait les ambulances du parking d'une couche blanche comme du sucre. On aurait dit des gâteaux de mariage. Le froid me faisait mal aux mains sous mes pansements. Anthony était là, corpulent, emmitouflé, sautillant nerveusement sur la pointe des pieds tandis que son écharpe marron claquait derrière lui dans le vent comme un pavillon.

« De l'action, m'avait-il dit, c'est ce qu'il te faut. »

Il avait pris mon sac des mains de l'infirmière en évitant de regarder les miennes. Ses yeux larmoyaient. A cause du vent d'est, avait-il prétendu, mais même alors je n'avais pas été dupe.

A cet âge, je ne savais pas ce qui arrivait aux enfants dont la famille avait été anéantie. Anthony me conduirait peut-être à un orphelinat, si de tels endroits existaient encore. J'imaginais une sorte de pensionnat, plein d'inconnus sachant tous les règles, où l'on me traiterait avec une jovialité professionnelle. Je m'en fichais. Je me fichais d'à peu près tout.

Anthony ne m'avait pas conduit à un orphelinat, il m'avait emmené à un marché, une longue rue encombrée d'étals derrière lesquels des gens bizarrement accoutrés, pour certains, parlaient fort, riaient beaucoup et se criaient des choses incompréhensibles. On se serait crus dans un bazar : figurines en porcelaine, livres reliés cuir, tableaux encadrés, bijoux tarabiscotés, vieux jouets en fer émaillé, plateaux de pièces de monnaie, insignes militaires, coffrets de bois sombre et d'ivoire. La lumière du jour était cristalline et une mince bande de ciel courait au-dessus des bannes. Il y avait quelque chose d'irréel à se trouver dans un tel endroit avec le morne Anthony. Car ce lieu n'était pas morne du tout, il était magique et, une fois là-bas, Anthony n'était plus morne non plus. Là-bas, on le saluait avec déférence à chaque coin de rue.

« C'est une première édition, monsieur Gilchrist. Exactement votre rayon... »

« J'aurai des articles de Meissen la semaine prochaine, monsieur Gilchrist. Je vous en mets un ou deux de côté... »

« Rien pour vous cette fois, monsieur Gilchrist, mais je vous tiens au courant... »

Anthony hochait la tête et souriait vaguement en descendant la rue, tel un monarque dispensant sa faveur, mais il ne s'était arrêté nulle part et n'avait rien acheté.

J'avais appris plus tard que j'étais à Portobello Road. Je devais y retourner souvent avec Anthony et habiter en fait à moins de un kilomètre de là. Je ne l'aurais pas cru à l'époque, mais j'étais déjà fasciné par les couleurs, les bruits du lieu, l'énergie qui s'en dégageait.

« Tu n'as rien à te reprocher, Michael », m'avait dit tout à coup Anthony.

J'avais levé les yeux vers lui mais il avait continué à avancer sans me regarder.

« J'ai parlé à la police et aux pompiers, avait-il poursuivi. C'est sûrement ce foutu cigare qui a tout déclenché. »

Il avait apparemment repéré au-dessus des toits quelque chose qui réclamait toute son attention.

« Alors, s'il faut vraiment trouver un responsable, c'est ma faute, parce que c'est moi qui lui ai offert ces cigares. Ou la sienne, parce qu'il en a fumé un et ne l'a pas éteint. Tu vois comme c'est idiot ? En tout cas, tu n'es absolument pas responsable. »

Il avait placé doucement une main hésitante sur mon épaule et l'y avait laissée. Ce contact m'avait gêné, mais je n'avais pas voulu le fuir. Je savais qu'il cherchait à être gentil, même si ce qu'il disait n'était manifestement pas vrai.

« Il vaut mieux ne plus y penser du tout, mon vieux », avait-il conclu.

Nous nous étions arrêtés devant une table à tréteaux présentant des mécanismes : horloges en bronze doré, pendulettes, montres de gousset dans un étui doublé de peluche, boîtes à musique, jouets à ressort. Derrière, contre le mur de brique, des horloges de parquet formaient un alignement inégal de sentinelles mal assorties par la taille. Dans les tic-tac, les cliquetis des échappements, des trappes s'ouvraient, libérant ici un oiseau, là un soldat en habit rouge ou une ballerine, qui exécutaient quelques trilles ou quelques pas avant de disparaître. Un petit homme portant une boucle d'oreille et un chapeau mou me lorgnait par-dessus le bric-à-brac.

« Qui c'est, ça, monsieur Gilchrist ? » avait-il demandé.

Ses yeux vifs avaient remarqué mes mains bandées et s'étaient détournés.

« C'est Michael. »

Anthony se balançait sur ses chaussures éclatantes et je pouvais voir qu'il était ravi et soulagé de la rencontre avec le petit homme.

« Michael, je te présente M. Harry Judah, un type exécrable. Des prix exorbitants. Ne le fréquente surtout pas.

— Fournisseur de coucous d'occase pour la haute, à votre service. En chantier de faire votre connaissance, monsieur Michael. »

Harry Judah avait ôté son chapeau. Il avait des cheveux très noirs et, sans son couvre-chef, paraissait beaucoup plus jeune.

Je ne comprenais rien à ce qu'il disait mais je devinais son caractère chaleureux et son humour taquin.

« Vous avez l'intention de le placer comme ramoneur, monsieur Gilchrist ? Si j'étais vous, je me grouillerais avant qu'il grandisse ou que toute la ville passe au chauffage central. »

Anthony avait fait mine d'ôter sa main de mon épaule, puis s'était ravisé et l'y avait laissée, accentuant même un peu sa pression.

« Michael va venir habiter chez moi. »

L'expression de Harry Judah était restée neutre.

« Vous allez vous occuper de ce garçon, alors ?

— A partir de maintenant, je m'occupe de tout », avait déclaré Anthony.

Je traversai le parking du poste de police en direction d'Anthony, tellement plongé dans ses pensées que je n'étais plus qu'à un mètre de lui quand il me vit et releva sa tête de boxer triste.

— Salut, dis-je.

— Mon garçon. Mon pauvre vieux.

Il avait soixante-trois ou soixante-quatre ans, ce qui n'était pas un âge avancé, mais ce jour-là il avait l'air d'un vieil homme, abattu et exténué. Je ne l'avais jamais vu comme ça. Il y avait quelque chose de cruel dans le fait qu'il soit amené à jouer un rôle dans une seconde tragédie, et je m'en sentais de manière irrationnelle responsable, parce que les deux tragédies étaient miennes.

— Tu as une tête épouvantable, Anthony.

— Vraiment? Seigneur. Vraiment?

Il tira sa pochette — rouge, cette fois, remarquai-je, avec de gros pois blancs — et la déploya d'un geste théâtral, comme s'il secouait un imperméable pour en faire tomber les gouttes de pluie. Il contempla le ciel puis le sol avec une expression de surprise, comme s'il était étonné tour à tour des choses qu'il y découvrait. Je posai une main sur son bras, un geste intime selon nos critères.

— Merci d'être venu si vite, Anthony.

Il prit une longue inspiration, regarda par-dessus mon épaule.

— Dès que j'ai appris, bien sûr. Et j'ai appelé Stella. Elle m'a confié des vêtements pour toi, ils sont dans la voiture.

Il remit la pochette dans la poche de poitrine de son costume, par-dessus laquelle elle retomba comme une grande fleur molle. Pendant quelques secondes, nous ne sûmes trop quoi dire, puis Anthony finit par rompre le silence :

— Bon, suis-moi.

Il se retourna et m'emmena quelques mètres plus loin, à l'endroit où était garée une Volvo rouge neuve constellée de gouttes de pluie. Il tâtonna un peu avec le trousseau de clés avant de réussir à ouvrir les portières. Je ne pouvais m'empêcher de regarder la Volvo avec de grands yeux. Anthony possédait une vieille Rover blanche — je ne lui avais jamais connu d'autre voiture —, et ce véhicule luxueux ne lui allait pas du tout.

— Une monstruosité, maugréa-t-il. Voiture de « courtoisie », comme on dit. La Dame blanche est au garage pour sa révision annuelle. Vraiment pénible.

Je voyais bien qu'il était embarrassé par cette voiture inconnue, qu'il se reprochait de ne pas avoir amené, ce jour-là entre tous, la confortable vieille Rover, de ne pas m'entourer des derniers vestiges du traditionnel et du familier. C'était absurde, mais c'était tout à fait lui. Ne trouvant aucun moyen de soulager sa détresse, je fis le tour de la Volvo et ouvris la portière, mais nous restâmes un moment à nous regarder par-dessus le toit scintillant.

— Tu t'installes chez moi, bien sûr, dit-il en redressant les épaules. Je m'occupe de tout.

La maison d'Anthony était une vaste bâtisse obscure construite dans les années vingt et sise dans un jardin mal entretenu envahi de broussailles et planté de peupliers. La peinture de la véranda s'écaillait, l'allée avait besoin d'être refaite. Anthony semblait ne pas s'en apercevoir. Autrefois, pendant mes vacances scolaires, ce laisser-aller m'intriguait. Sans lui, la maison n'aurait été que banale et banlieusarde, comme les pavillons petits-bourgeois de la rue assoupis derrière leurs haies de troènes et leurs allées de gravier. Ni Anthony ni sa demeure ne cadraient avec le lieu et, si je ne comprenais pas à l'époque ce que cela voulait dire, je savais déjà que cela avait un sens.

A l'intérieur, les pièces, encombrées de meubles

sombres, sentaient le moisi. Des livres, des tableaux, des statues couvraient les murs et les étagères. Anthony dénichait ces trésors sur les marchés aux puces et dans les ventes aux enchères qui constituaient ses activités de loisirs du week-end.

Il avait un véritable talent pour réparer et restaurer les mécanismes : percuteurs d'armes anciennes, jouets à ressort, boîtes à musique. Sous les fenêtres du jardin d'hiver, unique endroit de la maison jouissant d'une bonne lumière naturelle, il s'asseyait à une vieille table en planches jonchée de petits rouages en cuivre, d'engrenages, de poids et d'échappements. En conséquence, il y avait pléthore d'horloges chez lui, notamment un superbe modèle de parquet dans l'entrée et une pendulette en bronze doré sur la cheminée de la salle à manger. Toutes retardaient de quelques minutes.

Rien de tout cela ne m'intéressait beaucoup quand j'étais adolescent, mais, un jour, Anthony avait rapporté une magnifique paire de pistolets de duel fabriquée par Wheelers et m'avait même laissé les manipuler quelques minutes avant de les remettre dans leur somptueux coffret en bois de rose. Je me rappelais encore le contact froid de l'acier et l'arrondi lisse des crosses en noyer. Ils étaient si bien équilibrés qu'ils semblaient n'avoir aucun poids. Anthony m'avait lancé un regard consterné quand j'avais suggéré de les charger et d'aller tirer dans le jardin. J'imaginais des corbeaux explosant en une gerbe de plumes noires comme dans les dessins animés. L'incapacité d'Anthony à saisir l'attrait de ma proposition m'avait frustré, mais j'avais quand même été profondément impressionné par le simple fait qu'il ait en sa possession des armes aussi fabuleuses et plus encore par la capacité de ses petits doigts dodus à les remettre en état. A partir de ce jour-là, je ne le vis plus du même œil.

Anthony et moi portâmes les bagages dans la maison, froide et sombre après son absence. Elle sentait la poussière et la vieille encaustique, comme autrefois. J'eus le sentiment de retourner dans le passé, car si je rendais régulièrement visite à Anthony, je n'avais pas logé chez lui depuis mon adolescence.

Je portai en haut le sac en plastique plein de vêtements neufs achetés par Stella, dans la chambre de devant, celle que j'avais toujours occupée. C'était une étroite pièce mansardée, plus exiguë que dans mon souvenir, mais exactement comme je l'avais laissée. Je repérai les trous des punaises avec lesquelles j'avais fixé ma carte du Brésil sur la porte du placard. Mon ancien bureau était toujours dans le coin, si étriqué que je ne pouvais plus caser mes jambes dessous. Il était encore percé du trou légèrement décentré que j'avais creusé dans le bois, à la grande indignation d'Anthony, pour faire passer les câbles de mon premier ordinateur, des plus primitifs. Je ne savais pas si c'était le massacre du plateau ou la présence d'un ordinateur dans la maison qui le choquait autant. Je ne crois pas qu'il eût jamais vu un ordinateur avant. Il n'avait même pas de téléviseur, à l'époque, et n'en avait toujours pas.

L'odeur de renfermé me fit plisser le nez. Je laissai tomber le sac et m'étirai sur le lit familier. Dehors, le jour déclinait. J'avais fait de nombreux rêves sur ce lit dans le jour déclinant, des rêves d'évasion et d'aventure.

Les feuilles du vieil érable qui ombrageait la fenêtre commençaient à tomber. Quand j'étais enfant, ces veines de jaune signifiaient que l'été touchait à sa fin et que je retournerais bientôt au pensionnat, loin d'Anthony et de l'étrange vieux débarras qu'était cette maison. Dans les dernières années, j'étais presque toujours impatient de partir, à la fin de l'été. Pendant mon adolescence, mes visites devinrent plus courtes et j'étais chaque fois plus rapidement désireux de retrouver le monde réel, de m'éloigner d'Anthony, de ses expressions lugubres et de ses nœuds papillons à pois. Pourtant, j'étais là de nouveau, et il y était encore. Je me demandai combien de temps il me faudrait cette fois pour retrouver le chemin du monde réel.

Quand je me réveillai et eus repris conscience de l'endroit où je me trouvais, la pièce était froide et les feuilles se détachaient, noires sur le ciel de fin d'après-midi. Je me redressai. Dans un coin de la chambre, le radiateur vétuste gargouillait avec humeur. Je me frottai le visage, me levai, allumai la lampe de chevet et sortis sur le palier.

En bas, un rai de lumière ambrée soulignait le bas de la porte du bureau d'Anthony et j'entendais les douces lamentations d'une cantatrice. J'allai dans la salle de bains, me douchai, me rasai, puis retournai dans la chambre et vidai le sac sur le lit. Stella m'avait acheté des sous-vêtements, un pull et un jean raide d'être neuf. J'enfilai ces vêtements non familiers : ils m'allaient à peu près. Je ressortis de la chambre, descendis l'escalier obscur et me dirigeai vers le rai de lumière.

Assis devant la cheminée au bord de l'un des fauteuils en velours, Anthony, le dos voûté, fixait le fond d'un verre de cognac. Il releva vivement la tête quand j'ouvris la porte et, bien qu'il parvînt à se composer une expression souriante de bienvenue, j'évitai de le regarder droit dans les yeux. Il me montra son verre en guise d'invite.

— Je sais où c'est, dis-je.

Je m'approchai de sa vieille mais excellente chaîne Bang et Olufsen qui trônait dans un coin sous un napperon, comme un autel, et baissai le volume de la mélopée funèbre de la soprano. La pièce était froide, peu éclairée. Je remarquai qu'on avait préparé un feu dans l'âtre, sans l'allumer. J'ouvris la cave à liqueurs, me servis un scotch.

— Le soir tombe déjà plus tôt, fit-il observer en désignant de la tête les carrés bleus de la fenêtre. Une fois octobre arrivé, on sent l'hiver. Le début de l'hiver.

Je fis le tour de la pièce, fermai les rideaux poussiéreux, allumai une lampe de bureau en cuivre, réduisis de nouveau le volume de la chaîne. C'était l'endroit préféré d'Anthony, une tanière pleine de petites tables en acajou supportant des objets en cuivre et en étain, de bibliothèques vitrées et de vitrines pour papillons et scarabées. Elle sentait le grand âge, la fumée de bois et la sève des bûches de sapin empilées dans la cheminée.

Autrefois, Anthony m'emmenait dans cette pièce pour nos conversations les plus intimes, le plus souvent pour me reprocher d'une voix attristée un acte de rébellion contre une des règles idiotes de l'école. A moitié englouti par l'un des énormes sièges, je le fixais d'un air renfrogné tandis qu'il m'expliquait que l'ordre et la discipline étaient nécessaires au triomphe du bien sur le mal et qu'il en découlait que je devais toujours porter ma casquette en dehors du collège.

Je me souvins aussi qu'un ou deux ans plus tard il m'y avait fait écouter la Callas chantant *La Bohème*. Cette introduction à la haute culture n'avait pas été beaucoup plus efficace que ses sermons, mais j'avais eu conscience, même alors, qu'on m'offrait quelque chose de spécial, quelque chose de plus que la musique, et j'avais écouté jusqu'au bout, un peu intimidé par l'honneur à moitié compris qui m'était fait.

Je remarquai qu'il avait disposé sur la table basse, près de son fauteuil, quelques photos encadrées et je l'imaginai en train de les examiner pendant que je dormais en haut dans la chambre. D'en essuyer le verre, peut-être, avec sa pochette en soie. Ce n'était pas, comme je l'avais craint d'emblée, des photos de Caitlin. De mon père, appuyé au capot d'une Land Rover dans quelque lieu tropical, devant une palmeraie, arborant son sourire un peu canaille. De ma mère aussi, lunettes de soleil remontées sur les cheveux, plus jeune encore que dans mon souvenir, bronzée et mince dans un tee-shirt à rayures. De Paul et de Deborah, doux visages lumineux pas encore formés, mon frère, six ans, ma sœur, pas encore quatre ans, des âges qu'ils garderaient à jamais. Et une photo de moi, me rengorgeant devant l'objectif, farouchement conscient de mes responsabilités d'aîné.

Je trouvai des allumettes, m'agenouillai sur le devant du foyer pour allumer le feu. Et pendant que j'étais dans cette position, Anthony posa une main sur mon épaule.

— Tu sais, Michael, je n'ai jamais été bon à grand-chose...

Bien que sentant à peine sa main sur mon épaule, j'avais l'impression que son poids m'empêchait de bouger, et même de parler.

— Oh, j'ai suivi les bonnes filières. *Public school*, Cambridge, etc. Mais j'étais toujours, eh bien, la cinquième roue du carrosse. Même à Chambers. Un type assez capable. Plutôt travailleur. Mais sans véritable... étincelle, tu vois ?

Je dus faire un effort pour craquer l'allumette. Je l'approchai de la feuille de papier journal froissée dans l'âtre, et des flammes jaunes s'élevèrent. Je me redressai, la main d'Anthony tomba de mon épaule, et nous regardâmes tous deux le feu qui crépitait.

— Ton père était un ami très cher pour moi, Michael. Extraordinaire, vraiment. Je ne lui ressemblais absolument pas. Seigneur, non !

Le visage lourd d'Anthony s'éclaira à ce souvenir.

— Duncan n'avait eu aucun avantage social au départ, mais il était à Kings avec nous, les petits prodiges de *public school* venus de Winchester et de Rugby, il se mesurait aux meilleurs, un vrai bolcho, ergoteur, ne faisant pas de prisonniers. Nous nous demandions ce qui nous était tombé dessus. Dans une autre vie, Duncan aurait été soldat, je l'ai souvent pensé. Il avait un côté T.E. Lawrence. Sauvage et distant, quelque part.

La lueur du feu dansait sur la photo de mon père et en faisait vivre les couleurs : des palmiers d'un vert intense et, derrière, un ciel vitrifié. Je fus frappé par l'idée que cette photographie avait dû être prise juste avant sa mort, quand il avait mon âge actuel. C'était curieux parce que, pendant toute ma vie, je m'étais rapproché de lui à mesure que le temps passait mais, désormais, il resterait jeune et je vieillirais. Chaque année m'éloignerait de lui.

Mon père avait été ingénieur, mais Anthony avait raison, dans une autre vie il aurait été militaire. Cela se voyait dans les rides dues au soleil sur son visage, dans son sourire et dans l'inclination désinvolte de sa tête. Un homme grand, sûr de lui et compétent, avec des yeux intelligents et de la détermination dans la posture même de son corps. Tout le monde assurait que je lui ressemblais. La comparaison m'avait toujours fait plaisir, mais je n'avais jamais vraiment su ce qu'elle signifiait. Il était si souvent en voyage que je ne l'avais pas véritablement connu, puis je l'avais perdu irrévocablement au sortir de l'enfance. Lui et le reste de la famille. J'avais perdu tout cadre, toute référence. C'était irréparable.

— Je lui étais totalement dévoué, disait Anthony. Le Sancho Pança de ce Don Quichotte, loyal écuyer du chevalier. Ça ne pouvait être autrement : un type comme moi... Mais sincère quand même. Tout à fait sincère. J'aurais fait n'importe quoi pour lui. N'importe quoi.

Il me regarda.

— Et puis ce stupide incendie! Pas au Sarawak, au Congo ou ailleurs. A Surbiton. Dieu du ciel! L'incendie d'une bicoque de banlieue à Surbiton...

Pendant toutes ces années, nous n'avions jamais parlé aussi directement de mon père, et maintenant tout recommençait. J'eus soudain la nostalgie des lieux sauvages et torrides que j'avais si souvent recherchés et que mon père avait recherchés avant moi, ces lieux durs où les choix étaient simples.

— D'une certaine façon, continua Anthony, Duncan m'a donné la chance de faire quelque chose de vraiment exceptionnel. M'occuper de toi. Prendre soin de toi. Veiller à ce qu'il ne t'arrive rien de mal. Oh, je ne revendique pas tout le mérite. Rien qu'un peu. Assez pour pouvoir dire : j'ai fait quelque chose d'exceptionnel, finalement.

J'attendis, mais il n'ajouta rien, et je regardai le feu pour qu'il ne puisse plus voir mes yeux. Quelle ironie. Ce doux petit pingouin pensait ce qu'il disait. Des deux, j'étais censé être l'intrépide, homme de décision comme mon père. J'étais le sauveteur, habitué à être confronté à des choix de vie ou de mort, capable de se dominer dans les moments de crise. Mais si l'on allait au fond des choses, c'était lui, Anthony, le rondouillard aux nœuds papillons à pois, qui était fait d'acier.

8

Etendu sur les planches de la jetée, je serrais Caitlin contre moi. La lune d'été était suspendue au-dessus de nous comme une lanterne de pantomime prise dans les arbres. A quelques centimètres sous ma tête, la Severn marmottait pour elle-même contre les piliers de bois dans sa course sombre vers le barrage. Quelque part, à un monde de distance, les bruits de la fête résonnaient dans la nuit, musique douce, rires bien élevés. Derrière nous il y eut un éclaboussement dans l'eau, comme si on y avait jeté une pierre : un poisson, chasseur ou proie.

Caitlin fit courir ses doigts sur mon visage comme une aveugle tentant d'y lire un message. Sa main glissa au creux de mon cou et j'y sentis ma propre odeur. Ma chemise était déboutonnée, et quand Caitlin effleura la clé, elle arrêta son geste, la retourna, l'examina à la clarté de la lune.

— Qu'est-ce que c'est?

— Cela sert à me rappeler.

— A te rappeler quoi?

— De maintenir l'univers en ordre, répondis-je avant de lui embrasser les cheveux.

— O, homme sérieux, murmura-t-elle, moqueuse, à mon oreille, ne sais-tu pas que le monde est chaos?

Je songeai aux camps de réfugiés, aux désespérés, aux abandonnés.

— Non, dis-je. Le chaos est en nous.

A travers les bois, j'entendis Bruno chanter de nouveau de sa voix de crooner : « *That child done washed us away. That child done washed us away.* »

Lorsque j'ouvris de nouveau les yeux, il faisait jour.

— Je t'ai réveillé ?

Caitlin était penchée au-dessus de moi avec un léger sourire. J'entendais l'eau couler à quelques centimètres sous mon dos, je sentais l'odeur humide de la vase.

— Tu avais l'air si paisible, dit-elle.

— Tu ne m'as pas réveillé, assurai-je, sans savoir pourquoi je mentais.

— Ce n'est pas faute d'avoir essayé, pourtant. C'est terriblement romantique, ici, mais je suis gelée...

— Désolé. Je suis capable de dormir n'importe où.

Elle eut une grimace comique.

— Ne me dis pas. Ton entraînement dans les commandos ?

— Exactement. J'ai suivi le stage champagne et décalage horaire.

— Celui où l'on fait l'amour avec des femmes étranges, suspendu par un fil au-dessus d'une chute d'eau ?

Elle me gratifia de ce regard narquois que je finirais par si bien connaître et qui me donnait toujours l'impression qu'elle avait une longueur d'avance sur moi. Le jour naissant éclairait le ciel et le fleuve, brillait sur les courbes de son visage, et cela changeait tout, mettait tout en péril. J'étais envahi de crainte, comme si tout risquait de disparaître, et je ne répondis pas, de peur de dire ce qu'il ne fallait pas. Nos vêtements formaient un tas disgracieux à côté de nous et ma veste laissait traîner une de ses manches dans l'eau. Une brume légère montait de la Severn. Dans l'aube gris tourterelle, il faisait maintenant très froid. Caitlin serra le col de sa robe en frissonnant. Je me redressai, tordis la manche de ma veste. Je sentais les planches de la jetée réagir à mes mouvements.

— Allons boire un café, décida-t-elle en se levant.

Je la suivis dans le sentier longeant la rive. Elle se courba pour ôter ses chaussures et avança tel un fantôme en longue robe claire dans la brume blanche qui tournoyait au-dessus du fleuve. Nous franchîmes le rideau d'arbres, parvînmes à la pelouse de derrière. Le soleil bas faisait briller l'herbe couverte de rosée et flamboyer les ailes d'insectes diaphanes. Trois lapins gris s'assirent à notre approche, étonnés de voir des êtres humains debout de si bonne heure, puis s'égaillèrent en bonds désinvoltes.

Marchant derrière Caitlin, observant son dos droit et ses cheveux lustrés, sa façon de se déhancher, les chaussures nonchalamment balancées sur l'épaule, je songeais que j'avais pénétré dans un monde où je n'étais jamais allé. Ce n'était pas une surprise mais une constatation calme. Ce monde était un territoire inconnu, mais j'y voyais un endroit où j'avais indubitablement ma place.

Caitlin se retourna alors pour me faire face, comme à un signal, riant dans la lumière, les bras écartés, tenant ses chaussures d'une main, tendant l'autre vers moi. Je la rejoignis, lui pris la main et la regardai. Son sourire réapparut. Elle demeura un moment silencieuse, respirant doucement contre moi. Je ne savais pas à quel moment précis nous avions pris notre décision, mais je savais que c'était pendant ces quelques instants et sans qu'un mot soit prononcé. Caitlin passa un bras autour de mon cou et m'embrassa. Je lui rendis son baiser. Nous étions maladroits comme des adolescents, comme si nous avions oublié comment embrasser et devions de nouveau apprendre. Elle garda les yeux ouverts.

Elle me prit ensuite par le bras et me fit traverser la pelouse parmi les vestiges de la fête : tables et chaises en plastique blanc empilées, paniers de bouteilles vides, verres entassés sur des plateaux. Une libellule condamnée tournait en rond dans une coupe de champagne en ridant la surface du liquide de ses ailes. S'il y avait eu quelqu'un pour nous voir, nous aurions eu l'air d'un infâme couple d'amants victoriens, Caitlin pieds nus dans sa robe longue et moi dans mon costume sombre, les cheveux en bataille, marchant parmi les boutons d'or. Devant nous, Morrow House était silencieuse, falaise de pierre couleur chamois trouée d'imposantes fenêtres géorgiennes et d'une porte cochère à colonnes.

— Tu vis vraiment là ?

Je contemplai la haute façade, les feuilles de lierre et de vigne vierge miroitant dans la lumière. C'était certainement la plus somptueuse demeure privée que j'aie jamais vue.

— On dirait un château de conte de fées.

— Oh oui, acquiesça Caitlin. Avec ogre à domicile.

Je lui jetai un coup d'œil. Cela aurait pu être une plaisanterie, mais ce n'en était pas une.

Plusieurs voitures étaient encore garées le long de l'allée, une Jaguar, deux Porsche et une Bentley voisinant avec l'Austin Healey amochée. Bruno dormait étendu en travers à l'avant, un sourire béat aux lèvres, une bouteille de champagne dans les bras, les pieds dépassant par la fenêtre du passager. Il portait de coûteuses boots en suède et avait les jambes élégamment croisées aux chevilles.

Caitlin me fit suivre la courbe de l'allée, passer devant une serre édouardienne à armature en fer qui courait sur le flanc de la maison, et m'entraîna vers un groupe de dépendances situé en retrait, parmi les arbres. Elle poussa la porte de la plus proche, une longue remise en briques rouges avec des fenêtres encadrées de bois et un toit d'ardoise couvert de vigne vierge. Je baissai la tête pour passer la porte, découvris au fond une rangée de vieux commutateurs, des poignées en Bakélite marron et des cadrans ivoire peints de grosses lettres, le tout festonné de toiles d'araignée dans les rayons obliques du soleil.

— C'était le local du générateur, autrefois, dit Cate en passant devant moi. Et puis c'est devenu... une sorte de refuge, pour moi. Encore maintenant, quelquefois.

Je perçus son hésitation et, regardant avec curiosité dans sa direction, je vis que l'autre bout du bâtiment bas, un espace grand comme un salon, avait été converti en atelier. Sur les plaques de liège couvrant les murs, des dessins étaient maintenus par des punaises. Sous la fenêtre, une table à tréteaux supportait des rames de papier, des carnets de croquis à spirale, des pots de crayons et de pinceaux. Un chevalet était planté au milieu de la pièce, et Caitlin se tenait à côté, avec une gaucherie que je ne lui connaissais pas encore.

— Café? proposa-t-elle brusquement.

Elle alla au petit évier, fit couler de l'eau dans une bouilloire.

— Je peux en faire. Du vrai. J'ai un réchaud de camping.

Je m'approchai du chevalet. Une aquarelle y était fixée, un paysage en verts ondulants et bleus vifs. C'était vigoureux, puissant. Dans la faible lumière, elle capta mon attention comme un vitrail d'église, pure et lumineuse, comme si le soleil l'éclairait par-derrière.

— C'est toi qui as fait ça? demandai-je.

— Je n'ai pas de lait. Il y a du sucre, si tu arrives à le remettre en poudre.

J'examinai les dessins et peintures accrochés aux murs : de vieux bâtiments de ferme, des fleurs et des arbres, les croix et les pierres tombales d'un cimetière, un troupeau de vaches dans un pré battu par la pluie. La plupart étaient au crayon, quelques-uns au fusain ou au pastel, une poignée à l'aquarelle.

— Ils sont merveilleux, déclarai-je.

Elle posa soigneusement la bouilloire sur le réchaud en me tournant le dos.

— Qu'est-ce que tu en sais?

Je mis un moment à me ressaisir.

— J'ai dit quelque chose de mal?

Elle se retourna, me prit dans ses bras.

— Pardon, pardon, pardon.

— Tu ne devrais pas être gênée, Cate. Ils sont magnifiques.

Elle s'écarta un peu de moi, les mains sur mes épaules.

— Ah oui? Et qu'est-ce qu'ils valent, à côté de ce que tu as fait, toi, ces deux derniers mois?

La question me dérouta.

— Ton bronzage ne vient pas d'un séjour organisé à Ibiza, n'est-ce pas? reprit-elle.

— J'ai travaillé dans un camp de réfugiés, en Turquie.

Elle me secoua les épaules.

— A faire quoi?

— Je suis médecin. Je participais à une opération humanitaire.

— Tu sauvais des vies, donc. Pendant que, moi, je faisais... quoi? Du ski à Aspen avec des amis. Je ne me rappelle plus qui au juste, maintenant. Je crois que nous avons réussi à passer deux semaines entières sans que l'un de nous prononce une seule phrase cohérente. Oh, et puis j'ai dû aller à Paris pour un mariage, bien sûr, j'y suis restée une dizaine de jours, me traînant dans quelques galeries et à un ou deux concerts quand je n'avais pas trop la gueule de bois. Entre-temps, je revenais ici pour peindre mes jolies aquarelles et attendre que quelqu'un comme toi m'annonce qu'on n'a rien fait de mieux depuis Matisse.

Je fis un pas en arrière, me dégageai de ses bras.

— Caitlin, si tu n'aimes pas ta vie, changes-en, bon Dieu.

— Comme ça ?

— Il y a peu de gens qui ont la liberté et le talent nécessaires. Tu en fais partie.

— Tu crois ?

— Ouais.

Derrière elle, l'eau commença à bouillir, mettant fin à notre court échange comme le sifflet d'un arbitre.

— Eh bien, dit-elle en clignant des yeux, il ne nous aura pas fallu longtemps pour avoir notre première dispute.

Elle fit le café, remplit deux tasses et les posa sur un gros pot de fleurs renversé, devant un canapé en rotin. Puis elle s'assit et tapota la place à côté d'elle. Je la rejoignis, elle étira son long corps au-dessus du mien et m'embrassa.

— Dis-moi une chose, Michael. Quel âge as-tu ?

— Vingt-neuf ans.

— Tes parents t'ont appris à être indépendant ?

Je réfléchis avant de répondre :

— On pourrait dire ça.

— Pas les miens.

— J'ai pourtant l'impression que tu fais à peu près ce que tu veux.

— Oui, à peu près. Le problème, c'est que rien de ce que je fais n'a d'importance.

— Qui prétend ça?

— Il déteste que je fasse ça, répondit-elle en montrant les aquarelles et les dessins. Mon père, je veux dire.

— Pourquoi?

— Parce que je suis douée. Parce que cela me permet de m'échapper. De le fuir et de me réfugier dans mon monde.

Elle remarqua mon expression et s'esclaffa.

— Tu penses que tout ça, c'est des foutaises de névrosée, hein?

— J'ai dit ça?

— Pas la peine.

Elle prit son café, le but lentement. Sa robe bruissait dans la pièce silencieuse.

— Je ne m'attends pas que tu comprennes. Toi, tu vois un problème, tu t'en occupes. C'est la façon dont tu fonctionnes. Moi, je suis arrivée à l'âge de vingt-quatre ans sans savoir comment faire quelque chose de valable.

— Il te dit que ça ne vaut rien? Tout ce travail?

— Tu es très gentil. Papa n'utiliserait jamais le mot « travail ».

— C'est si important, ce qu'il pense?

— Ce n'est pas facile de changer ce que tu es, ce qu'on t'a appris à être. Même quand cela ne te plaît pas beaucoup.

Son argument éveilla des échos en moi et je ne trouvai rien à lui répondre.

— Tu sais ce que c'est que la solitude, n'est-ce pas, Michael? dit-elle soudain. Je le vois en toi.

— Oui. Je sais ce que c'est.

— La solitude annihile la volonté. Je l'ai découvert ici, dans cette maison. Sans les autres, tu n'as aucune force. Et l'enfance est le moment le plus solitaire de la vie. C'est pour cette raison que je n'aurai jamais d'enfants.

Elle reposa sa tasse et se blottit contre moi.

— Jamais. Jamais. Jamais.

Je sentis son corps se mouler sur le mien. Dehors, les oiseaux chantaient dans le matin frais. Je repensai aux enfants que j'avais vus ces dernières semaines : un bon nombre de ceux que j'avais tenté d'aider étaient probablement morts depuis, de maladie ou de malnutrition. Pas de gosses ? Ça me convenait parfaitement.

Caitlin resta si longtemps silencieuse que je crus qu'elle s'était assoupie.

— Je suis un cas difficile, fit-elle tout à coup. Et ma vie est un gâchis. Tu te sens capable de tirer une jeune fille de sa détresse ?

— C'est mon boulot. Je suis dans le sauvetage.

Elle se mit debout avec souplesse, se tint dans la lumière pommelée, joignit les mains derrière son cou et laissa sa robe tomber en froufroutant sur le sol, flaque brillante autour de ses pieds nus. Elle l'enjamba, se pencha vers moi et déboutonna ma chemise, fit glisser ses paumes sur ma poitrine et sur mon ventre en me regardant d'un air grave. Puis elle s'assit sur moi et je laissai mes mains suivre la courbe de violoncelle de sa taille ; je l'embrassai et l'attirai à moi.

— Sauve-moi, alors, souffla-t-elle, la bouche contre mon oreille. Sauve-moi.

Je m'éveillai doucement et m'étirai, la tête sur le bras du canapé. J'entendis le bruit avant même d'ouvrir les yeux, le faible crissement d'un crayon sur un papier rugueux.

— Ne bouge pas, m'ordonna Caitlin.

Elle était assise sur une chaise à un mètre de moi, sa planche à dessin en travers des genoux, le front plissé de concentration.

— Ne bouge surtout pas.

Elle avait enfilé ma chemise, remonté les manches jusqu'aux coudes. Elle levait les yeux pour suivre les lignes de mon corps, les baissait de nouveau sur sa feuille. Je demeurai immobile, figé au point de ne plus me sentir respirer. Le soleil tombait dans l'atelier en une large barre qui chauffait ma peau et incendiait la chevelure de Caitlin. Là où la lumière touchait le tissu de la chemise, elle brillait si fort qu'on avait peine à la regarder.

Cate travaillait avec une concentration intense en faisant courir son crayon sur le papier. De temps en temps, elle plissait les yeux, m'examinait rapidement puis revenait à son dessin, la pointe rose de sa langue luisant entre ses dents. Puis elle s'interrompait pour adoucir une ligne, caresser le papier de ses doigts. La regarder travailler m'emplissait de sérénité et du sentiment de jouir d'un extrême privilège. J'avais l'étrange impression que personne ne m'avait véritablement vu avant elle. Je ne voulais pas qu'elle arrête.

— Là, dit-elle enfin.

Elle contempla son œuvre d'un œil critique, rectifia un dernier trait. Le bout de son index droit et le gras de son pouce brillaient de graphite et elle avait une petite tache sur la pommette.

— Là, répéta-t-elle en retournant la planche pour me montrer son dessin.

Je me redressai.

— Cate, c'est incroyable.

Elle haussa les épaules, un peu gênée.

— Ce n'est que la façon dont ton corps occupe son espace dans le monde. La façon dont je le vois.

J'ouvris la bouche, la refermai.

— Hé, rit-elle. Tu rougis.

Je retrouvai ma voix :

— Si seulement le modèle pouvait être aussi bien...

Elle inclina la tête sur le côté.

— Tu sais ce qu'on dit, Michael? Les yeux des autres sont des miroirs. Ce n'est qu'en eux que nous nous voyons.

Je me levai, me penchai et embrassai la tache de graphite sur sa joue.

— Merci, dis-je. Merci.

La porte s'ouvrit avec un craquement, Caitlin sursauta, et je m'écartai instinctivement d'elle. Son père se tenait sur le seuil, impression confuse de tweed, de chemise bleue sur une peau brune, de fine moustache gris acier. Il écarquilla les yeux de surprise puis son expression s'affermit.

— Catey, je ne savais pas que tu recevais encore, dit-il, la voix un peu traînante.

Quand son regard obliqua vers moi, je pris conscience de ma nudité, ramassai l'un de mes vêtements et m'en couvris.

Caitlin ne dit rien et sa réaction m'intrigua. J'aurais pu m'attendre à de l'embarras — un embarras égal au mien —, à un rire ou même à de l'indignation devant cette intrusion, mais elle semblait sous le coup d'une émotion plus forte.

J'ouvris la bouche pour dire quelque chose, mais, à ce moment-là, il sourit. Un sourire tout à fait chaleureux qui me noua la langue. Bien que ce fût hors de propos, je ne pus m'empêcher de remarquer à nouveau qu'il était très séduisant.

— Sortez, me dit-il sans cesser de sourire.

Et à Caitlin :

— Je souhaite te parler à la maison.

Il ferma la porte, et je le vis traverser la pelouse à grands pas dans son costume de tweed campagnard.

Lorsque je me retournai, Caitlin avait ôté ma chemise et remettait sa robe.

— Cate...

— Il faut que j'y aille. Toi aussi.

Elle s'escrimait sur un bouton de l'encolure.

— Le salaud, marmonna-t-elle. Le salaud.

Je lui pris les mains, boutonnai la robe pour elle, lissai ses cheveux et la tins contre moi.

— Il est un peu vieux jeu, je crois. Il s'en remettra, plaidai-je.

Mais elle se dégagea et se dirigea vers la porte d'un pas rapide. Elle s'y arrêta, comme si elle réprimait une envie de courir derrière son père. Comme si elle était soudain redevenue une adolescente peu sûre d'elle. Elle demeura un moment sans bouger puis revint dans l'atelier, détacha une feuille d'un carnet de croquis, griffonna un numéro dessus et me la tendit.

— Appelle-moi.

Elle déposa un bref baiser sur mes lèvres et s'enfuit.

Je m'habillai lentement en recouvrant mon calme, déterminé à ne pas me presser. Puis je sortis de l'atelier et fis le tour de la maison jusqu'à l'allée où la vieille Austin Healey attendait encore. Adossé au capot, Bruno fumait nonchalamment une cigarette au soleil. Il était incroyablement pimpant, comme toujours, comme s'il venait de finir de s'habiller pour un cocktail et non de se réveiller d'une nuit passée à l'avant d'une voiture de sport.

— Je me demandais où tu étais passé, dit-il. Enfin, je m'en doutais un peu. Allez, grimpe.

Il sauta par-dessus la portière, se glissa derrière le volant.

— La prochaine fois, tu montreras un peu plus d'enthousiasme quand ton vieux copain Bruno te branchera sur un plan baise dans la haute société.

Avec un sourire étourdissant, il tendit la main vers le tableau de bord.

— Elle peut rouler au champagne ? m'inquiétai-je.

— Seulement s'il est français.

Bruno mit le contact et la voiture démarra aussitôt.

Je montai et la petite Austin Healey descendit la longue allée avec fracas. Ce ne fut qu'en arrivant aux grilles que je me souvins du dessin. Je fus sur le point de demander à Bruno de s'arrêter pour que je puisse aller le chercher, mais après tout il ne m'appartenait pas et je n'aimais pas l'idée de retourner à l'atelier sans y avoir été invité. Je ne dis rien à Bruno et laissai le dessin là-bas.

Ce fut une décision que je devais beaucoup regretter.

9

Un jour ou deux s'écoulèrent, peut-être plus. Je les vis à peine passer, et pas davantage les appels téléphoniques murmurés qui les scandaient, les silences et les gestes de compassion. J'étais comme un malade trop mal en point pour se soucier de ce qui lui arrive, trop drogué pour sentir la douleur, content de laisser les autres prendre les décisions à sa place.

Durant mon séjour chez Anthony, je n'eus que vaguement conscience des attentions des gens qui s'occupaient de moi. Stella débarquait presque chaque soir, chargée de provisions superflues et retentissante de conseils. Une fois, Gordon l'accompagna, voletant misérablement près de moi comme un gros oiseau noir, incapable de trouver quelque chose à dire. Anthony lui-même se mouvait en silence, parlait à voix basse, ménageant patiemment de petits intermèdes d'ordre et de calme dans le chaos. Ni leur tendresse ni leur détresse ne me touchaient vraiment. Assis dans une vaste salle obscure, aurait-on dit, je les regardais comme les personnages d'un film.

Vint cependant un matin, un matin clair et froid, où je refis surface. J'avais emporté un bol de café dans le jardin envahi de broussailles d'Anthony et m'étais installé sur le banc de pierre, près du bassin mal entretenu dont l'eau était engorgée de nénuphars et de lentilles. J'en aimais l'enchevêtrement sauvage, et le banc de pierre avait toujours été l'un de mes lieux favoris.

Je ne sursautai pas quand j'entendis une voiture s'arrêter devant la maison : Stella avait pris un jour de congé pour venir chez Anthony; elle avait passé la matinée en allées et venues, faisant les courses — ce qui ne lui ressemblait pas du tout —, achetant même des fleurs alors qu'elle était incapable de reconnaître une rose d'une tulipe. Je présumai donc que la voiture qui venait d'arriver était la sienne et je fus étonné lorsque Anthony ouvrit les portes-fenêtres et conduisit les deux inspecteurs sur la terrasse.

Emma Dickenson s'avançait sur la pelouse de derrière, Barrett dans son sillage, se dirigeant vers moi. Je me levai.

— Ne bougez pas, Michael! me cria-t-elle. Nous serons très bien là-bas!

— Il y a du nouveau?

— Désolé, doc, fit Barrett, on a pas eu grand-chose à vous dire ces derniers jours.

Il tendit une main que je fus obligé de serrer.

— Vous savez comment c'est, ajouta-t-il.

— Non. Comment c'est?

Mais Anthony apparut derrière eux avec deux chaises pliantes et il s'ensuivit un petit rituel pendant lequel les sièges furent ouverts et époussetés, placés en équilibre instable sur le gazon bosselé. Dickenson et Barrett s'assirent, gigotèrent un peu, finirent par trouver une bonne position, et Anthony s'éclipsa en silence tel un maître d'hôtel consciencieux dans sa veste sombre. Je n'en étais pas certain, mais j'eus l'impression qu'il évitait mon regard.

— Il y a du nouveau? répétai-je, avec insistance, cette fois.

Barrett leva les yeux vers moi.

— On a le rapport d'autopsie complet. Votre femme n'a pas été violée, c'est sûr. Aucun acte sexuel, d'après eux.

Je me rassis lourdement sur le banc de pierre. Mon talon heurta le bol de café, qui se renversa sur les dalles.

— C'est au moins un soulagement, dit l'inspectrice. Nous nous en doutions, mais nous avons dû attendre l'autopsie pour en avoir la certitude.

Mes pensées s'étaient égaillées comme des moineaux effrayés et, un instant, je fus incapable de les faire revenir. Pendant que je m'y efforçais, Dickenson poursuivit :

— Michael, j'ai une question à vous poser. Pour que ce soit parfaitement clair dans ma tête. Mais je me demande si c'est bien le moment...

J'achevai de me ressaisir.

— Allez-y.

— Bon, je vous la pose et nous n'aurons plus à nous en préoccuper. Le minibus de la Croix-Rouge vous a déposé à Victoria à 11 h 28, le chauffeur a appelé le central au moment où vous traversiez la rue en direction de la station de métro. Son appel a été noté.

— Oui, vers onze heures et demie, confirmai-je.

Elle plissa le front comme si elle cherchait à résoudre une équation complexe dans sa tête.

— Michael, il s'est écoulé soixante-dix-huit minutes entre le moment où vous êtes descendu du minibus et celui où vous avez appelé la police. Si l'on tient compte du temps qu'il vous a fallu pour faire le trajet de Victoria à Oxford Circus, changer de ligne, aller à Notting Hill Gate et marcher jusque chez vous, je dirais que vous avez attendu près de trois quarts d'heure avant de téléphoner.

— Si longtemps que ça ? Je ne m'en suis pas rendu compte.

Elle m'observait, jaugeant peut-être ma réaction, mais elle ne pouvait avoir de doute sur la sincérité de ma surprise.

— Michael, avez-vous une idée de ce que vous avez fait pendant ces quarante minutes? C'est très long.

— J'ai tenté de la ranimer, vous le savez. Ensuite, je suis resté assis avec elle dans l'escalier.

— Et puis?

Je réfléchis, fis un effort pour me concentrer.

— Quand j'ai compris que c'était fini pour elle, je... j'ai perdu un moment conscience de ce que je faisais. Avant d'appeler la police. C'est dans ma déposition.

— Tout cela a pris quarante minutes?

— Si vous le dites.

— Vous, vous nous avez dit un quart d'heure, intervint Barrett. Quand je vous ai posé la question, samedi, vous avez estimé qu'il s'était écoulé un quart d'heure entre la découverte du corps et le coup de téléphone. Vingt minutes, grand maximum. C'était faux, alors?

— Il faut croire.

— C'est curieux, les choses qu'on fait quand on est en état de choc, reprit Dickenson. Parce qu'il y a aussi cette histoire de vêtements. Vous vous êtes changé. Vous avez mis vos vêtements tachés dans le panier à linge.

— Oui, en effet.

— Pourquoi?

— J'ai supposé que la police en aurait besoin pour ses recherches. C'était mal?

Elle parut intriguée par le choix de mes mots.

— Mal? Non, sûrement pas. Mais je trouve que c'est une réaction remarquablement sensée pour un homme en état de choc...

— Ça m'a semblé la chose à faire sur le moment. Je ne saurais pas vous l'expliquer mieux.

— Vous êtes chirurgien, vous avez peut-être réagi en pilotage automatique, suggéra Barrett. Vous vous nettoyez complètement après une opération, non?

— Ça doit être ça, approuva Dickenson.

— C'est la seule explication, dit l'inspecteur en se balançant en arrière sur sa chaise.

Les mains derrière la nuque, il semblait avoir perdu tout intérêt pour la discussion.

— A votre place, je m'en ferais pas pour ça, doc.

Je me sentis soulagé de savoir que la question était apparemment close et fus aussitôt agacé de cette réaction.

— Elle était enceinte, déclara Barrett, le visage tourné vers le ciel blanc et froid.

Comme je ne répondais pas, il laissa les pieds de sa chaise retomber dans l'herbe et se pencha en avant pour me regarder dans les yeux.

— Vous avez entendu, doc?

La bouche sèche, je ne parvenais pas à articuler, et quand je réussis enfin à former les mots, ils résonnèrent étrangement dans ma tête :

— C'est impossible. Impossible.

— De trois mois et demi, précisa Barrett, impassible. Peut-être un peu moins.

—- Pourquoi serait-ce impossible? me demanda Dickenson.

— Vous croyez que je pourrais ne pas être au courant?

— Oh, le gosse n'était pas de vous, fit Barrett avec détachement. Les types de l'ADN ont fait des tests.

Je le regardai fixement.

— Pas de secrets entre nous, vous disiez, poursuivit-il, durcissant le ton. Absurde, cette idée d'un autre homme, vous disiez. Modèle, notre couple. Mais c'est pas d'une aventure qu'on parle, là. Votre femme portait l'enfant d'un autre. Depuis trois mois. Et vous dites que vous ne le saviez pas? Vous dites que vous n'avez jamais eu le moindre soupçon?

Dans le jardin, la lumière du jour parut s'embraser; les arbres et la pelouse tremblaient dans mes yeux.

— Il n'y a jamais eu personne entre moi et Cate, déclarai-je.

— Je suis catholique, dit Barrett, j'ai déjà du mal à avaler une Immaculée Conception. Deux, c'est trop.

Dickenson le rappela à l'ordre :

— Dig!

Il grogna, se leva de sa chaise et se dirigea vers les pommiers d'Anthony. Dans une sorte de brume, je le vis se pencher, ramasser un fruit tombé dans l'herbe, en détacher les feuilles mortes de sa grosse main, le lancer dans la lumière et le rattraper.

— Il va falloir vous faire à cette idée, Michael, me disait l'inspectrice. Il n'y a aucun doute possible, j'en ai bien peur.

Barrett avait mordu dans la pomme et, même de l'endroit où j'étais, je l'entendais mâchonner. Je dus faire un effort pour cesser de le regarder.

— Je ne sais pas ce que cela signifie. Je ne comprends pas.

Elle scruta mon visage comme si elle tentait d'évaluer dans quelle mesure elle pouvait me croire, puis elle se leva et coinça son sac sous son bras.

— Je ne comprends pas non plus. Mais étant donné votre réaction, je vais admettre que vous ne saviez rien de cette grossesse. Que vous ne saviez rien d'un homme qu'elle aurait fréquenté, ni des faits et gestes de votre femme qui pourraient nous intéresser. C'est bien ça?

Je m'efforçai de saisir ce qu'elle venait de dire.

— C'est bien ça, Michael? insista-t-elle. Ou non?

Parce que si vous savez des choses que vous ne nous avez pas encore dites, il est capital que vous nous en informiez tout de suite. Vous le comprenez?

— Oui.

— Michael, je veux que vous m'appeliez immédiatement... je dis bien « immédiatement », si vous vous souvenez de quoi que ce soit. Quelque chose que vous auriez... oublié.

— Oui, répétai-je, souhaitant désespérément qu'elle s'en aille.

Elle hésita un moment, comme si elle allait ajouter quelque chose, puis se retourna et traversa le jardin à grandes enjambées.

Barrett la suivit des yeux en mâchant toujours sa pomme, et quand Dickenson eut disparu dans la maison, il fit les quelques pas qui me séparaient de lui, mordit une dernière fois dans le fruit et examina le trognon.

— Une cox, y a rien de mieux, dit-il. Ma tante Violet en faisait pousser, chez elle à Basildon. Ça me rappelle le bon vieux temps.

Il jeta le trognon dans les broussailles puis me regarda, délogea pensivement de l'ongle de son petit doigt un morceau de peau coincé entre ses dents de devant.

— Je fais pas ça pour m'amuser, doc.

Le poids de ses mots me fit lever la tête.

— Non, je suppose que non.

— Vous seriez pas le premier à être cocufié par sa femme. Ni à pas s'en douter.

Il considéra la particule de pelure collée à son ongle.

— En fait, si votre couple était parfait, vous feriez partie d'une minorité si petite qu'on la voit à peine à l'œil nu.

— Je ne crois pas avoir envie de parler de cela maintenant.

114

Il resta planté près de moi, cependant, à se suçoter l'intérieur de la joue.

— C'est pas à moi de juger, doc, mais je pense que vous devriez pas trop en vouloir à cette pauvre femme à cause de ça. Elle méritait pas ce qui lui est arrivé, quoi qu'elle vous ait fait.

— Je ne pensais pas à ce qu'elle m'a fait.

— Quand même, y a une chose que vous feriez bien de comprendre.

— Quoi?

— La différence entre maintenant et la première fois qu'on s'est vus.

Il tendit ses doigts épais pour compter les points.

— Avant, vous étiez le mari affligé. Maintenant, vous êtes le mari trompé. Complètement différent. Avant, Mme Severin était pure comme de la neige fraîchement tombée. Maintenant, on sait qu'elle était un être humain comme nous.

— Ce qui signifie?

— Ce qui signifie que les choses ont changé. C'est tout. Rien d'autre. Mais ce serait vraiment une bonne idée, doc, de faire en sorte que tout ce que vous savez, on le sache nous aussi.

Après le départ de Barrett, je demeurai sur le banc de pierre près du bassin, à observer la vie secrète de l'eau. Au bout d'un moment, Anthony sortit sur la terrasse par les portes-fenêtres, fit sans se presser le tour de la tonnelle en ruine pour s'approcher du rosier, abaissa vers lui avec une nonchalance excessive la dernière des fleurs et la huma. Il traversa ensuite le jardin en diagonale en direction des pommiers, se rapprochant un peu plus de l'endroit où j'étais assis, toucha un vieux tronc rugueux et fronça les sourcils en voyant la poussière verdâtre que l'arbre avait laissée sur sa main. Il avait enlevé sa veste, et avec ses bretelles qui maintenaient sur sa panse son large pantalon sombre, il me faisait penser à un vieux clown triste.

Il finit de s'approcher par petites étapes, s'arrêtant pour examiner un ciel pâle de banlieue ou arracher de l'herbe haute. Puis il franchit les derniers pas, s'assit à côté de moi sur la pierre, fit rouler entre ses mains potelées la branche de lavande qu'il avait détachée d'un massif. Les brillantes fleurs violettes tournoyaient et se fondaient comme les couleurs d'une toupie d'enfant. Les peupliers avaient déjà perdu la plupart de leurs feuilles, mais une rafale de vent projeta à travers le jardin une dernière gerbe jaune vif et fit craquer les branches comme des os au-dessus de nous.

— Il aurait été moins cruel que cette vérité ne soit pas découverte, dit Anthony.

Au bout d'un moment, il ajouta :

— J'aurais dû le savoir.

— Toi? Tu aurais dû le savoir?

Il fixa l'eau sombre du bassin.

— J'avais tellement de peine pour elle, la pauvre enfant. Je lui rendais visite chaque fois que je pouvais, tu sais. Quand tu étais absent. Je l'emmenais déjeuner, prendre un café. Ce genre de choses.

— Je sais qu'elle t'en était reconnaissante.

— Pas un instant je ne me suis douté. Toutes ces conversations au café, dans un petit restaurant. Je les croyais sincères, intimes, même. Je n'ai jamais pensé qu'elle pourrait trahir ta confiance.

— S'il te plaît, ne parle pas d'elle comme ça.

— Comment a-t-elle pu faire une chose pareille?

— Je ne sais pas.

Je levai la tête vers les branches nues. Je savais

116

qu'Anthony prendrait ce que Caitlin avait fait pour une trahison, non seulement de ma confiance mais de tout ce en quoi il croyait. Je ne supportais pas l'idée de le voir sur son visage.

— Je ne peux pas rester ici, dis-je. Tu le comprends peut-être.

La branche s'immobilisa entre ses mains, reprit sa rotation.

— Où iras-tu?

— Chez moi. Je vais laisser quelques jours à la police pour tout nettoyer, mais ensuite je rentrerai.

— Et après? demanda-t-il sans me regarder.

Je me levai.

— Après, je reprendrai le travail.

Il plissa les lèvres.

— Accorde-toi un peu de temps, vieux. Rien qu'un peu de temps.

— J'ai besoin de travailler, Anthony.

— De l'action, hein? fit-il tristement.

— Oui.

Il laissa la branche de lavande tomber sur les dalles, leva les yeux vers moi, et je sentis sa résistance faiblir.

— Va où tu as besoin d'aller, mon garçon. Et fais ce que tu as besoin de faire.

Il se mit debout, posa une main sur mon épaule et poursuivit :

— Je n'ai jamais pu te garder auprès de moi, Michael. Même quand tu étais enfant. Tu croyais que tu étais un fardeau pour moi, j'en suis sûr. Je n'ai jamais pu t'expliquer ce que cela signifiait pour moi, de t'avoir ici.

Je regardai le dallage moussu entre mes chaussures.

— Quoi qu'il en soit, continua-t-il, je voudrais que tu le saches, cette maison sera toujours ton foyer, où que je puisse être.

Il traversa rapidement la pelouse, la tête baissée. Je remarquai que l'herbe humide avait trempé les revers de son pantalon, et pour une raison quelconque ce détail m'amena au bord des larmes.

10

Je gravis les marches, passai la porte d'entrée et la refermai derrière moi. Je m'étais demandé ce que je ressentirais en revenant ici, mais après avoir attendu dans le silence, je n'éprouvai que soulagement et réconfort de retrouver un lieu familier.

J'entendis les premières gouttes de pluie frapper le verre cathédrale du hall. J'accrochai ma veste près de la porte et descendis le long couloir, m'arrêtai au pied de l'escalier, levai les yeux vers l'obscurité. Les policiers avaient sans doute remis les affaires de Caitlin dans son antre. Je ne trouvais pas le courage de monter là-haut tout de suite, mais de l'endroit où j'étais je voyais qu'on avait récuré les marches, et une faible odeur de désinfectant flottait dans la cage d'escalier. Qui nettoyait après un meurtre ? J'imaginai une équipe d'employés en combinaison montant l'escalier d'un pas pesant, secouant la tête devant la scène puis se mettant au boulot et partageant finalement une Thermos de café et même des plaisanteries, des nouvelles des gosses et des commentaires sur le championnat, assis sur les marches où Caitlin était morte. Cela me semblait étrange de ne pas savoir qui étaient ces gens qui nous avaient rendu un service aussi intime.

Je parcourus lentement le rez-de-chaussée de la maison, passai dans la salle à manger et la cuisine attenante. Je constatai que Filomena, la femme de ménage sicilienne, était passée dans la journée, sûrement à la demande d'Anthony. Tout était astiqué, sentait bon : sols lavés, tulipes dans un vase, cristal étincelant dans le buffet. Il ne subsistait aucune trace des policiers qui avaient marché partout avec leurs stupides chaussures entourées de plastique blanc, déplaçant les meubles, saupoudrant les surfaces, prenant d'innombrables photos.

Je soulevai le téléphone de la table d'angle et consultai ma messagerie. Il y avait plusieurs appels de collègues de l'hôpital, atterrés par la nouvelle, muets ou larmoyants. Le professeur Curtiz lui-même assurait que je pouvais prendre tout le temps dont j'aurais besoin, que l'équipe se débrouillerait. Il y avait aussi deux appels de journalistes, plusieurs messages insistants d'une organisation d'aide aux victimes et d'un vicaire de la paroisse. J'effaçai le tout, replaçai l'appareil et le débranchai.

Dans le jardin envahi de mauvaises herbes, le rosier grimpant poussait avec exubérance et il y avait une telle profusion de roses trémières le long du mur que leurs tiges ligneuses tombaient comme des piques en travers de l'allée. Dans l'après-midi finissant, une pluie lourde argentait l'herbe haute et criblait les feuilles du rosier.

J'ouvris la porte conduisant à mon bureau. Il y faisait sombre et j'allumai la lampe à abat-jour vert. La pièce avait un air confortable et secret, avec la pluie qui battait à la fenêtre et le vent qui agitait les broussailles, dehors. Au bout de quelques minutes, je m'approchai du bureau, j'ouvris le tiroir fermé à clé et y pris la photo encadrée de Caitlin. Je la contemplai longuement puis la posai sur le bureau, dans la lumière de la lampe.

J'allai m'asseoir dans mon fauteuil et inclinai la tête de

manière à voir Caitlin me sourire comme de l'autre côté d'une minuscule fenêtre très éclairée. C'était la photo d'elle que je préférais, avec ce sourire fragile qu'elle avait. Caitlin ne l'avait jamais aimée. Je la voyais encore plisser le nez en me disant que ce portrait lui donnait l'air perdue et vulnérable. J'avais protesté, mais elle avait raison, bien sûr. C'était d'ailleurs la raison pour laquelle j'aimais cette photo et en partie pourquoi j'aimais Caitlin. Lorsqu'elle était perdue, elle me laissait toujours la retrouver. Cette fois, cependant, elle s'était mise hors de portée de mes recherches.

— Pourquoi tu ne m'as rien dit, Catey? demandai-je, ma voix résonnant dans la pièce obscure. De quoi avais-tu si peur?

— J'ai peur de lui, si tu veux savoir, répliqua Caitlin, brisant le silence à l'intérieur de la voiture.

Je lui jetai un coup d'œil circonspect. Elle n'avait pas prononcé un mot depuis que nous avions quitté la M4 pour entamer un long méandre à travers la campagne du Gloucestershire en direction de Morrow. La tête détournée, elle regardait défiler les formes assombries des arbres.

— Peur de ton père? demandai-je enfin.

Ce soir serait soir de pantomime, le soir où je serais officiellement présenté aux parents. Après la farce de la rencontre avec le père, je m'attendais à un certain embarras mais je ne me tracassais pas trop. En fin de compte, la famille de Caitlin pouvait penser ce qu'elle voulait, et si une soirée guindée avec les notables du comté n'avait sans doute rien de désopilant, cela ne figurait pas en tête de ma liste de calamités. Pourtant, Caitlin devenait de plus en plus tendue à mesure que la journée s'avançait. Je trouvais sa réaction excessive; je pensais que parler de peur était exagéré.

— Nous devrions annuler, dit-elle, le visage toujours tourné vers la vitre. Leur téléphoner, inventer une excuse...

— Cate, ce n'est qu'un cocktail. Ça ne peut pas être si terrible.

— Tu ne le connais pas.

Elle retomba dans son silence, et je n'insistai pas. En un sens, je la connaissais à peine. Nous nous étions rencontrés une vingtaine de fois pendant les quatre semaines écoulées depuis la soirée d'anniversaire. Il y avait eu deux week-ends dans des auberges de campagne, un autre sur la péniche aménagée d'un ami sur la Cam, et une série de nuits volées à la semaine dans mon austère appartement de Dulwich. Je ne considérais plus nos rencontres comme des événements séparés mais comme un continuum que les absences de Cate interrompaient de manière anormale. Je supportais ces absences de plus en plus mal, et j'avais parfaitement conscience de ce que cela signifiait. Et cependant, je la connaissais à peine.

— C'est une brute. Mon père. Un raciste et une brute.

Je lui jetai un autre coup d'œil. Elle m'avait un peu parlé de son père et j'estimais tout à fait possible qu'il soit un vieux tyran domestique pompeux et autoritaire, mais je n'arrivais pas à prendre tout à fait au sérieux l'accusation de Caitlin.

— Cate, tu es sûre qu'il n'est pas simplement un peu trop protecteur?

Elle croisa les bras et continua à regarder les arbres.

Je me rappelai instantanément en sa présence quel homme impressionnant était Edward Dacre. Aussi grand que moi, il avait une épaisse chevelure grisonnante et s'avançait avec une aisance gracieuse pour me serrer la main.

— Je m'excuse de tout cela, dit-il. Le verre dans la bibliothèque avec le papa : terriblement vieux jeu, je sais. Mais on peut à peine bouger dans le reste de la maison, avec tous ces serveurs.

Sa poignée de main était ferme mais ne vous broyait pas délibérément les os comme chez ces hommes qui veulent paraître dominants. Ayant à l'esprit notre dernière rencontre, j'étais soulagé de le trouver dans d'aimables dispositions, plus soulagé que je ne voulais me l'avouer, mais je ne savais pas trop à quoi m'attendre ensuite. Je gardai donc le silence, lui laissant l'ouverture. Pour faire quoi ? Je n'en savais rien. Lancer une plaisanterie, peut-être, ou m'infliger un sermon. Faire allusion d'une façon ou d'une autre à ce qui s'était passé, ne serait-ce que pour classer l'affaire. Mais il ne me regardait pas.

— D'après Caitlin, vous êtes scotch, n'est-ce pas ? J'ai du Glenlivet quelque part...

Il chercha parmi les carafes, avec une ostentation moqueuse, jusqu'à ce qu'il eût trouvé la bonne.

— De l'eau ? Ou bien vous êtes un puriste ? Vous en avez tout l'air.

Je ne savais pas comment prendre la remarque, bien qu'il l'ait faite sur un ton plaisant.

— Pur, ce sera très bien, merci.

Je me tournai vers Caitlin, assise au bord du sofa, et lui adressai une grimace que je voulais comique pour tourner cette scène en dérision, mais elle ne réagit absolument pas. Les mains jointes sur son giron, elle regardait droit devant elle.

— Tu ne t'es pas encore changée, Catey ? dit son père, toujours occupé par les carafes.

Ses mots avaient un ton autoritaire, comme s'il parlait à quelqu'un d'autre, quelqu'un de plus jeune que Caitlin. Cela me mit à cran. Je me souvins qu'elle s'était comportée comme une enfant en sa présence l'autre fois et je m'efforçai de ne plus y penser : ce genre de chose devait souvent arriver entre père et fille, supposai-je.

— J'y vais, dit-elle en se levant.

Elle traversa la pièce et, sur le pas de la porte, se retourna pour me lancer un regard que je ne parvins pas à interpréter. Elle sortit en silence.

Je me détendis un peu après son départ, promenai les yeux autour de moi avec un mélange d'étonnement et d'amusement. J'avais l'impression de m'être égaré dans une dramatique historique. Les rayonnages sombres étaient couverts de volumes reliés du sol au plafond et un magnifique bureau d'acajou à sous-main de cuir vert occupait un coin à l'autre bout de la pièce. L'éclairage était faible, mais les hautes fenêtres du mur opposé donnaient sur une pelouse ponctuée de lilas et d'hortensias. La lumière d'un soleil bas se glissait entre les arbres pour tomber sur l'herbe. Le père de Caitlin me tendit le scotch, me montra un siège.

— Asseyez-vous donc.

Je m'assis dans un des fauteuils de cuir. Je ne savais comment l'appeler : « monsieur Dacre » aurait vraiment fait trop victorien mais, d'un autre côté, il avait plus d'une quarantaine d'années de plus que moi et je ne pouvais me résoudre à l'appeler par son prénom. Je décidai d'éviter de l'appeler tout court.

— Cette maison est extraordinaire!

— N'est-ce pas? fit-il avec le rire d'un homme qui n'arrive pas à croire tout à fait à sa chance. Elle m'impressionne sacrément.

— Je suppose qu'elle appartient à la famille depuis des générations...

— Oh non, nous sommes de parfaits parvenus. Mon père a créé l'entreprise familiale dans les années trente, il s'est plutôt bien débrouillé et il a acheté Morrow House. J'ai repris l'affaire et la maison quand j'ai quitté l'armée, il y a une vingtaine d'années. Mais comme il faut trois générations pour faire un gentleman, dit-on, je n'en suis pas encore un, conclut-il en s'asseyant en face de moi.

Il avait des yeux bleus très vifs dans un visage mince et hâlé, une fine moustache poivre et sel de star des années quarante.

— Caitlin sera donc la première de la famille à accéder à la noblesse, selon ce critère.

— Noble, elle l'est selon tous les critères, repartis-je galamment.

— Vous trouvez?

De nouveau, son ton m'étonna.

— Bien sûr, répondis-je.

Et estimant qu'il fallait relever le défi que comportait sa question, j'ajoutai :

— Pas vous?

Il eut une moue, me fixa d'un air songeur.

— On dit que les enfants sont une bénédiction, Michael. Mais vous savez, ce n'est pas toujours vrai. Le plus souvent, ils vous brisent le cœur.

Il reposa son verre, lissa sa moustache, me sourit, et quelque chose changea à cet instant. Comme si une goutte d'eau froide avait coulé le long de mon échine.

— Qu'est-ce que vous êtes, exactement? me demanda Edward Dacre.

— Ce que je suis?

Je faillis éclater de rire et retins une réponse facétieuse du genre : « Je suis un *Homo sapiens* de vingt-neuf ans, un

mètre quatre-vingt-cinq, quatre-vingt-trois kilos, qui copule avec votre fille chaque fois qu'il en a l'occasion... »
Au lieu de quoi, je demandai :

— Vous voulez dire, ce que je fais ?

Son sourire ne vacilla pas.

— Je sais ce que vous faites, Michael. Vous entamez une carrière médicale quelconque.

— Je suis docteur, répliquai-je, piqué. Je poursuis mes études pour devenir chirurgien.

— Très bien. Mais moi, je veux savoir ce que vous *êtes*.

— Je crains de ne pas comprendre...

— Non ? Alors, je m'exprimerai en ces termes : les vieilles règles s'appliquent encore ici.

— Quelles vieilles règles ?

— Je n'ai pas élevé Caitlin pour la voir se jeter au cou d'un étudiant en médecine sans le sou.

Je le regardai, abasourdi.

— Il n'y a rien là de personnel, Michael, je suis sûr que vous le comprenez. Je sais que des gens venus de nulle part arrivent parfois à faire d'eux-mêmes quelque chose de remarquable. Mais les probabilités sont contre.

Il nous servit un autre verre, sans même que je m'en rende compte, tout en poursuivant :

— Je dois protéger ma fille, c'est à cela que servent les pères. Caitlin est une jeune femme très intelligente. Elle parle deux ou trois langues, elle a fait de bonnes études, elle est très belle. Et naturellement, elle a de la distinction. A de nombreux égards, cependant, elle a été une déception pour moi. Elle a tous les avantages mais ne les met pas vraiment à profit. Comme dirait l'une de mes relations d'affaires américaines, elle ne sait pas jouer « les fins de partie ». Elle est là, à vingt-quatre ans, sans avoir réalisé quoi que ce soit de valable.

Je retrouvai enfin ma voix :

— Vous n'avez pas vu ses dessins ?

Il me gratifia d'un regard apitoyé.

— Michael, je vous en prie...

— Elle a un talent exceptionnel.

— Il y a une faiblesse en elle, poursuivit-il comme si je n'avais pas parlé, une fragilité. Sa mère l'avait aussi. Elle l'a encore. Cela peut en faire la proie de toutes sortes de passades.

Je reposai mon verre d'un geste abrupt.

— Si c'est de moi qu'il s'agit, Caitlin peut me le dire elle-même.

— Michael, comprenez-moi. J'aime ma fille.

— Moi aussi.

C'était la première fois que j'exprimais ce sentiment et le faire libéra quelque chose en moi.

— Mais je ne suis pas venu ici ce week-end pour vous demander sa main, si c'est à cela que vous vous attendez.

Il éclata de rire.

— Vous pensez que c'est une histoire de tradition ? Ne soyons pas naïfs. Il ne s'agit pas de tradition mais de pouvoir.

Je repassai la bande dans ma tête pour avoir une certitude : oui, c'était bien ce qu'il avait dit. Je me levai.

— Je ne veux pas en discuter davantage.

— Vous êtes encore très jeune, fit-il comme si je n'avais pas réagi. Assez jeune, je l'espère, pour apprendre que vous ne pouvez pas faire ce que bon vous semble. Pas quand cela m'affecte. Pas quand cela affecte mon entourage.

— Votre entourage ?

— Il y a un prix à payer pour tout. Vous l'avez peut-être oublié. Ou vous avez peut-être une image déformée du monde après avoir si longtemps joué au grand chef blanc parmi les nègres.

Je montai à ma chambre, ivre de rage. J'aurais voulu partir immédiatement, prendre mon sac et faire une sortie aussi spectaculaire que possible, mais je n'avais pas vu Caitlin depuis qu'elle avait quitté la bibliothèque et je ne savais pas où la chercher dans cette vaste maison. Je ne savais pas ce que je lui dirais si je la trouvais. Pour la seconde fois de la soirée, je songeai que je ne la connaissais pas vraiment. J'ignorais quelles conséquences mon départ précipité pourrait avoir pour nous : j'avais très peur de la perdre. J'ouvris la fenêtre, scrutai le jardin obscur et me calmai peu à peu. Au bout d'un moment, j'allai prendre une douche, et quand je ressortis de la salle de bains, j'étais de nouveau parfaitement maître de moi.

Je n'avais jamais assisté à une soirée organisée dans un endroit comme la salle de réception de Morrow House. Elle était immense, avec une longue table en teck, des tableaux assombris par la fumée et une cheminée assez grande pour y faire rôtir un bœuf. La date de 1799 était gravée dans la clé de voûte. J'entrai sans me faire remarquer, pris un verre sur un plateau porté par un serveur et feignis d'examiner l'une des toiles en tâchant de me rendre invisible.

La soirée elle-même était bien plus importante que je ne m'y attendais, avec une quarantaine de personnes environ évoluant dans la salle, des hommes rubiconds d'âge mûr, des femmes habillées avec trop de recherche. Des gens au verbe haut, satisfaits d'eux-mêmes. D'instinct, je les trouvai antipathiques, tout en me félicitant qu'ils soient aussi nombreux : ce serait plus facile pour moi de passer inaperçu.

Je regardai autour de moi mais ne vis pas Caitlin. En revanche, je repérai sa mère, une femme élégante d'une soixantaine d'années dans une étourdissante robe bordeaux, et je l'observai à la dérobée tandis qu'elle passait d'un groupe d'invités à un autre. Elle avait le teint et l'ossature délicate de sa fille et avançait dans la foule avec la majesté d'un membre de la famille royale. J'avais du mal à voir en elle l'épouse opprimée que je m'étais imaginée d'après la description de Caitlin. Elle me faisait l'impression d'une femme dure, intelligente, mais je n'étais plus disposé à croire encore aux apparences dans cette maison. Sans le décider consciemment, je circulai dans la foule pour éviter de la croiser.

Je me retrouvai coincé par une grande femme en tailleur de lin et rouge à lèvres écarlate.

— Je suis sûre que cet Indien était un peu simple d'esprit, disait-elle. Il s'est précipité sur la route à la poursuite d'une chèvre, vous vous rendez compte ? En plein rallye international ! Le pauvre George — mon mari — n'avait aucune chance de s'arrêter.

Je tentai d'attirer l'œil d'un garçon qui passait avec un plateau de verres.

— Il a été tué, bien sûr, enchaîna la femme.

J'arrêtai ma main qui se tendait vers le plateau.

— Tué ? Votre mari ?

— Non, non. Le type à la chèvre. George roulait presque à cent. Toute cette histoire est consternante. George aurait obtenu un bien meilleur classement, sinon.

Elle dut voir mon expression, car sa bouche prit un pli amer et elle décampa. Mon verre à la main, je me fis aussi discret que possible à côté de l'énorme cheminée en espérant ne pas être découvert.

— Vous avez raison, Michael, les fous se sont emparés de l'asile.

La mère de Caitlin venait d'apparaître près de moi dans un murmure de son éblouissante robe.

Je présumai qu'elle avait assisté à l'échange. Elle parlait d'une façon mécanique, sans presque remuer les lèvres, comme si son sourire était peint sur sa bouche, saluant d'un mouvement de tête ou d'un haussement de sourcils les invités qui passaient devant nous. Un instant, elle me rappela ces vieux films de guerre où les membres du comité d'évasion échangent des mots de passe du coin de la bouche en faisant la queue à la cantine du camp.

— Je suis Margot Dacre, bien sûr.

— Navré que nous ne nous soyons pas rencontrés plus tôt, madame Dacre.

Je tendis une main qu'elle ignora. Ce n'était peut-être pas la façon dont on se saluait dans le gratin. Ou alors elle ne l'avait réellement pas vue.

— Appelez-moi Margot, dit-elle. Je n'aime pas mon nom de famille. Et vous m'auriez rencontrée plus tôt si vous ne m'aviez pas évitée aussi soigneusement.

Elle avait l'équilibre d'une escrimeuse et maniait la repartie comme un fleuret, mais elle ne m'abusa pas totalement. Je retrouvais clairement Caitlin en elle à présent, non pas tant dans sa défense aiguisée que dans ce qu'elle défendait : une certaine vulnérabilité.

— Je ne suis pas à mon aise dans ce genre de chose, arguai-je.

— Ne dites pas de bêtises. Vous avez atteint un résultat remarquable en très peu de temps. Mon mari vous déteste déjà.

— Il vous a dit pour quelle raison?

— Oh, il n'a pas besoin de raison. Et ne le prenez pas personnellement. Vous êtes en bonne compagnie. Edward déteste tout homme qui ose poser les yeux sur Caitlin, et beaucoup font plus que la regarder, vous l'imaginez bien. En fait, il y a une liste considérable de gens qu'Edward n'apprécie pas.

— Vous m'en direz tant, fis-je.

— A vrai dire, il n'aime pas les gens en général, point.

Je posai mon verre sur le manteau de la cheminée.

— Je ne suis pas sûr de m'intéresser à ce qu'il aime ou pas.

— Oh, fit-elle avec un sourire satisfait, je crois sentir comme de la colère...

— En fait, je ne suis pas sûr de m'intéresser à ce que pensent toutes les personnes présentes ici, sur quelque sujet que ce soit.

— Moi comprise, sans aucun doute, répliqua-t-elle en m'observant par-dessus son verre.

J'avais l'impression qu'elle concentrait son attention sur moi mais avec détachement, comme si j'étais un échantillon d'une espèce rare.

— Je me demande si vous pourriez être vraiment différent des autres, dit-elle, à moitié pour elle-même.

Je cherchais encore une réplique quand Edward Dacre entra dans la salle par l'entrée en arcade à deux mètres derrière elle. Il s'arrêta, le dos parfaitement droit, les jambes un peu écartées, les mains jointes derrière le dos, examinant ses invités. Malgré le regain de ressentiment que j'éprouvai en le voyant, je fus frappé par la force de sa présence. Puis je vis Caitlin se diriger vers lui précipitamment, le contourner pour se placer face à lui. Elle avait les cheveux emmêlés et portait encore le pull et le jean qu'elle avait mis pour le voyage. Ce seul détail me fit comprendre que quelque chose n'allait pas.

— Tu les as sûrement cachés quelque part, plaida-t-elle d'une voix craintive. Dis-moi où ils sont. Je t'en prie.

Il leva le menton, s'écarta d'elle. Ses yeux avaient un éclat dur, et je sentis qu'il savourait la confusion de sa fille.

— Tu ne t'es pas encore changée, Caitlin? fit-il,

comme s'il ne l'avait pas encore vue. Tu pourrais au moins essayer d'avoir l'air convenable.

Pressentant une scène, deux ou trois des invités les plus proches s'éloignèrent discrètement mais, dans le reste de la salle, les conversations se poursuivaient avec la même animation.

— Cate? l'appelai-je.

Elle se retourna, livide, scruta la foule, me trouva.

— Mes dessins! me cria-t-elle, effondrée. Il les a brûlés. Tous.

— Quoi?

— Pourquoi pas? fit son père, s'adressant au plafond, tandis que le brouhaha mourait dans la pièce. De toute évidence, tu avais d'autres projets. De toute évidence, tu n'avais pas l'intention de revenir ici.

Margot Dacre me faisait toujours face et tournait le dos à la scène.

— J'ai essayé de l'en empêcher, dit-elle d'une toute petite voix, les yeux vides. Je l'ai supplié, en fait. Mais il n'allait pas bien, vous comprenez.

Je la pris par les coudes pour l'écarter de mon passage, comme je l'aurais fait d'un meuble. Elle semblait n'avoir aucun poids. Je me dirigeai vers Caitlin en gardant la tête baissée, sans me risquer à regarder son père, à affronter ses petits yeux brillants.

— Je suis désolé, Cate. Là, j'ai ma dose.

Elle leva les yeux vers moi, désemparée, mais je passai devant elle, m'engouffrai dans le couloir obscur et montai l'escalier. Je laissai la porte de la chambre ouverte derrière moi, posai mon sac sur le lit, y fourrai mes vêtements et mon livre, ma trousse de toilette, le fermai d'un geste rageur. J'entendis ses pas dans l'escalier, et quand je me retournai, elle se tenait sur le seuil, les mains de chaque côté de l'encadrement de la porte, barrant le passage, hors d'haleine. Elle était pâle et ses cheveux blonds lui tombaient sur la figure. On lui aurait donné seize ans.

— Tu ne peux pas partir comme ça.

— Ce vieux salaud a vraiment brûlé tes dessins?

Son visage se décomposa.

— Il a commencé par ton portrait. Puis il a détruit tout le reste. Les albums, les carnets de croquis. Tout ce que j'avais fait depuis mon enfance.

— Tu sais pourquoi?

— Pour me punir, bien sûr. Pour me faire du mal.

— Pas seulement à toi. A nous deux. C'était très efficace.

Je soulevai le sac.

— Ne t'en va pas. Je t'en prie.

— Viens avec moi.

— Je ne peux pas.

— Tu veux que je reste ici pour le regarder te traiter de cette façon?

— Si tu crois que c'est si simple! me lança-t-elle. Les gens sont parfois étouffés, privés de lumière, pour qu'ils ne puissent pas devenir forts...

Je la pris dans mes bras, la serrai contre moi puis la relâchai.

— Viens avec moi, répétai-je.

Elle ne bougea pas. Je descendis les marches, fis halte un moment en bas, dans la pénombre fraîche de la cage d'escalier sentant la jacinthe et la cire d'abeille. Dans la grande salle, la soirée s'animait : toussotements des invités masculins, tintements de verres, petit cri ravi d'une femme en retrouvant une autre après une séparation de deux, voire trois jours. Je gagnai le bout du corridor, défis les verrous de la porte de derrière, me glissai dehors et contournai la vaste maison dans l'obscurité peuplée de papillons de nuit. L'air me rafraîchit le visage. J'étais à la voiture quand j'entendis Caitlin faire crisser le gravier dans sa course.

Elle s'assit à côté de moi sans dire un mot. Je fis marche arrière, remontai rapidement la longue allée et franchis les grilles en fer forgé, craignant à tout moment que sa résolution ne se brise, qu'elle ne me demande d'arrêter et qu'elle ne soit de nouveau perdue pour moi.

— Tu recommenceras, Cate. Tu dessineras d'autres choses. Tout un monde nouveau.

Fixant la nuit qui se précipitait vers nous, elle répondit :

— Je ne dessinerai plus jamais. Plus jamais.

11

Je prenais plaisir à être de nouveau en costume : je n'en avais pas porté depuis mon départ pour le Venezuela. C'était bon de marcher à grands pas dans la bousculade de l'heure de pointe matinale, ma mallette à la main, de me faufiler dans la foule du métro, de respirer l'odeur de chien mouillé des manteaux d'hiver. C'était bon et c'était normal. Ils ne savaient rien de moi, ces gens. Ils ne me voyaient même pas. Ils pensaient aux traites de la maison, aux mauvaises notes des gosses; ils pensaient qu'ils allaient arriver en retard au travail et qu'ils devraient encore attendre longtemps les vacances pour jouir d'un peu de soleil. Perdu dans leur indifférence envers moi, je pouvais m'oublier.

Je remontai l'allée de l'hôpital, passai devant deux auxiliaires médicaux en combinaison verte qui fumaient près d'une ambulance et pénétrai aux urgences. J'allais toujours au travail par ce chemin, c'était pour moi une sorte de rituel et je me sentis réconforté de pouvoir l'accomplir de nouveau. L'endroit me galvanisait, même au bout de tant d'années : les infirmières se hâtant dans une lumière crue, les odeurs astringentes de l'hôpital, tout un crépitement d'énergie.

C'était le branle-bas de combat, ce matin. Une ambulance était garée dehors, une autre arrivait, sirène finissant à peine de mugir, gyrophare tournoyant encore, sur le béton mouillé de la cour. Au moment où je passais, un adolescent fut amené sur un chariot, un casque de moto entre ses pieds sur les couvertures. Des infirmières l'entouraient, ajustant un goutte-à-goutte, lui parlant, l'appelant par son prénom. « Paul ! Paul ? Tu m'entends, Paul ?... Tu vas t'en tirer. Je dois juste te donner quelque chose pour t'aider à... » Des voix sûres d'elles-mêmes, compétentes. Les voix de personnes expérimentées, connaissant leur métier. Cela me faisait du bien de les entendre, et je sus instinctivement que le jeune Paul s'en tirerait au mieux.

Je reconnus plusieurs des infirmières et auxiliaires, mais ils étaient trop occupés pour remarquer ma présence. Près de la porte de l'ambulance, Vernon Choudhury, un chef de clinique avec qui je jouais au squash à l'occasion, parlait avec conviction à une femme en larmes et tremblante, au bord de l'hystérie, et lui barrait délibérément le passage. Il ne me vit pas entrer. Simon Machinchose, technicien homo du service de radiologie, déboulait, un dossier à la main. Il me remarqua, lui, mais fut trop surpris pour dire quoi que ce soit et me regarda, bouche bée, passer devant lui.

Je montai l'escalier, parcourus les couloirs cirés de frais en direction du service orthopédique, pénétrai dans le bâtiment victorien originel, peintures crème et boiseries sombres, passai devant des bureaux, des gens affairés, qui parlaient, riaient. Des téléphones sonnaient, des bipeurs bourdonnaient, des tiroirs de classeur grinçaient sur leurs glissières. Des moniteurs de PC projetaient une lueur bleue derrière des parois de verre dépoli. Les couloirs sentaient l'antiseptique.

Une femme que je reconnus vaguement sortit comme une furie du bureau des archives, les bras chargés de dossiers. En voulant m'éviter, elle trébucha et laissa tomber quelques fichiers par terre. Elle jura, entreprit de les ramasser, et je me baissai pour l'aider. Quand elle leva les yeux pour me remercier, je vis une lueur d'étonnement dans son regard. Nous en terminâmes et je m'éloignai, et je vis en me retournant qu'elle était restée plantée dans le couloir, à me suivre des yeux.

Dans mon bureau, j'ôtai mon imperméable mouillé, l'accrochai au portemanteau derrière la porte, allai à l'ordinateur et l'allumai. Cela faisait des semaines que je n'avais pas mis les pieds dans cette pièce — depuis le Venezuela, en fait — mais elle me parut singulièrement nue. Le plateau de mon bureau avait été débarrassé et ciré, la corbeille du courrier était vide. Il y avait autre chose de changé. Il me fallut un moment avant de saisir ce que c'était, mais je finis par me rendre compte que les photos avaient disparu, les deux photos de Caitlin que je gardais sur le bureau, et une troisième, plus grande, de nous deux, jusque-là accrochée au mur de droite. Cela m'intrigua mais je n'arrivai pas tout à fait à intégrer le fait dans mon esprit. Je voulus ouvrir le tiroir — les photos s'y trouvaient peut-être —, il était fermé à clé. Jamais je ne fermais à clé les tiroirs de mon bureau, je ne savais même pas qu'ils avaient une serrure.

La porte s'ouvrit brusquement et Meredith Vren emplit l'espace. Meredith était ma secrétaire, quoique ce titre, dans son cas, fût sujet à interprétation. La cinquantaine large et puissante, elle était sans doute la personne la moins indiquée pour porter le nom d'un petit oiseau craintif[1]. Elle était vêtue d'un cardigan d'un rouge violent et semblait d'humeur batailleuse. Je vis à son expression qu'elle s'attendait à trouver n'importe qui dans cette pièce sauf moi, mais je ne m'expliquai pas pourquoi sur le moment. Elle resta interdite, juste le temps qu'il fallut à la porte pour revenir vibrer contre son pied.

— Qu'est-ce que je suis censée vous dire ? fit-elle. Je trouve une réponse à la plupart des situations, mais pour les tragédies je suis nulle.

Je fis le tour de mon bureau, entourai de mes bras sa masse chaude et la pressai contre moi. Elle me tapota le dos d'un geste gauche puis recula, s'éclaircit la voix, regarda le plafond et revint à moi.

— Bon, maintenant, expliquez-moi ce que vous fichez ici.

— Meredith, je travaille ici, répondis-je en tentant une fois de plus d'ouvrir le tiroir. Vous savez où sont passées mes photos ?

Elle referma la porte derrière elle.

— Michael, arrêtez de tripoter ce foutu bureau et regardez-moi.

Je m'exécutai. Quand Meredith donnait un ordre, il n'était pas facile de l'ignorer. Pour tout le service, elle remplissait les fonctions de conseillère en cas de crise, responsable des jardins, organisatrice des pots de départ. C'était elle qui beuglait dans le téléphone quand le ménage n'était pas fait, elle qui dénichait un dossier médical dans le labyrinthe de la Sécurité sociale, là où des équipes de chercheurs diligents avaient échoué, elle qui donnait à manger aux poissons de l'aquarium de la cantine des médecins. De fait, elle dirigeait la boîte.

— Qu'est-ce qui se passe ? m'enquis-je.

1. *Vren* : roitelet. *(N.d.T.)*

— Ecoutez-moi, Michael. Je vais vous faire une tasse de thé spécial personnel. C'est une première? Je m'en doutais. Et vous allez vous asseoir pour la boire tranquillement.

— Je n'ai pas le temps, Meredith. Il y a la réunion Fractures...

— Si je vous fais un thé, vous le boirez, bon Dieu. En fait, nous allons le boire tous les deux. Et puis je vous appellerai un taxi. Et vous rentrerez tranquillement chez vous.

— Merci, répondis-je en riant, mais je ne crois pas, non.

Je pensais avoir parlé d'une voix normale, mais elle m'examina attentivement, comme si quelque chose dans mon comportement la troublait. Je savais qu'en d'autres circonstances elle aurait discuté, ou plutôt qu'elle m'aurait écrasé sous son rouleau compresseur, mais elle dit simplement :

— Thé. Je reviens tout de suite. Bougez pas d'ici.

Elle s'éloigna d'un pas rapide dans le couloir.

J'aurais volontiers goûté au thé de Meredith, mais il n'était pas question que je l'attende, pas avec la réunion Fractures qui allait commencer. Je consultai ma montre. Il était un peu plus de huit heures, ce qui signifiait que la réunion était probablement déjà en cours. Je sortis, refermai la porte du bureau derrière moi.

Ray Moore avait été manifestement consultant de service la veille parce que lorsque j'arrivai à la réunion il était déjà près du lecteur de radiographies, enlevant une série de clichés et la remplaçant par une autre. Il se concentrait sur sa tâche, fixant les images à travers les verres épais de ses lunettes, les accompagnant de ses commentaires sarcastiques. Les quinze personnes présentes dans la pièce étaient toutes tournées vers lui quand j'entrai par-derrière. Un chef de service asiatique me sourit et s'écarta pour me faire une place. Il devait être nouveau car je ne le connaissais pas. Personne d'autre ne me remarqua.

Ray, tournant le dos à son auditoire, tapota des ongles la radio centrale.

— Second accident de la journée, le jeune Jason Pratt. Pas de commentaires, s'il vous plaît[1]. Vingt-deux ans. A passé la soirée à s'enfiler des bières puis a tenté d'impressionner une jeune personne du genre féminin en remontant Gower Street à contresens et à vive allure dans sa très jolie Toyota vert citron. Il a ensuite entamé, à mauvais escient, un combat inégal avec un camion-benne à ordures et a fini deuxième. Je suis heureux de pouvoir vous annoncer que sa passagère s'en est tirée indemne et s'est tirée du même coup des pattes de M. Jason Pratt...

Il y eut des commentaires et quelques rires. Je parcourus la salle des yeux : je connaissais tous ces gens, très bien même pour certains d'entre eux, et c'était étrange de les regarder sans qu'ils se soient encore rendu compte de ma présence. John Donohue et Fred Tanaka, collègues occupant des bureaux voisins du mien. Dee Orville, du service de physio. Une poignée d'internes et de chefs de clinique dont les noms surgissaient automatiquement dans mon esprit : Don, Maggie, Patti, Jonathan. L'anesthésiste nigérian, Sam Okigbo. Là-bas, près de la fenêtre, la redoutable Carrie Iverson, sœur Récureuse. Et deux rangées devant moi, sa tête rousse penchée sur ses notes, Stella, si proche que je ne l'avais pas remarquée tout de suite.

— Le jeune Pratt était conscient, à défaut de pouvoir articuler, avec une alcoolémie de 2,3 g, poursuivit Ray

1. *Prat* : andouille, crétin. *(N.d.T.)*

140

Moore d'un ton lugubre. C'est plus élevé que son niveau habituel, je présume. Comme vous le voyez ici, il présentait à son admission une fracture fermée du fémur droit...

Il regarda son public. Me vit. Ecarquilla les yeux derrière ses gros verres. Et dit :

— Michael.

Toute la salle entendit apparemment ces deux syllabes; le silence qui suivit avait un côté comique. Des visages se tournèrent vers moi, d'abord étonnés, puis compatissants et embarrassés. J'eus l'impression d'être un étranger, comme si ces gens que je connaissais si bien lisaient sur mon visage que j'avais totalement changé. Je commençais à le penser moi-même.

— Bonjour, tout le monde, dis-je.

Personne ne répondit. Ne parvenant pas à supporter le poids des regards sur moi, je détournai les yeux vers les radios du mur illuminé. Un murmure s'éleva. Un bipeur couina et ne reçut pas de réponse.

— Michael, nous sommes tous..., commença Ray Moore.

Le bipeur se fit de nouveau entendre.

— Quelqu'un pourrait s'en occuper?

Stella fut la première à réagir. Elle se rua entre les deux chefs de clinique, me saisit par le bras et me fit pivoter.

— Viens dehors, Michael. Tout de suite.

— Pourquoi?

— Viens.

Quelqu'un nous ouvrit la porte, Stella me poussa dans le couloir et me suivit.

— Je t'en prie, pas de Qu'est-ce-que-tu-fais-ici, Meredith m'a déjà fait le coup, prévins-je.

Elle ramena ses cheveux en arrière.

— Michael, je n'ai pas le temps de m'occuper de ça maintenant.

— Tu n'as pas à t'occuper de quoi que ce soit.

— Tu sais bien que si. Tu n'as pas les idées claires.

— J'ai besoin de travailler. C'est tout. Je suis chirurgien...

— Réveille-toi, me coupa-t-elle. Tu crois que le Monarque argenté te laissera approcher d'une salle d'opération ? Cette semaine ? Tu es en état de choc.

— Pourquoi ne pas me laisser juger de mon état ?

— Tu es le dernier à pouvoir le faire.

— Moi, je le peux, en revanche, déclara le professeur Curtiz.

Ni Stella ni moi ne l'avions entendu approcher, mais il se tenait près de mon coude, impeccable dans son costume gris clair, souriant. Il avait un hâle permanent de champion de ski, une splendide crinière de cheveux argentés et respirait l'autorité. Meredith suivait dans son sillage, l'air mal à l'aise, comme une élève chargée de la discipline qui n'aurait pas su maîtriser la situation et aurait dû faire appel au directeur pour qu'il l'aide à régler le problème.

La porte de la salle de réunion s'ouvrit et Ray Moore, pour une fois à court de plaisanteries, nous regarda tour à tour. Derrière son dos, la pièce bourdonnait. Il chercha la poignée à tâtons pour fermer la porte et bredouilla :

— Michael, je... nous sommes tous...

Sa voix mourut, il fit une autre tentative :

— Personne ne pensait que tu reviendrais si tôt.

— Michael, intervint Curtiz, je crois que nous devrions avoir une conversation, tous les deux. Dans mon bureau ?

Il me guida dans le couloir. L'air soulagé, Ray Moore retourna dans la salle et, l'instant d'après, je l'entendis reprendre la réunion Fractures. Derrière nous, Stella lança :

— J'avais l'intention de ramener Michael chez lui...

— Je ne crois pas que ce soit nécessaire, répondit Curtiz. Et vous êtes occupée, je suppose?

Elle ouvrit la bouche, la referma.

— On avait bien parlé d'une tasse de thé, Meredith, ou je me trompe? dit Curtiz, qui repartit sans attendre de réponse.

Pour une raison ou une autre, le professeur Curtiz n'était pas touché par la parcimonie du ministère de la Santé. Il occupait un bureau de patricien, frais et clair, avec un plafond haut, qui sentait les fleurs coupées et son propre après-rasage. Des gravures contemporaines ornaient les murs : Chagall et Picasso. De grandes fenêtres s'élevaient, telles des colonnes de lumière. Près d'un énorme bureau, un ordinateur à écran plat était posé sur une crédence. Curtiz me conduisit au canapé Chesterfield installé entre les fenêtres, s'assit en face de moi dans le fauteuil à oreillettes. Il posa ses mains délicates et assez belles sur ses genoux, l'index parfaitement aligné avec le pli du pantalon.

— Rien dans ma longue expérience de la vie et de la mort ne m'a appris à rendre plus supportable un deuil soudain, *a fortiori* dans ces circonstances. Vous savez ce que tout le monde ressent pour vous ici, mais je présume que cela ne vous aide en rien.

— Cela m'aide beaucoup. Naturellement. Mais ce n'est pas pour cette raison que je suis ici.

— Non. Vous êtes ici parce que... vous avez besoin de travailler.

Il pencha la tête sur le côté.

— C'est bien ce que vous avez dit?

— Oui.

— Cela ne suffit pas, déclara-t-il en se redressant.

Je crus avoir mal entendu.

— Pardon?

— La médecine n'est pas ce dont vous avez besoin, Michael, reprit-il d'une voix parfaitement calme.

Comme je ne répondais pas, il poursuivit :

— Dois-je être plus précis? Je devrais être en salle d'opération. Je serais en train d'opérer si Meredith ne m'avait pas appelé.

Il jeta un coup d'œil à sa montre luxueuse qui brillait comme un dollar d'argent neuf à son poignet bronzé.

— En ce moment, il y a en bas une jeune femme qui doit attendre mon aide parce que je suis ici avec vous. Vous me comprenez?

— Tout cela n'était pas nécessaire, dis-je en baissant les yeux. Je vais bien.

Curtiz plissa les lèvres.

— Je ne peux imaginer ce que vous ressentez, Michael, mais je sais que vous n'allez pas... bien.

On frappa à la porte, il cria « Entrez! », et Meredith apparut, haletante. Elle s'empressa de déposer deux grandes tasses d'un thé couleur acajou sur la table basse entre nous. Je sentis ses yeux sur moi mais évitai de la regarder en gardant les miens fixés sur la fenêtre. Le ciel d'hiver ressemblait à de la soie mouillée et quelques mouettes lointaines y planaient.

— Ne laissez pas la cuillère dedans, elle pourrait se dissoudre, nous avertit-elle.

Elle rechignait à partir, à m'abandonner, supposai-je. Curtiz lui sourit, attendit qu'elle ait fini son manège. Quand elle ne put atermoyer davantage, elle ressortit en traversant le tapis ancien bleu et or et referma la porte derrière elle.

— Je veux travailler, arguai-je. Je veux être utile.

— Vous voulez vous anesthésier, plutôt. Je ne vous le reproche pas, mais je ne peux le permettre.

144

— Laissez-moi simplement...

— Non.

Il prit son thé, but une gorgée, eut une moue approbatrice. Je fixais le mien en silence.

— Vous voulez un conseil, Michael?

Il reposa sa tasse, épousseta sa veste d'un geste de chat.

— Sortez d'ici. Assommez-vous avec toutes les pilules que Dieu fait. Je vous en ferai parvenir. Dormez pendant une semaine. Deux semaines. Ne restez pas seul. Si vous voulez, je veillerai à ce que Stella Cowan puisse avoir quelques journées libres...

— Ça ne m'aidera pas.

— Ne m'obligez pas à vous mettre en congé obligatoire.

Je fermai les yeux.

— Donnez-moi au moins une raison d'espérer.

Il y eut dans ma voix une note suppliante que je ne parvins pas à maîtriser.

Curtiz se leva, vint se placer près de moi, me considéra un moment puis posa sa petite main fine sur mon épaule.

— Appelez-moi dans deux semaines. Je ne vous fais pas de promesses, mais si vous êtes toujours dans les mêmes dispositions, nous verrons ce que nous pouvons faire. Peut-être vous confier des cours, je ne sais pas.

— Une semaine, plaidai-je. Je vous en prie.

— Très bien, soupira-t-il. Maintenant, rentrez chez vous.

12

Je marchai pendant le reste de la journée. Pendant des heures, jusqu'à ce que je sois de nouveau capable de penser, je marchai. Jusqu'à ce que mon ressentiment et ma colère s'émoussent, je marchai.

Descendre le West End puis prendre à l'est vers St. Paul, traverser le fleuve d'un gris brillant et décrire une longue boucle le long de la rive sud : London Bridge, Southwark, Elephant and Castle, au sud, vers Clapham, puis retour au fleuve. Je marchais, maladroit et aveugle, bousculant les gens, les laissant me bousculer. Je traversais en dehors des passages protégés, provoquant les jurons des chauffeurs de taxi. Quelque part près du musée de la Guerre, j'entrai en collision avec un coursier et le laissai étalé sur la chaussée. J'enjambai le cycliste, pantelant mais indemne, trop stupéfait par mon incivilité pour protester.

Toute la journée la ville gronda et s'agita autour de moi, grille serrée de rues lisses semblable aux circuits imprimés d'un gigantesque ordinateur crépitant de toute sa puissance. Sa force brute noya si totalement l'énergie sombre que je portais en moi que, lorsque le jour commença à décliner, j'avais presque retrouvé mon calme.

Je repassai de l'autre côté du fleuve à Waterloo, m'arrêtai devant la station de métro Embankment. J'avais l'étrange impression que je m'éveillais, et je n'arrivais pas tout à fait à comprendre comment j'étais arrivé là. J'étais trempé, j'avais froid et faim, et l'une de mes chaussures prenait l'eau. Je me sentais abandonné et minable dans mon costume froissé. La foule de l'heure de pointe du soir commençait à grossir, engorgeant les trottoirs et s'écoulant dans les entrailles de la station de métro. Je me laissai emporter, cela paraissait plus facile que résister.

Je fus de retour chez moi vers six heures. La maison était froide et obscure. Il y avait du courrier sur le sol du vestibule : des cartes, des lettres aux enveloppes manuscrites. Je savais d'avance ce qu'elles diraient. Je les ramassai, les posai sur une étagère où grossissait une pile de courrier non ouvert. Il faudra que j'y jette un coup d'œil tôt ou tard, supposai-je, mais pas maintenant. Pas maintenant.

J'allumai la lumière, mis le chauffage. Je montai au premier, laissai mon costume mouillé par terre dans un coin et me changeai. En redescendant, je remarquai un paquet sur la table de la salle à manger. Un mot de Stella et quelque chose enveloppé de papier d'aluminium : de la nourriture, probablement. Je ne pouvais imaginer de manger quoi que ce soit. Quand j'ouvris le mot, une plaquette de cachets cliqueta sur la table. *Appelle-moi*, avait écrit Stella. *Simplement pour me dire que ça va. Diazepam gracieusement fourni par le Monarque argenté. Je lui ai promis de passer les déposer. Appelle-moi, Michael.*

Je l'appelai.

— Ça va, Stella.

— Bien. C'est bien.

Je notai du soulagement dans sa voix. Après une pause, elle reprit :

— Tu ne devrais pas être là. Dans cette maison.

— Apparemment, tout le monde sait où je ne dois pas être et ce que je ne dois pas faire.

Elle ne répondit pas.

— Excuse-moi.

— Mange quelque chose, Michael. Mange un morceau et prends deux Diazepam. Dors. Je te rappelle demain.

— Tu n'es pas obligée.

— Je ne le fais pas seulement pour toi, répliqua-t-elle.

D'un ton radouci, elle ajouta :

— Mange quelque chose. Promis?

— D'accord. Promis.

Je lui dis au revoir, raccrochai, portai le paquet de nourriture dans la cuisine et le jetai dans la poubelle sans même l'ouvrir. Je jouai un moment avec les cachets puis les envoyai rejoindre le paquet. Je passai dans mon bureau, trouvai une bouteille de whisky et m'en versai un grand verre. Il faisait froid dans la pièce et j'entrepris d'allumer un feu dans la cheminée. J'allai au meuble stéréo, mis un disque de Mozart et tandis que les flammes montaient devant les briques, je m'assis dans l'un des fauteuils en cuir qui flanquaient l'âtre et contemplai les ombres folles qu'elles projetaient. Faisant rouler mon verre entre mes paumes, j'attendis que le silence m'apaise et qu'un flot d'énergie coule de nouveau en moi.

Je me rappelai la photo de Caitlin sur mon bureau et levai la tête, elle était toujours là, dans la flaque de lumière dorée de la lampe, me regardant d'un air triste à l'autre bout de la pièce. Je n'avais pas beaucoup avancé depuis la veille, quand je la contemplais de ce même fauteuil. Je levai mon verre dans sa direction, appuyai ma tête contre le dossier du siège et laissai mes yeux se fermer. Compartiment après compartiment, mon esprit commença à se fermer lui aussi.

Le gros heurtoir en cuivre de l'entrée claqua deux fois.

Je revins dans le présent aussi brutalement que si j'étais tombé d'une jetée dans une mer hivernale. Je parcourus la pièce des yeux, le portrait de Caitlin sous la lampe, les fenêtres battues par la pluie, en m'efforçant de reprendre mes esprits. Les coups à la porte étaient si loin de tout ce à quoi je pouvais m'attendre que, l'espace d'un moment, je réussis à me convaincre que je les avais imaginés. C'était absurde : leur écho résonnait encore dans la maison.

Et de nouveau, deux coups, forts et lourds.

Je me levai, retournai la photo de Caitlin sur le bureau, traversai la cuisine puis la salle à manger, allumai la lumière du hall et ouvris la porte.

Une femme brune et mince, jeune, me regardait sans rien dire, appuyée au chambranle. Elle portait un imperméable fauve, sombre et mouillé. Ses longs cheveux noirs collés par la pluie tombaient sur son visage et ses épaules. Elle se redressa en tâchant de réprimer un frisson. Elle semblait épuisée mais tenait la tête droite en une posture de défi, comme prête à se battre.

— Vous êtes Michael Severin, déclara-t-elle, comme si elle s'attendait à ce que je le nie. Le docteur Michael Severin.

Elle avait un accent du Nord, du Yorkshire, peut-être. Je l'examinai plus attentivement. Elle était étonnamment belle, avec un long visage aquilin, et je pensai que je ne l'aurais sûrement pas oubliée si je l'avais déjà rencontrée.

— Il faut que je vous parle, docteur Severin. C'est important.

— Désolé, je ne suis pas vraiment en état de faire la conversation.

Je voulus refermer la porte, mais elle la bloqua de son pied et m'affronta du regard. Elle avait des yeux farouches. Je ne m'attendais pas à cette réaction et ne sus plus quoi faire. Il faisait très sombre dans la rue et le vent poussait la pluie à l'intérieur de la maison.

— Si vous ne me laissez pas entrer, vous serez bientôt aussi mouillé que moi, fit-elle observer d'un ton plus calme.

Comme je ne bougeais pas, elle poursuivit :

— Et en plus, je vais gerber sur le pas de votre porte.

Je m'aperçus que, sans avoir pris de décision consciente, je m'étais écarté pour la laisser passer. Je refermai derrière elle. Quand je me retournai, elle était appuyée à la rampe au pied de l'escalier et respirait avec difficulté. C'était plus facile : je connaissais mon rôle lorsque je voyais quelqu'un dans cet état.

— Vous êtes souffrante ?

— J'ai marché pendant des heures, répondit-elle, agacée par ma question ou par sa propre faiblesse.

Marché. Je sentais encore les trottoirs implacables sous mes pieds, la pluie criblant mon visage.

— Vous feriez mieux de vous asseoir, dis-je en m'approchant d'elle. Venez par là.

— D'accord.

Lorsqu'elle s'écarta de la rampe, ses genoux fléchirent, et je la rattrapai par la taille. Elle n'était pas lourde, je la retins facilement. Sa tête roula contre ma joue. Je sentis la pluie sur sa peau et sur ses vêtements. Je l'étendis au pied de l'escalier, et sa chevelure noire se répandit sur le plancher comme les cheveux d'une noyée sur le pont d'un bateau.

Je la tournai sur le côté gauche, vérifiai sa respiration et son pouls. Il était un peu rapide. Je relevai les mèches tombées sur son front, révélant une petite cicatrice en forme d'étoile à la tempe droite. Je la touchai du bout des doigts, me ressaisis, retirai ma main comme si je m'étais brûlé.

Ce que je devais faire ensuite était clair : l'envelopper dans une couverture et appeler une ambulance. Au lieu de quoi, je m'agenouillai et l'observai. Cela pouvait paraître indécent de regarder cette femme inconnue qui gisait ainsi sans défense, mais quelque chose en elle m'empêchait de réagir. Peut-être le fait qu'elle ait perdu ses chaussures en tombant, que sa jupe soit froissée et que l'angle de ses jambes me la fasse paraître aussi vulnérable que Caitlin. Je ne pouvais chasser de mon esprit l'odeur de la pluie sur ses cheveux.

Elle émit un petit bruit au fond de la gorge; ses paupières frémirent puis s'ouvrirent, et je vis ses yeux accommoder sur moi quand elle reprit conscience. Elle déglutit, tenta de se redresser sur un coude.

— Ne bougez pas, dis-je.

Elle m'ignora, se mit en position assise. Lorsque je voulus l'aider, elle repoussa ma main.

— Ça va, dit-elle, en colère contre elle-même. Je n'ai pas mangé, c'est tout.

Je lui pris le poignet, cherchai de nouveau son pouls. Assise par terre, elle plissa les lèvres pour exprimer son irritation mais me laissa faire. Son pouls était régulier, cette fois.

— Asseyez-vous sur une marche, placez votre tête entre vos genoux et respirez à fond pendant deux minutes.

— Oui, docteur, fit-elle avec une grimace.

Au bout d'un moment, elle s'assit cependant sur la dernière marche de l'escalier et fit ce que je lui avais demandé. D'un geste impatient, elle rabattit sa jupe retroussée sur ses cuisses.

— Ça va, vous vous êtes bien rincé l'œil?

— Vous n'êtes pas vraiment en position pour jouer la dignité offensée, répliquai-je.

Elle secoua la tête, abandonna son attitude agressive.

— Je ne fais pas ça, d'habitude.

— Qui êtes-vous?

Je n'avais pas eu l'intention de la brusquer mais son intrusion m'avait désarçonné. Je me sentais nerveux, peu sûr de moi.

Elle leva son visage pour me regarder. Elle reprenait des couleurs. Elle avait un long nez droit, des pommettes très hautes et une masse de cheveux noirs très bouclés. Je n'arrivais pas à lui donner un âge. La trentaine, peut-être. Elle pouvait être un peu plus jeune, mais il y avait en elle une dureté qui était signe d'expérience et lui donnait de la gravité.

— Je m'appelle Angie, dit-elle.

— Angie comment?

— Angie Carrick, répondit-elle avec une certaine emphase tout en m'observant pour voir si cela me faisait réagir.

— Je devrais connaître votre nom?

Elle détourna les yeux.

— Je connaissais Caitlin.

— Vous étiez de ses amies? fis-je, dérouté. Je ne me souviens pas de vous, désolé.

Elle n'entendit peut-être pas ma question.

— C'est horrible, ce qui s'est passé, dit-elle. Il fallait que je vienne. Il fallait que je vous voie.

— Je n'ai pas vu grand monde.

— Je comprends.

Elle se mit debout avec précaution, une main sur le mur.

— C'est probablement une erreur de ma part d'être ici, reconnut-elle, mais il fallait que je vienne.

Elle redressa le dos, prit une inspiration.

— Au bout du compte, docteur Severin, nous sommes tous blessés par ce qui lui est arrivé, vous ne croyez pas ? Vous. Moi. Tous ceux qui la connaissaient.

Elle parlait d'un ton neutre, comme s'il était évident que nous étions unis par la souffrance. Mais ce n'était pas évident pour moi, je trouvais cette idée dérangeante.

— Vous êtes trempée, dis-je enfin.

— J'ai marché depuis la gare routière. Victoria.

— Vous venez d'une autre ville ?

— Du Nord, répondit-elle. Vous l'aviez sûrement deviné.

Manifestement, elle ne voulait pas donner d'autres détails. Je ne comprenais pas pourquoi mais je ne voyais pas l'intérêt d'insister.

— Il y a une salle de bains sous l'escalier, dis-je en montrant la porte du menton. Vous y trouverez des serviettes. Ne fermez pas la porte.

— Je ne retomberai pas dans les pommes, docteur.

Elle se moquait d'elle-même, à présent, ainsi que de ma sollicitude.

— Quand même.

Elle me lança un regard curieux et je sus qu'elle avait remarqué quelque chose dans ma voix. Elle avait des yeux très sombres, de ceux qu'on dit noirs, comme dans « bohémienne aux grands yeux noirs ». Je ne savais pas pourquoi je pensais à ça.

— J'en ai pour une minute, promit-elle, comme si c'était elle qui se souciait de moi et non l'inverse.

Quand la porte de la salle de bains se referma derrière elle, je ramassai son imperméable et ses chaussures, les portai dans le bureau. Le caractère intimiste de l'éclairage, peut-être, me fit penser que je pouvais me cacher dans cette pièce pour me ressaisir. Je me sentais chancelant. Je posai les deux mains sur le bureau, de chaque côté de la photo retournée de Caitlin, et attendis que mon équilibre revienne. Je ne sais combien de temps cela prit. Cinq minutes. Peut-être dix. J'entendais la fille dans la salle de bains : l'eau qui coulait, le claquement de la porte du séchoir.

Je jetai un coup d'œil à mon fauteuil. A côté, sur la table, mon verre était encore aux trois quarts plein. Au moment où je m'approchais pour le prendre, j'entendis la chasse d'eau puis la porte de la salle de bains. Lorsque je levai les yeux, Angie Carrick était dans la pièce, derrière moi. Je vis qu'elle n'avait sur elle qu'un mince débardeur noir et une jupe à fleurs — noire, avec des hibiscus rouges tourbillonnants — et qu'elle se tenait sur le pas de la porte, tremblante, se frottant les bras pour se réchauffer. Elle avait enlevé le reste de son maquillage et ses yeux en étaient encore assombris. La seconde d'après, elle traversa la pièce et s'assit dans mon fauteuil, appuya la tête contre le cuir et ferma les yeux.

— Ouf, ça va mieux, fit-elle de sa voix grave, sérieuse. Vous savez comment c'est, quand on est si crevé qu'on a envie de vomir? Oui, vous devez le savoir, vous êtes médecin.

Elle ouvrit les yeux, secoua sa tignasse de cheveux noirs, la souleva et la laissa filer entre ses doigts, projetant des gouttelettes en direction de la lampe. Puis elle se renversa en arrière et soupira, tendit le doigt vers mon verre.

— C'est du scotch, hein? Ça me gêne de demander...

Rien dans sa voix n'indiquait que demander lui posait problème.

Je la servis.

154

Elle entoura le verre de ses deux mains et but avec reconnaissance.

— C'est bon. C'est rudement bon.

Elle reposa le verre, me regarda, et je sentis qu'elle s'était préparée pour un petit discours.

— Je tiens à vous remercier de m'avoir laissée entrer, docteur Severin, déclara-t-elle avec une certaine solennité. Je ne suis pas sûre que j'en aurais fait autant, à votre place.

— Vous ne m'avez pas vraiment laissé le choix.

— On a toujours le choix... Michael, ajouta-t-elle après une pause, comme si elle s'essayait à prononcer mon nom.

Son regard se promena sur les rayonnages de livres du bureau et, passant par la porte ouverte, sur le bois blond et les bleus égéens de la salle à manger.

— Vous avez une belle maison. Jamais je ne m'étais trouvée dans une maison aussi belle.

Quelque chose dans mon expression l'incita à demander :

— Vous croyez que je plaisante ?

— Non, je...

— Je ne plaisante pas. Et la musique est jolie.

— C'est du Mozart.

— On n'écrit plus des airs comme ça, hein ? Comment ça s'appelle ?

— C'est le concerto pour clarinette.

— Il y avait déjà des clarinettes, à l'époque ? Ou je confonds avec les saxophones ?

Je me demandai un instant si elle était sérieuse. Avant que je puisse me décider, elle se leva brusquement et alla au mur où était accrochée une série de photographies et de diplômes encadrés. Elle s'arrêta devant celle où j'étais avec une équipe de Médecins sans frontières, travaillant sous une tente de premiers secours en Sierra Leone, entouré d'une foule de réfugiés africains. J'avais toujours aimé cette photo, elle occupait une place d'honneur sur le mur. Nous avions tous l'air si déterminés. Notre tente fragile était un radeau sur une mer houleuse, et les Africains les rescapés d'un naufrage. Nous avions l'air d'être les seuls au monde à savoir ce qu'il fallait faire.

— C'est vous, là, hein? dit-elle, tapotant le verre. Ils disaient dans le journal que vous faites ce genre de truc. Je crois même que je vous ai vu une fois à la télé. C'est possible?

— Oui, peut-être.

— Ça a l'air romantique, ce boulot que vous faites.

— Romantique?

— Pouvoir aider. Au moins vous avez l'impression de pouvoir aider.

Elle me regarda droit dans les yeux et ajouta :

— Mais je ne crois pas que vous changiez grand-chose, finalement. Si?

— Non. Je suppose que non.

Elle examina de nouveau la photo.

— C'est qui, la femme? La rousse?

— Elle s'appelle Stella Cowan. Nous travaillons souvent ensemble, elle est infirmière... Pourquoi? demandai-je après une hésitation.

— Pour rien. Ça ne me regarde pas, de toute façon.

Les mains sur les hanches, elle examina de nouveau la pièce.

— Vivre dans un endroit pareil! Ça s'est vraiment passé ici?

Une question de trop.

— Comment avez-vous connu Caitlin? ripostai-je. Où avez-vous fait sa connaissance?

Elle reprit son verre, le fit rouler entre ses mains, en fixa le fond.

— Je ne la connaissais pas bien. J'ai travaillé quelquefois avec elle.

Je n'arrivais pas à imaginer dans quel contexte cette femme aurait pu travailler avec Caitlin. Elles étaient tellement différentes.

— A la Tate, peut-être? suggérai-je. Ou dans une autre galerie?

— Quoi?

— L'endroit où vous avez rencontré Caitlin.

— Oui. A la galerie. C'est ça.

— Et vous descendez souvent à Londres pour votre travail?

Sa bouche se plissa en une fine ligne.

— C'est quoi, ça? Le troisième degré?

Elle s'écarta de moi, s'approcha du bureau. Je crus qu'elle allait poser son verre ou prendre quelque chose dans son sac, mais, quand je regardai de nouveau, elle retournait le portrait de Caitlin.

— Oh, c'est elle, hein?

— Ne touchez pas à ça, s'il vous plaît.

Elle contempla le visage de Caitlin à la lumière. Je fis un pas pour lui prendre la photo des mains mais remarquai, surpris, qu'elle avait les larmes aux yeux et cela m'arrêta net.

— Oh, murmura-t-elle, comme frappée d'une soudaine douleur physique, elle était si jolie. Si jolie.

Au lieu de me donner la photo, elle la replaça soigneusement sur le bureau, mais droite, cette fois, de sorte que Caitlin nous souriait.

— Si vous me disiez pourquoi exactement vous êtes venue ici?

Elle considéra la question d'un air grave puis répondit:

— Non. C'est sans importance. Il vaut mieux que je parte. D'ailleurs, je n'aurais jamais dû venir.

Elle remit ses chaussures, prit son imperméable mouillé et le suspendit à son bras.

— Il fallait que je vous voie. Pour vous dire que je suis vraiment peinée.

— Ce n'était pas la seule raison.

— Non. Je voulais aussi me rassurer.

— A quel sujet?

— C'est personnel. Ça n'a plus d'importance, maintenant.

— Je ne crois pas du tout que vous ayez été une amie de Caitlin.

— Restons-en là, Michael. J'ai fait une erreur. Oubliez que je suis venue.

La musique se tut et l'on n'entendit plus que le sifflement du vent contre la fenêtre. Angie Carrick tendit le bras pour reposer son verre sur la table.

— Caitlin avait un amant, dis-je.

Elle se figea, les doigts touchant encore le verre. Ses cheveux étaient tombés en avant, me masquant son visage.

— Vous ne sauriez pas quelque chose là-dessus, Angie?

— Je ne sais rien. Je ne peux pas vous aider.

Elle fit mine de partir, mais je m'avançai vers elle et lui empoignai le bras, avec plus de violence que je n'en avais eu l'intention car je sentis le muscle rouler et glisser sur l'os. Elle grimaça, je la lâchai.

— Je l'aimais. Je l'aimais et elle est morte. Je veux savoir pourquoi.

Elle me fixa d'un regard mauvais en massant son bras.

— Les hommes ont toujours besoin d'inventer un

grand complot pour expliquer leurs propres fautes. C'est peut-être plus simple que vous ne pensez.

— Je ne vous comprends pas.

— Vous étiez peut-être trop occupé à poursuivre vos propres rêves. Vous n'aviez jamais de temps pour elle.

Je sentis un tic commencer à agiter mon cou.

— Qu'est-ce que vous en savez?

— Je sais seulement que vous cherchez à rejeter la responsabilité de sa mort sur quelqu'un d'autre. N'importe qui fera l'affaire.

Sa tête partit en arrière et je la vis tituber, basculer vers le bras du fauteuil et tomber lourdement assise par terre. Elle demeura un instant immobile, à me regarder fixement, et je compris alors seulement que je l'avais frappée. Elle tourna la tête sur le côté, remua les lèvres, se toucha la bouche et examina ses doigts. Puis elle se releva en vacillant et remit de l'ordre dans ses vêtements sans me quitter des yeux. Je ne pouvais pas parler. Je ne pouvais croire que j'avais fait une chose pareille. Je baissai les yeux vers la main qui l'avait frappée, comme si elle avait agi de son propre chef.

— La belle maison et la jolie musique, hein? dit-elle. Mais ça ne vous rend pas différent...

Elle passa le dos de sa main sur sa lèvre meurtrie, la laissa retomber, une tache de sang sur sa peau pâle. Je fis un pas vers elle.

— Laissez-moi vous...

Je ne vis pas venir le coup. Je n'avais été frappé que deux fois par une femme : la première par une mère affolée, aux urgences, la deuxième par une petite amie étudiante outragée. Ses jointures heurtèrent le haut de ma pommette et je sentis ma tête tressauter sous le choc. Je poussai un grognement, portai une main à ma joue, mais elle était engourdie et on eût dit la joue de quelqu'un d'autre. Angie me fixait, les yeux plissés, massant sa main droite avec la gauche, prête à recommencer. Je faisais deux fois sa taille, mais elle n'avait pas peur de moi.

— Vous n'avez jamais su qui était Caitlin, m'assena-t-elle. Vous n'avez même pas essayé de le savoir.

Elle se dirigea vers la porte et quitta la pièce sans un regard en arrière. La porte d'entrée se referma doucement derrière elle, et pendant une seconde ou deux j'entendis ses pas descendre la rue mouillée dans la nuit.

13

Pendant la nuit, le bureau était devenu froid autour de moi. Le lecteur de CD bourdonnait faiblement dans son coin ; la bouteille de whisky, pas tout à fait vide, était restée sur la table d'angle. J'avais la bouche poisseuse et mon pouls battait à mes tempes comme un marteau à bascule. Le ciel était pâle par-dessus les toits et j'entendais gronder dans la rue la circulation du petit matin.

Le souvenir de la soirée me revint, avec l'image d'Angie Carrick assise sur le plancher dans sa jupe à hibiscus, les cheveux en désordre, pressant une main sur ses lèvres. Je tâtai ma pommette, la sentis endolorie le long de l'os. Autour de mon œil, la chair était boursouflée et faisait une tache noire à la lisière de mon champ de vision.

Je me demandai où elle pouvait être en cet instant. Je l'imaginai passant régulièrement la langue sur sa lèvre fendue en me maudissant. Je n'aurais pu le lui reprocher. Je me levai, allai prendre le carnet d'adresses sur le guéridon du téléphone dans la salle à manger, le feuilletai. Presque tous les noms étaient de la main de Caitlin. Pas d'Angie Carrick, mais ça ne m'étonnait pas plus que ça. Je réfléchis un moment en me tapotant le dos de la main avec le petit carnet.

Je pris un Opinel dans un tiroir de la cuisine et montai au premier étage, traversai le palier, gravis rapidement l'escalier en spirale, poussai la porte et me retrouvai, tout essoufflé, dans la lueur de l'aube. Je me laissai tomber dans le fauteuil de Caitlin, devant la petite table, et allumai la lampe de bureau. Un carreau cassé de la fenêtre avait été remplacé par du carton. Des caisses de livres, de dossiers et de papiers étaient empilées par terre. L'ordinateur et la chaîne stéréo étaient soigneusement emballés dans du plastique à bulles. La valise qu'elle avait eu l'intention d'emporter avait été rangée avec le reste. Toutes ces choses et les caisses en carton qui contenaient ses autres affaires donnaient à la pièce un aspect d'abandon, comme si Caitlin avait simplement déménagé, laissant les caisses attendre l'arrivée du camion. J'avais redouté de la retrouver dans la disposition même des bibelots sur les étagères, dans les photos sur les murs, mais je ne découvrais qu'un espace presque vide, des caisses empilées, un sol nu. J'ouvris le couteau, fendis le ruban adhésif du premier carton.

Vers midi, j'avais fouillé toutes les caisses, branché l'ordinateur de Caitlin, inspecté ses disquettes et ses dossiers, feuilleté ses livres et ses papiers. Je redescendis dans la salle à manger, soulevai tous les ouvrages et CD des étagères. Je sortis les albums de photos du tiroir de la banquette de la fenêtre et passai plusieurs heures à les examiner. J'ouvris nos coffrets personnels : relevés de banque, assurances, lettres... Je regardai tout avec une concentration opiniâtre, tel un soldat qui part en campagne après une longue attente incertaine, sans penser beaucoup à la victoire, mais avec un certain soulagement : de l'action, enfin. Je me perdis corps et âme dans cette tâche.

A cinq heures du soir, je sus qu'il n'y avait rien à trouver. Pas de mots griffonnés laissés imprudemment au fond d'un tiroir, pas de références mystérieuses sur les agendas de bureau, pas de photos d'hommes que je ne connaissais pas. Je repoussai la pile de dossiers que j'avais ouverts sur la table de la salle à manger, me laissai aller en arrière dans mon siège et m'étirai. Je regardai autour de moi. Dans la lumière de l'après-midi, la pagaille que j'avais semée dans la pièce faisait songer à une mise à sac. J'en étais désolé. Je n'avais rien voulu saccager, je n'avais été poussé que par le besoin de savoir, de comprendre. Pour le moment, je ne voyais plus aucun autre endroit où chercher, je ne savais plus trop ce que je cherchais.

Je me levai, le dos raide, et m'appuyai un instant à la fenêtre de derrière, les mains écartées. J'étais épuisé, affamé, pas rasé, mais je n'arrivais pas à réagir. Quand la porte grinça derrière moi, je me retournai si brusquement que je heurtai du bras le téléphone mural, qui tomba bruyamment par terre.

— Au moins, tes réflexes sont bons, commenta Stella.

Je restai immobile, le cœur battant.

— Comment es-tu entrée?

— La clé, tu connais? Comment j'entre, d'habitude? J'aurais bien frappé, mais j'avais peur que tu sois en train de dormir. Je t'avais dit que je passerais.

— Exact.

Mon pouls commençait à ralentir. Je ramassai le téléphone, le remis sur son crochet.

— Exact, répétai-je.

Stella désigna de la tête la pièce en désordre.

— Tu faisais du rangement? Bonne idée. Tu as besoin de t'occuper, comme tu dis, et il faudra s'y mettre un jour ou l'autre, de toute façon.

Je sentis qu'elle retenait une remarque, qui finit par sortir :

— Tu as une tête épouvantable, Michael.

— Je m'en doute.

— Tu sens le scotch d'ici.

Je ne pris pas la peine de répondre et désignai les trois sacs de supermarché en plastique blanc posés contre le mur.

— C'est quoi?

— On appelle ça de la nourriture, tu en as peut-être entendu parler. C'est le truc qui sert à maintenir le corps attaché à l'âme.

Elle souleva les sacs, les porta à la cuisine.

— Je suppose que tu as jeté le dîner d'hier soir? me lança-t-elle par-dessus son épaule.

Au ton de sa voix, je devinai qu'elle connaissait déjà la réponse.

— Oui, répondis-je. Désolé. Incapable d'avaler quoi que ce soit.

— Mmm.

Je la rejoignis dans la cuisine. Elle se débarrassa de ses sacs sur le plan de travail, commença à déballer les courses et ouvrit le réfrigérateur, dont l'odeur la fit grimacer. Elle entreprit d'en vider le contenu dans la poubelle, plissa le front, récupéra la plaquette de Valium, la tint devant moi d'un geste accusateur.

— Michael, si tu tiens vraiment à reprendre le travail, commence par faire ce que te dit le Monarque argenté.

— Oui, bien sûr.

— Il m'a demandé de m'occuper de toi, comme si je ne l'aurais pas fait de toute façon. Il veut te donner une chance, tu le sais, ça? Mais il ne le fera pas si je lui apprends que tu passes ton temps à t'imbiber de whisky. Et je lui dirai, tu as compris? J'avais l'intention de te ménager, aujourd'hui, je me l'étais promis mais...

Elle s'interrompit, fit un pas vers moi, m'examina à la lumière plus forte de la cuisine.

— C'est un coquard?

— Un bleu, tout au plus.

— Je sais ce qu'est un coquard, merci, docteur.

Elle me tâta la pommette du bout du doigt, déclenchant une douleur qui descendit jusqu'à ma mâchoire.

— Comment c'est arrivé?

J'hésitai, songeai à mentir, décidai de dire la vérité :

— Une nommée Angie Carrick m'a flanqué son poing dans la figure. Tu la connais? Elle prétend être une amie de Caitlin.

— Je ne connais pas les amies de Caitlin. Elle t'a tapé dessus? Quand?

— Hier soir.

— Michael, Michael. Pourquoi elle t'a tapé dessus, bon Dieu?

— Parce que je l'avais cherché.

— Comment?

Elle appuya de nouveau sur ma pommette, plus fort, cette fois.

— Arrête! protestai-je en m'écartant. Si tu veux savoir, j'ai frappé le premier.

J'éprouvai un immense soulagement à avouer.

Stella écarquilla les yeux.

— Toi? Tu as frappé cette femme? Pourquoi?

— Parce qu'elle tenait des propos stupides sur moi et Caitlin.

Je réfléchis, rectifiai :

— Enfin, peut-être pas stupides. Inconsidérés.

Stella ne réagit pas comme je m'y attendais par une tirade indignée ou compatissante mais énonça :

— Les gens disent ce genre de chose tout le temps.

Elle recula, croisa les bras.

— Tu l'as trouvée où, ta Brunehilde?

— Elle est venue ici hier soir.

— Tu l'avais invitée?

— Bien sûr que non. Je n'avais même jamais entendu parler d'elle.

— Elle a débarqué comme ça? fit Stella, s'offusquant en mon nom de l'intrusion. Je parie que tu l'as bien accueillie. Ça saute aux yeux.

— Je me sens vraiment con, tu sais.

Elle écarta ma remarque d'un grognement.

— Elle t'a frappé avec quoi? Une barre de fer?

Je ne répondis pas.

— J'ai acheté du vin à la supérette, je crois qu'un verre nous fera du bien à tous les deux.

Stella trouva la bouteille de vin bon marché dans l'un des sacs en plastique, la déboucha, remplit deux verres que nous emportâmes dans la salle à manger. Elle s'assit sur la banquette de la fenêtre, défit ses chaussures et sortit ses cigarettes.

— Tu n'es pas là depuis cinq minutes et tu veux déjà m'enfumer?

— Oh, lâche-moi, tu veux.

Elle alluma une cigarette, se retourna pour entrouvrir la fenêtre à guillotine, fit tomber de la cendre dans la rue et referma. Elle tint son verre devant elle, cligna des yeux dans la lumière. Je me rendis compte qu'elle examinait la pièce, le foutoir que j'avais laissé. Stella tira une autre bouffée, me regarda à travers la fumée.

— Il t'a donné combien de temps, le Monarque argenté?

— Je dois le voir dans une semaine, répondis-je.

Elle haussa les sourcils.

— Une semaine?

— Si seulement je pouvais recommencer à travailler!

Ce n'est pas ce qu'on conseille aux autres? Retrouver les habitudes?

— Si. Quand les habitudes ne consistent pas à ouvrir les gens avec un scalpel...

— Je vais bien. Je sais que ce n'est pas l'impression que ça donne, mais je vais bien. C'est me sentir inutile qui me rend dingue.

— Qu'est-ce qui se passe, Michael? me demanda-t-elle d'un ton abrupt. Tu veux sauver quelqu'un parce que tu n'as pas réussi à sauver la pauvre Catey? Personne n'aurait pu la sauver. Elle était morte.

— Je croyais que tu devais me ménager, aujourd'hui.

— Oh, je te ménage. Tu veux que je te secoue, pour que tu puisses voir la différence?

— Non.

Il faisait étouffant dans la pièce, ou peut-être était-ce le ton de notre conversation qui rendait l'atmosphère oppressante. J'allai à la fenêtre, l'ouvris complètement. Le bruit de la circulation entra, avec une bouffée d'air frais. Aspirée dehors, la fumée de la cigarette de Stella passa devant moi.

— Je ne comprends pas pourquoi je ne savais rien, dis-je.

— Au sujet de l'enfant?

— De l'enfant. Du père... Comment une chose pareille a pu arriver?

Stella étudia le bout de sa cigarette et, de nouveau, ne réagit pas comme je m'y attendais:

— Allons, Michael, ce genre de chose a déjà dû t'arriver...

— Ce genre de chose?

— Caitlin était époustouflante. Tu crois que les autres hommes ne le voyaient pas? Tu croyais être le seul à l'avoir repérée?

Pour masquer ma surprise, je me levai et nous resservis du vin. Comme j'approchais la bouteille de son verre, elle me saisit le poignet de sa main libre.

— Michael, tu sais que je ne dirais rien qui pourrait te blesser. Mais les gens envoient des signaux quand ils se sentent seuls. Ils ne peuvent pas s'en empêcher. Même Catey ne pouvait pas s'en empêcher. Pour une raison ou une autre, le signal a été capté par la mauvaise personne. Et pendant un moment, peut-être, Catey a fait semblant. Cela arrive.

— Tu crois qu'elle se sentait seule à ce point?

— Elle ne se transformait pas en glaçon, la ravissante et pure Caitlin, quand tu étais en voyage, en voyage avec moi, la plupart du temps, parcourant le tiers-monde à fond de train. C'était un être humain, de chair et de sang, comme nous tous.

Stella prit une autre cigarette, fit cliqueter son briquet énergiquement puis s'aperçut qu'elle essayait d'allumer le filtre et lança la cigarette dans la cheminée avec humeur.

— On se dispute, là? m'enquis-je.

— Je pense simplement que tu ferais mieux de passer un peu plus de temps sur cette planète que sur celle que tu t'es inventée.

Elle se leva, vint se placer devant moi et poursuivit :

— Aucun de nous ne connaît vraiment qui que ce soit. Pas *vraiment*. Tu comprends?

Sa sincérité me toucha et, l'instant d'après, je me levai moi aussi, l'enlaçai et la serrai contre moi.

— Tu es une amie formidable, Stella. La meilleure.

— Je sais. Un peu trop formidable, bon Dieu.

Nous restâmes un moment accrochés l'un à l'autre.

— Il vaut peut-être mieux que tu partes, maintenant, murmurai-je.

— Peut-être, oui.

Elle s'écarta de moi si brusquement qu'elle marcha sur son verre, que j'entendis craquer sous son talon. Sans même y jeter un coup d'œil, elle récupéra son sac d'un grand geste, alla à la porte d'entrée et l'ouvrit. Je la suivis. Elle demeura un moment dans l'encadrement et dit sans se retourner :

— Tu sais, nous sommes pareils, tous les deux.

— Oui ?

— Très . forts pour affronter les problèmes... du moment qu'ils se posent loin de la maison.

— Je me sens déjà loin de la maison, dit Caitlin.

— J'espère que c'est agréable.

Elle se pressa contre moi.

— A ton avis ?

Nous nous tenions devant les fenêtres du jardin d'hiver d'Anthony et nous regardions au-dehors. Le soleil de fin d'après-midi passant à travers les peupliers projetait des ombres sur les petits groupes rieurs rassemblés sur la pelouse. Pour une fois, la première de mémoire d'homme, on pouvait parler de pelouse : Anthony avait fait tondre le jardin en notre honneur. Le soir de mai retenait encore l'odeur de la mauve et des orties écrasées par les lames quelques heures plus tôt. Il restait des touffes d'herbe haute et de mauvaises herbes autour des arbustes non taillés, ainsi qu'une jungle impénétrable de ronces tout au fond, mais dans l'ensemble le jardin était plus vaste et plus ouvert que jamais.

Il y avait aussi plus de monde que jamais, trente ou quarante personnes, mes amis et ceux de Caitlin, des gens jeunes et élégants, allant et venant devant les tables à tréteaux, un verre à la main. C'était une belle soirée de printemps, le vin coulait depuis un moment, les invités commençaient à flirter, à dire des plaisanteries et à parler fort. Des moucherons voletaient en dômes ondulants sous les arbres. Sur la terrasse, un quatuor à cordes faisait une pause après avoir joué du Haydn, et Bruno s'adressait déjà au premier violon, sans doute pour tenter de le convaincre d'interpréter quelque chose qu'il pourrait chanter.

C'était étrange de voir la maison d'Anthony envahie par ces fêtards, les établis débarrassés des montres, des boîtes de rouages et de ressorts qu'Anthony avait mises en sûreté dans son bureau soigneusement fermé à clé. Le ménage avait même été fait, plus ou moins.

Caitlin et moi nous étions mariés quatre heures plus tôt à la mairie de West London. L'événement n'avait pas été sans tension — les parents de Cate l'avaient boycotté — et nous nous étions efforcés de le célébrer dans la plus grande simplicité. Mais, pour Anthony, il avait l'importance, les dimensions d'un mariage royal.

— Il t'aime tellement, tu sais, dit Caitlin. Tu es manifestement le fils qu'il n'a jamais eu. Et peut-être plus encore.

Je décelai une trace de mélancolie dans sa voix. Nous regardions Anthony évoluer sur le gazon, passant lentement d'un groupe à l'autre, une bouteille à la main. Il rayonnait, resplendissant dans un costume à fines rayures acheté pour l'occasion, une rose rouge à la boutonnière, une pochette en soie rouge fleurissant sur sa poitrine. C'était de loin le personnage le plus cérémonieux de la fête, probablement le plus âgé, mais aussi le plus heureux, pensai-je. Il avait l'air d'un aimable fantôme d'un autre âge déambulant avec bienveillance parmi des jeunes gens séparés de lui par plusieurs générations.

— Pourquoi ne s'est-il pas marié? me demanda Caitlin.

— Je n'y ai jamais vraiment songé.

— Il est tellement adorable. Et il devait être bel homme, dans sa jeunesse.

— Anthony ?

Il fallait un peu d'imagination.

— Pas exactement bel homme. Tu vois ce que je veux dire : le genre Oxford-Cambridge des années trente. Elégance chiffonnée. Terriblement cultivé mais mourant d'envie qu'on s'occupe de lui.

— Pour moi, il a toujours été simplement Anthony... Je ne l'ai jamais imaginé menant une autre vie.

— Il doit se sentir si seul dans cette grande maison...

— Il a ses horloges, ses antiquités et sa musique. Le monde passe à côté de lui. Il sait qu'il est là, mais il préfère continuer à vivre dans celui qu'il a créé autour de lui.

— Il n'est pas comme nous, alors, fit Caitlin avec un petit rire triste.

Notre échange avait éveillé en moi une sorte de malaise. Je regardai Anthony faire le tour de la pelouse en contrebas, rougeaud, avunculaire, débordant de plaisir et de fierté, et pendant une seconde je le vis avec les yeux de Caitlin. C'était le jour de mon mariage, mais c'était aussi le plus beau jour de la vie d'Anthony, et tout ce bonheur qu'il éprouvait, c'était exclusivement en mon nom. Je me demandai si je l'avais bien regardé jusqu'ici.

— Il t'aime aussi, dis-je.

— Sûrement, répondit-elle. Sûrement.

Une de ses amies arriva à ce moment-là. Il y eut des salutations excitées, des embrassades, et Cate fut entraînée dehors. Je demeurai à la fenêtre, content de ces quelques moments de paix, retournant dans mon esprit ce qu'elle venait de dire. Je pensais très rarement à tout ce que je devais à Anthony. Il n'était pas mon père, pas même de nom — je ne songeais jamais à lui en ces termes —, et cependant, autant qu'il l'avait pu, il avait comblé le trou. Ce n'était pas un rôle naturel pour lui, et je savais que ses insuffisances l'effrayaient. Mais, jusqu'à ce jour, je n'avais pas considéré que son sacrifice était peut-être allé au-delà de la simple générosité. Qu'il avait peut-être renoncé à des choix personnels pour honorer son engagement envers moi.

— Salut, champion.

Stella s'approcha de moi par-derrière, me passa un bras autour de la taille.

— J'espère que tu es content de toi.

— Je le suis, répondis-je. Je le suis vraiment.

— Tu peux. Elle est adorable.

Caitlin était dans le jardin, maintenant, riant avec ses amis, radieuse, lumineuse dans le crépuscule.

— Non, « adorable » n'est pas le mot, rectifia Stella. Je crois que ta Caitlin est la plus belle créature sur qui j'aie jamais posé les yeux. La garce.

— Ne tourne pas autour du pot. Vas-y, dis-le.

Elle passa sous mon bras, déposa un chaste baiser sur ma joue.

— Tu le sais, que je vous souhaite beaucoup de bonheur. A tous les deux.

— Merci, Stella.

Nous restâmes un moment sans parler et je savais à quoi elle pensait : que tout arrive par hasard, que ça avait bien failli marcher, elle et moi. Elle se demandait ce qui serait arrivé si je n'avais pas quitté la Turquie ce jour-là, ou si elle était rentrée avec moi au lieu de rester vingt-quatre heures de plus dans le camp. Ou si — dans cette minuscule fenêtre temporelle — Bruno ne m'avait pas entraîné à jouer au pique-assiette à l'anniversaire d'une fille riche inconnue au fin fond du Gloucestershire.

— Allons dehors, suggéra-t-elle soudain en s'écartant de moi.

Il commençait à faire noir dans le jardin, mais Caitlin me repéra aussitôt, traversa la pelouse et glissa son bras sous le mien. Quelqu'un allumait les torches entre les arbres, et quand les flammes jaillirent, ce fut la nuit. Des nuages bleus formaient des remparts dans le ciel sur lequel les arbres se détachaient en noir. Le quatuor s'était remis à jouer du Haydn, mais j'avais l'impression de l'entendre de très loin. Je pris Caitlin dans mes bras et l'embrassai.

La musique mourut et quand je relevai la tête, je vis qu'Anthony occupait le centre de la scène, sur la terrasse. Les musiciens se tenaient derrière lui, souriant avec indulgence de cette interruption. Les flammes des torches lui donnaient l'air d'un sénateur romain lors d'un triomphe, faisaient étinceler ses lunettes, luire son front, briller la rose de sa boutonnière et sa pochette écarlate. Il était légèrement éméché, peut-être un peu ridicule, mais il y avait autour de lui une telle aura de joie innocente que personne ne rit ni ne poussa de « hou! » bon enfant. Un espace de silence s'étendit autour de lui et bientôt même les plus petits bruits cessèrent : murmure d'une robe, raclement de gorge, tintement de pièces dans une poche masculine.

— Tout homme a un devoir en ce bas monde, entama-t-il d'une voix étrangement lointaine, comme s'il se parlait à lui-même. J'ai bien connu son père, vous savez. Le père de Michael. Duncan Severin : voilà un homme de devoir. Mais il ne vécut pas assez longtemps pour le remplir. Et quand un homme du premier rang est frappé, un homme du deuxième rang doit s'avancer et faire de son pauvre mieux pour boucher le trou. C'est ce que j'ai essayé de faire.

Personne ne bougeait, personne ne respirait. Une chauve-souris voleta dans la lumière et le silence était tel que je l'entendis battre des ailes. Les yeux de limier d'Anthony parcoururent la foule et me trouvèrent.

— Si j'ai réussi, vous pouvez le constater par vous-mêmes, braves gens. Un magnifique jeune homme. L'image même de son père. S'avançant dans le monde pour prendre la place de son père...

Son regard passa de moi à Caitlin et je la sentis se raidir sous mon bras.

— Mais un homme ne peut traverser la vie seul. Pas même un homme fort, nanti d'une mission. La solitude vous ronge, je ne le sais que trop, et cependant je pensais que je ne rencontrerais jamais — pardonnez à un vieux tuteur sentimental — une personne digne du fils de Duncan. Cette personne nous est venue. Cela semble être un miracle, mais c'est ainsi.

Il se redressa, leva son verre dans la lumière des torches.

— Mes amis, je ne porterai donc pas un toast à Michael, qui glanera assez d'applaudissements dans sa vie, mais à Caitlin, à qui je confie mon protégé. Et mes espoirs. Et mon amour.

14

— Vous avez l'air un peu mieux que la semaine dernière, je dois dire.

Le professeur Curtiz se leva de son bureau tandis que je refermais la porte, traversa la pièce et me serra la main.

— Comment allez-vous, Michael?

— Très bien. Vraiment. Ça va mieux.

Il m'examina en penchant sur le côté sa tête argentée et ne relâcha pas immédiatement ma main.

— D'accord, j'ai répété mon texte, avouai-je. Mais c'est la vérité quand même.

Il sourit en me libérant enfin, mais je perçus un léger doute dans son expression.

— Vous ne vous attendiez pas à mon retour, n'est-ce pas?

— Non, reconnut-il. Pas si tôt.

— Vous pensiez que je prendrais ma semaine, que je réfléchirais et changerais d'avis. J'ai réfléchi et me voilà.

— Un peu trop tôt, soupira-t-il. En tout cas, je ne pouvais pas vous remettre au travail alors que vous veniez juste de...

— J'aurais préféré.

— Vous êtes convaincu que le travail chassera votre souffrance, mais avançons un pas à la fois, voulez-vous?

— J'ai appris que John Donohue est malade. Un truc qu'il a attrapé au Népal. Genre hépatite. Il risque d'en avoir pour un moment, non?

Curtiz se redressa, à la fois agacé et impressionné par mon insistance.

— Vous vous êtes renseigné, à ce que je vois.

— Et Bernie Driscoll repart à Dublin à la fin du mois. Vous allez manquer de bras, non?

Il plissa les lèvres avec irritation. Je savais qu'il n'aimait pas être bousculé ainsi et je me dis que j'étais peut-être allé trop loin. Mais à cet instant un rayon du soleil d'hiver passa par la haute fenêtre et illumina brièvement son visage. Dans cette lumière cruelle, presque aussitôt disparue, je me rendis compte pour la première fois que le professeur Curtiz n'était finalement pas un demi-dieu, qu'il n'était plus le Monarque argenté immaculé de la mythologie hospitalière, mais un homme las et harassé s'acheminant vers la vieillesse. Je le sentis vaciller sous mon assaut.

— Je suis résolu à reprendre le travail, déclarai-je.

— Je le sais, Michael, soupira-t-il, mais je sais aussi qu'il y a une différence entre résolution et désespoir.

Il s'écarta de moi, s'adossa à son bureau et me considéra, toujours dubitatif.

— Bon, lâcha-t-il enfin, voici ce que je vous propose...

Curtiz et moi aurions dû être habitués à la sonnerie stridente des urgences, mais elle nous prit tous deux par surprise. Il se ressaisit aussitôt, appuya sur le bipeur accroché à sa ceinture.

J'entendis clairement la voix du standard :

— Une équipe de traumato en Réa 1 et 2, immédiatement!

— Formidable, marmonna Curtiz. Vous savez,

Michael, je commence à me faire trop vieux pour ce genre de conneries...

Il était déjà en mouvement. Je le suivis dans l'antichambre où se trouvait sa secrétaire, l'entendis lui donner rapidement au passage une série d'instructions : appeler untel, annuler ce rendez-vous, reporter cet autre. Il s'immobilisa pour retirer sa veste, me vit planté derrière lui.

— Michael, on dirait bien que tout va dans votre sens...

Il défit ses boutons de manchette en platine, les lança à la secrétaire qui les attrapa avec l'adresse que confère une vieille habitude.

— Eh bien, allons-y, me dit-il.

Nous descendîmes rapidement le couloir encaustiqué et je sentais mon moral grimper à chaque pas. En passant devant mon bureau, je vis Meredith occupée à une tâche quelconque et, triomphant, lui fis signe de mon pouce dressé. A mon étonnement, elle ne répondit pas et nous regarda d'un air sombre.

Les premiers blessés arrivaient déjà quand nous parvînmes aux urgences. Une ambulance s'était garée, l'arrière contre les portes, une autre montait la rampe en mugissant. Par-dessus sa sirène, j'en entendis d'autres, plus faibles, plus lointaines, mais se rapprochant et convergeant vers nous.

Curtiz écarta le rideau, entra dans la salle de réanimation dite « Réa 2 ». Je suivais de près. L'endroit était déjà en pleine activité : un médecin des urgences que je reconnus, deux infirmières que je ne connaissais pas, Sam Okigbo le marchand de sable, Vernon Choudhury le chef de clinique, Carrie Iverson la sœur Récureuse. Des auxiliaires apportaient du matériel, branchaient des fils, abaissaient des interrupteurs. Je sentis l'adrénaline gicler dans mon sang, ma vision s'aiguisa, les couleurs devinrent plus vives sous la lumière dure. Les voix étouffées, les gestes pleins d'expérience. Tout était bien. Même l'odeur : froide, entêtante.

Curtiz tira des gants du distributeur mural, m'en lança une paire. J'avais déjà détaché un tablier du rouleau et me l'étais noué autour de la taille. J'enfilai les gants, fis glisser mes doigts dans le caoutchouc collant comme une peau. Ça aussi, c'était bien. Dans mon armure de chirurgien, je me sentais en sécurité, prêt pour n'importe quelle tâche.

— Ils pensent qu'on peut en prendre combien? demanda Curtiz à l'un des médecins. Une dizaine de cas graves? Ils ne sont pas exigeants, hein?

Il fit claquer le caoutchouc de ses gants pour appuyer ses propos.

Quelqu'un écarta le rideau et un chariot roula lentement entre nous, poussé par un groupe d'infirmières et d'ambulanciers en blouse verte. Je vis la forme d'un corps de femme, les vêtements retroussés par les lanières, j'entrevis un visage couleur mastic maculé de poussière et de boue. Il y avait du sang sur l'une des épaules et des taches sombres apparaissaient comme par magie sur le sol, en dessous. Curtiz et moi reculâmes tandis que l'équipe comptait jusqu'à trois, soulevait doucement la femme et la reposait sur la table, toujours attachée à la planche de civière. Les ambulanciers entreprirent de défaire les lanières. Sam Okigbo prit le stéthoscope accroché à son cou.

— Qu'est-ce qu'on a? demanda Curtiz.

L'un des ambulanciers releva la tête.

— Blessures au crâne et à la poitrine. Inconsciente. Intubée et ventilée sur le lieu de l'accident. Pouls à 120. Pression artérielle 80.

178

— Normal, estima Curtiz.

Il fit un pas en avant, hésita puis me lança, d'un ton un peu trop détaché :

— Vous voulez vous en occuper, Michael?

Je le regardai. Je ne m'attendais pas à ça. Je sentis mon pouls s'accélérer.

— Seulement si vous vous en sentez capable, bien sûr, ajouta-t-il.

— Oui, répondis-je précipitamment. Oui, je vais m'en occuper.

— Parfait.

Il passa devant moi avec une nonchalance affectée.

— Je serai dans le coin. Au cas où vous auriez besoin d'un coup de main.

— Merci, dis-je à son dos qui s'éloignait. Merci.

Je me dirigeai vers la table et l'équipe s'écarta pour me faire place. On avait déjà branché une perfusion sur le bras droit de la blessée et tandis que j'approchais, une infirmière en fixa une deuxième au bras gauche. Sam Okigbo se redressa pour m'annoncer :

— Pas d'arrivée d'air côté droit de la poitrine.

Il se recula, attendit mes instructions et, pour la première fois, je vis clairement le visage de la femme. Elle était jeune, à peine trente ans. Ses traits — ce que j'en voyais — étaient fins et réguliers. Elle devait être jolie, belle même, peut-être. Sa chevelure apparaissait entre les lanières et les bandes, blonde, blond cendré. Je l'imaginai la rejetant en arrière en riant.

— Michael? fit Sam.

Je me penchai davantage. Il me semblait important de mieux la voir. A cet instant, rien ne me semblait plus important au monde.

— Tu veux un drain pour la poitrine? suggéra-t-il.

Je ne répondis pas et pris conscience d'un léger frémissement de malaise dans la salle devant mon silence. Je ne pouvais pas laisser cela me distraire. Je tendis la main, touchai les cheveux de la femme, collés par le sang et la boue.

Autour de moi le silence se fit. Cela ne dura probablement qu'une seconde ou deux, assez cependant pour me faire comprendre ce qui m'arrivait. Je laissai ma main retomber le long de mon corps, m'écartai de la table.

— Je ne peux pas.

L'animation reprit autour de moi, comme le courant d'une rivière autour d'un rocher. Voix basses, pas pressés. Quelqu'un, une des infirmières, me murmura quelque chose en m'éloignant et m'aida à défaire mes gants. Quand je fus de l'autre côté du rideau, le professeur Curtiz réapparut près de moi comme par magie.

— Tout va bien, Michael, dit-il avec infiniment de douceur. Nous nous en occupons. Il n'y a pas de bobo.

Il me tapota le bras et partit. L'infirmière s'escrima sur les attaches de mon tablier. Quelqu'un décrocha ma veste, me la tendit, m'aida à la passer. Je me retrouvai seul. De l'autre côté du rideau, Curtiz donnait ses instructions de sa voix calme. Je sortis d'un pas incertain, me faufilai entre les infirmières débordées, les supports à perfusion et les civières. Les chariots tintaient et claquaient. Une sirène ululait. Un ambulancier énonçait les fonctions vitales d'un blessé d'une voix monotone, comme s'il récitait un rosaire. Quelqu'un criait. Une voix de femme lança un ordre sec et les cris cessèrent. Je passai parmi ces gens affairés comme un spectre, sans qu'on me prête la moindre attention.

J'émergeai à la lumière du jour, entre deux ambulances étincelantes. Leur peinture éclatait et s'estompait dans la lumière rose, s'estompait et éclatait. Je traversai la misérable bande de gazon boueux et m'assis sur un banc dont le bois mouillé trempa mon pantalon. Je regardai les véhicules aller et venir.

Un moment plus tard, un Klaxon retentit, double coup de clairon impatient. Je levai les yeux, remarquai que les ambulances avaient cessé leur navette frénétique et que le calme était revenu. Nouveau coup de Klaxon, provenant de ma droite. Stella avait deux roues de sa Golf sur l'herbe. Elle se pencha vers la fenêtre côté passager, l'ouvrit et me cria :

— Monte !

— Pas maintenant.

— Fais ce qu'on te dit, bon Dieu !

Elle se gara sur le trottoir non loin de Gordon Square et laissa sa fausse carte « Médecin en visite » derrière le pare-brise.

Le bar du pub était une vaste salle étalant généreusement bois et cuivre. Sur les murs étaient accrochées ce genre de gravures de chasse et de pêche que les brasseries fournissent à la pelle. Il était trop tôt pour la clientèle du déjeuner, mais des haricots verts, des saucisses luisantes et autres étaient tenus au chaud dans un bain-marie en inoxydable au bout du comptoir. L'odeur d'oignon couvrait presque les relents de bière éventée du tapis. Le barman, un type au crâne dégarni en veste blanche qui astiquait ses verres, parut surpris de nous voir.

Stella se dirigea droit vers lui, commanda deux doubles scotches sans me consulter, tira deux tabourets vers nous et s'assit. Je remarquai sans raison précise qu'elle portait une robe à rayures bleues et blanches qui lui donnait un air tranchant et plein de bon sens, apparemment assorti à son humeur. Elle fit glisser le whisky dans ma direction, me lança un regard interrogateur.

— D'accord, j'ai été stupide, reconnus-je.

— Absolument. Mais on dit adieu à tout ça pour le moment, poursuivit-elle en levant son verre et en faisant un mouvement du menton pour désigner l'hôpital. Jusqu'à ce que tu te sois accordé le temps nécessaire pour te remettre.

— Il fallait que j'essaie, grommelai-je, les yeux dans mon scotch.

— Je sais, mais c'était une mauvaise idée. Et c'est terminé.

Elle redressa le dos comme si elle venait de desserrer un cric, poursuivit :

— Si ça peut te rassurer, je me suis renseignée, pour la blessée.

Mon cœur sauta un battement.

— Vraiment?

— Oui. Elle est en soins intensifs, mais elle s'en tirera. Rien de ce que tu as fait ou pas fait n'a changé quoi que ce soit à son état. Curtiz le sait, tout le monde le sait.

— Si seulement... commençai-je en fixant mes mains. Si seulement elle n'avait pas été blonde, j'aurais pu...

Stella reposa son verre, me saisit les poignets et me contraignit à la regarder.

— Mon petit Michael, elle n'était pas blonde.

Ma bouche devint sèche, je déglutis péniblement.

— Tu comprends, maintenant? insista-t-elle en me secouant les bras.

Au bout d'un moment, elle me lâcha, se laissa glisser du tabouret, tira une carte de crédit de son sac et la tendit au barman. Je l'entendis lui dire de nous ouvrir une ardoise. Elle prit ensuite nos verres et les porta à une table près de la fenêtre. Je la suivis, m'assis docilement sur la chaise qu'elle m'indiquait. Puis elle retourna au bar, revint avec deux assiettes de nourriture fumante, une bouteille de rouge chilien et deux verres.

— Je ne veux pas manger, déclarai-je.

— Tu vas manger, Michael. Je te le garantis.

Elle se rassit, vida son whisky et servit le vin.

— Après, on se soûlera un peu. J'ai l'après-midi de libre.

Elle déballa ses couverts, s'attaqua aussitôt à son plat. Je poussai un soupir, bus une gorgée.

— Quoi encore? fit-elle en mastiquant.

— J'aurais dû t'écouter. J'aurais dû écouter Curtiz. Vous aviez raison, tous les deux.

— D'accord. Et alors?

— Tu n'es pas obligée de faire ça. Veiller sur moi. Je ne me suis pas conduit très intelligemment et je sais que tu ne veux que mon bien, mais je ne suis pas invalide...

Elle se pencha par-dessus la table, remplit de nouveau mon verre.

— Ne te fais pas d'illusions, trésor. Ce n'est pas uniquement en ton honneur.

— Qu'est-ce que tu veux dire?

— Je quitte l'hôpital.

— Quoi?

— J'envisage de partir. On m'a proposé un autre boulot.

— Mais tu es la meilleure infirmière de chirurgie de cette foutue boîte!

— Oui, et appelez-moi infirmière en chef, s'il vous plaît, docteur. Chose étonnante, j'ai découvert que je n'appartiens pas légalement à St. Ruth. Même si j'en ai parfois l'impression, je ne fais pas partie du matériel.

— Quel genre de boulot?

— Directrice des programmes de soins.

Stella coupa un morceau de saucisse, le mit dans sa

bouche, le mâcha et l'avala, ménageant ses effets avant d'ajouter :

— Au Mater Misericordia. A Caracas. C'est au Venezuela, tu te rappelles ?

— Oh, fis-je.

Cela semblait plausible, réel, même. Aussi réel que pouvait l'être St Ruth sans Stella, Londres sans Stella, la vie sans Stella. Je dus faire un effort pour intégrer tout ça.

— Ils ont aimé ce que j'ai fait pendant la mission MSF, disait-elle. Le programme clinique.

— Oui, je sais.

— Maintenant, ils veulent que je le dirige en permanence. Un contrat d'un an pour commencer. C'est une chance extraordinaire pour moi, Michael. L'accès à un poste de direction. Avec un salaire beaucoup plus élevé, bien sûr.

— Tu as accepté ?

— Pas encore, répondit-elle avec un accent sur l'adverbe que je ne remarquai pas immédiatement.

— Gordon prend ça comment ?

Je me rappelai soudain la conversation que nous avions eue à la sortie de Caracas, un siècle plus tôt.

— Et les projets que tu faisais ? Les quinze mioches, la perruche, le poisson rouge ?

— Cet enfoiré de Gordon ! s'exclama-t-elle en laissant tomber ses couverts sur la table. Ce ringard, ce grattepapier, il a trouvé quelqu'un ! Tu peux le croire, ça ?

— Non.

— Ça ne me dérangerait pas trop si c'était une petite comptable du bureau. Mais elle est *danseuse*, nom de Dieu ! Elle danse dans une boîte de nuit. Vingt-trois ans, hyper canon, apparemment.

— Une danseuse... Gordon...

— Quand est-ce qu'il s'est mis à fréquenter les boîtes ?

Il ne m'emmenait jamais en boîte. Il ne m'emmenait jamais danser.

Je secouai la tête pour m'éclaircir les idées.

— Stella, tu vaux largement dix Gordon. J'ai toujours pensé que c'était un type rasoir.

— Moi aussi. Ce qui me fout en rogne, c'est qu'il ne l'était pas et que j'en savais rien.

Elle me fixait d'un regard furieux en respirant bruyamment. La sentant au bord des larmes, je posai ma main sur la sienne. Elle eut une grimace et, peut-être pour penser à autre chose, revint à son plat.

Je la regardai un moment puis me mis à manger, moi aussi. La cuisine était étonnamment bonne et nous mastiquâmes en silence pendant quelques minutes. Le vin commençait à chanter en moi, le bar se remplissait. Des hommes en costume provenant de bureaux proches, une troupe de filles hilares célébrant un anniversaire, un professeur d'université faisant la roue devant un groupe d'assistants. J'avais l'impression de commettre un délit en étant là, sous les effets du vin à la mi-journée, mais j'étais content de l'animation qui m'entourait.

Stella finit son assiette et la poussa sur le côté, nous servit un autre verre et me regarda droit dans les yeux.

— Ici, tu ne t'en sortiras jamais. Ce n'est pas seulement une question de boulot. Tu passeras ton temps à tout retourner dans ta maison comme l'autre jour. A fouiller dans les affaires de Caitlin, à chercher n'importe quoi — une particule de poussière — qui ne serait pas à sa place. Et il pourrait y avoir des surprises du côté de la police. Ou d'autres inconnues qui viendraient frapper à ta porte pour te mettre des pains...

— Tu as terminé ou il en reste?

— Tu ne te remettras jamais si tu restes ici, Michael. Tu n'échapperas jamais au passé. Je le sais. Et toi aussi.

Une serveuse vint débarrasser et nous la regardâmes en silence s'affairer autour de nous. Après son départ, Stella joignit les mains devant elle sur la table.

— Michael, viens avec moi. Au Venezuela.

J'avais porté mon verre à mes lèvres mais je le reposai sans avoir bu une goutte.

— Pas la peine d'avoir l'air aussi effaré, dit-elle.

— Je ne suis pas effaré, prétendis-je.

Nous savions tous deux que je mentais. Effaré, ça je l'étais. L'espace d'un instant, j'avais entrevu une lueur d'espoir, l'espoir qu'il y avait peut-être une issue pour moi, après tout. Stella l'avait senti.

— Ce n'est pas une idée si délirante, argua-t-elle. Nous avons besoin de partir, tous les deux.

— Je n'ai pas dit que c'était délirant. Je n'ai rien dit.

— Tu serais libre, évidemment. Je ne te harcèlerais pas; il ne s'agit pas de ça, tu le sais bien. Mais ça te permettrait de partir d'ici. Ils t'apprécient tous, au Mater Misericordia. Juan, Alfredo, Pilar, Gonzalez et le reste de l'équipe. Ils demandent toujours de tes nouvelles.

— Qu'est-ce que je ferais, au Venezuela?

— Peu importe. J'ai pensé que tu pourrais... ne rien faire, si tu en as envie. Ils m'ont proposé un bungalow, un truc immense avec une piscine. Tu pourrais te reposer aussi longtemps que tu voudrais. Apprendre l'espagnol. Visiter un peu le pays, tu sais qu'il est magnifique. T'acheter un 4 x 4 et foncer dans la jungle. Décompresser, tout simplement. Te remettre les idées en place.

— Stella, écoute...

— Ensuite, quand tu en seras capable — je ne sais pas, dans quelques mois —, tu pourrais recommencer à travailler un peu. Uniquement si ça te dit. Ils seraient prêts à commettre un meurtre pour avoir quelqu'un comme toi au Mater, tu le sais. Et Curtiz serait d'accord. Il comprendrait, il te laisserait partir.

— Après ce qui s'est passé aujourd'hui, il me conduira lui-même à l'aéroport!

J'avais cherché à paraître accablé pour l'entendre me rassurer, mais Stella eut une grimace comique, compatissante, et s'abstint de me contredire.

— Tu verrais ça quand? demandai-je.

— Il n'y a pas le feu, dit-elle avec un haussement d'épaules faussement désinvolte. Peut-être... après l'enterrement, de toute façon.

L'enterrement. Je n'y avais absolument pas pensé. Tout arrivait trop vite pour moi. Stella le sentit et fit aussitôt marche arrière.

— C'est peut-être trop tôt...

— Oui.

— D'un autre côté, plus rien ne te retiendra ici après, non? Et je dois donner une réponse assez rapidement.

— Tu me mets la pression...

— Sans blague? Tu en as peut-être besoin.

La serveuse réapparut près de notre table.

— Vous voulez autre chose? La carte des desserts, peut-être?

Sans me quitter des yeux, Stella lui demanda :

— Vous avez du vin vénézuélien?

— Vénézuélien? fit la serveuse, l'air étonnée. Je crois pas. Jamais entendu parler.

Stella souleva la bouteille vide, la lui montra.

— Vous voyez, là, où c'est marqué « Produit du Chili » sur l'étiquette? Vous nous en apportez une autre, vous barrez « Chili » et vous mettez « Venezuela » à la place. D'accord?

— Comme vous voudrez, fit la fille en emportant la bouteille.

— C'est possible, Michael, dit Stella en me prenant les mains. C'est vraiment possible. Et tu me rendrais un immense service. Tu sais que je n'aurais jamais le courage de partir seule.

— Laisse-moi y réfléchir.

Elle fit claquer son Zippo en l'ouvrant, alluma une cigarette et rejeta la fumée dans la lumière.

— A mon avis, réfléchir, c'est exactement ce dont tu n'as pas besoin, déclara-t-elle.

Du comptoir, la serveuse nous demanda :

— Comment ça s'écrit, Venezuela ? Comme Vénus ?

— Oui, répondis-je. Exactement comme Vénus.

15

Le jour de l'enterrement de Caitlin, le temps — fait choquant, parfaitement inconvenant — était magnifique. Je me rendis là-bas par mes propres moyens. Stella et Anthony auraient souhaité que je les accompagne, mais j'avais préféré me retrouver seul dans la coquille fermée de ma voiture. Je roulais en direction de l'ouest à travers la campagne du Gloucestershire, entre des bois hivernaux et des champs fraîchement retournés, sous un soleil froid. Le trajet dura un peu plus de deux heures et je fus désolé quand ce fut fini.

Du coin de l'allée menant à l'église de Morrow, je pouvais voir le flanc de l'édifice et des gens qui allaient et venaient sur le parking. Une fois la fenêtre baissée, je pus même les entendre parler. Je me garai, descendis, fis quelques pas à l'intérieur du bois. Les troncs d'arbres étaient moussus, les feuilles mortes souples sous mon pied, et je puisai un certain réconfort dans l'obscurité du lieu et l'odeur propre, humide, de la terre. Quand les claquements de portière et les voix ne me parvinrent plus que faiblement, je regagnai l'allée et me dirigeai vers l'église. Deux limousines noires brillaient au soleil. Appuyé au capot de la Jaguar argent des Dacre aux portières ouvertes, un chauffeur en livrée fumait une cigarette. Remarquant mon regard, l'homme se redressa et, pour la forme, cacha sa cigarette derrière son dos. Parmi une vingtaine d'autres véhicules, je reconnus la Mercedes du professeur Curtiz. Il ne m'était pas venu à l'idée qu'il viendrait et je me demandai si d'autres confrères de l'hôpital étaient là aussi. Anthony avait tout organisé, je ne lui avais même pas demandé qui était invité.

J'entendis la respiration sifflante de l'orgue en approchant de la porte et m'en réjouis : cela signifiait que, s'il y avait eu une oraison funèbre, je l'avais manquée. Telle était bien mon intention. Je ne tenais pas à entendre un vicaire qui n'avait jamais rencontré Caitlin m'expliquer que nous devrions tous être contents qu'elle soit maintenant dans un monde meilleur.

L'église était un gigantesque bâtiment en briques construit au début du dix-neuvième siècle pour les ouvriers des fabriques de tweed locales, et les trois rangées d'amis et de parents y semblaient perdues. Ils devaient être une cinquantaine. Plusieurs têtes se tournèrent à mon entrée, pourtant discrète. Je ne regardai pas les visages interrogateurs mais ne pus m'empêcher de remarquer, au premier rang, les cheveux roux de Stella, les épaules voûtées d'Anthony, le dos parfaitement droit de Margot Dacre. Le cercueil reposait sur des tréteaux devant l'autel, couvert de fleurs, baignant dans la lumière colorée des vitraux. Comme je remontais l'allée, l'orgue se tut dans un tremblement, l'assistance se leva et les porteurs entreprirent de débarrasser la bière de sa petite montagne de bouquets.

J'étais ébloui par les fleurs, mauves, jaunes et rouges. Leur éclat me faisait mal aux yeux. Mes pas résonnaient sur les dalles. Les porteurs s'interrompirent, levèrent la tête pour me regarder. J'entendis un murmure monter de l'assistance. Le vicaire, crâne chauve et teint rosé, fit un pas vers moi et eut un regard hésitant vers quelqu'un qui avait dû lui faire signe de ne pas bouger : Anthony, peut-être. Mais j'avais déjà gravi les marches menant au cercueil et, après avoir poussé sur le côté les dernières fleurs, je posai mes mains à plat sur la surface polie. Le vernis était froid sous mes paumes. Je demeurai immobile dans la lumière, enveloppé de parfums entêtants. Une abeille bourdonnait au-dessus des gerbes, plus bruyante qu'un bombardier dans le silence. Quelqu'un remua les pieds, un banc claqua, une femme étouffa un sanglot. Entendant des pas derrière moi, j'ôtai mes mains du cercueil et reculai. Elles avaient laissé de nettes empreintes de chaleur sur la surface lisse.

— Viens, mon vieux, me murmura Anthony.

Sous mon regard, la trace de mes paumes sur le cercueil se rétrécissait. Quand elle eut totalement disparu, je passai devant Anthony, descendis l'allée et sortis.

Je restai dehors avec Anthony jusqu'à ce que les porteurs déposent le cercueil — bois rubis flamboyant au soleil — à l'arrière du corbillard. Je jetai un coup d'œil à ma montre. La crémation aurait lieu dans une heure. Cérémonie privée, avait décidé Anthony. Cela signifiait que seule la famille proche y assisterait et cela me convenait. Un flot de gens bien intentionnés sortit de l'église, visages fermés, habits sombres, silhouettes penchées l'une vers l'autre. Je détournai les yeux. Près du mur du cimetière, des chênes et des hêtres se détachaient, squelettiques, sur un ciel bleu-vert pâle. De doux nuages s'amoncelaient au-dessus du flanc des Cotswolds. Une pie sautillait parmi les tombes, sa tête bleu-noir tournée de côté, impatiente de nous voir partir. J'étais impatient, moi aussi.

A l'angle de l'église, un vieil if ombrageait un banc et je passai sous ses branches pour aller m'asseoir à l'écart de la petite foule restée sur la pelouse. D'où j'étais, je pouvais observer les gens comme par le rabat d'une tente. J'en reconnus très peu. Une ancienne camarade d'école de Caitlin, effondrée de chagrin, soutenue par un homme que je ne connaissais pas. Une vieille femme aux cheveux gris qui avait autrefois été cuisinière chez les Dacre. Un homme d'allure distinguée qui devait être le médecin de famille. Deux jeunes types attentifs en costume de deuil Marks & Spencer, qui étaient peut-être des policiers. J'aperçus aussi Digby Barrett, qui se tenait à la lisière du groupe et avait l'air d'un croque-mort dans son long manteau.

Le chauffeur des Dacre poussa un fauteuil à roulettes vide sur le gravier, aida Edward Dacre à s'y asseoir. Le vieil homme farouche lançait autour de lui des regards menaçants, comme s'il défiait quiconque de remarquer sa fragilité. Et puis il y avait Anthony, ressemblant plus que jamais à un boxer triste, circulant entre les gens, présentant des condoléances, exprimant sa sympathie, parlant doucement à Margot Dacre et se penchant pour murmurer quelque chose à l'oreille de son mari. S'acquittant de tout ce que j'aurais dû faire.

Je m'avançai donc au soleil et laissai ces gens m'entourer, m'adresser leurs paroles de réconfort et me serrer la main. Ils devenaient plus nombreux à mesure que l'église se vidait. Patrick, de Médecins sans frontières, grave, bronzé après une récente mission. Le professeur Curtiz, la tête argentée penchée en avant, étincelant au pâle soleil. Meredith, le visage rouge et taché par les larmes, plus du tout bolcho, ses vêtements criards dissimulés sous un imperméable terne. D'autres collègues aussi : Sam Okigbo, droit comme un pilier d'ébène dans son costume noir; Carrie Iverson, accablée de tristesse; Ray Moore, donnant l'impression qu'il ne dirait plus jamais rien de drôle. Mais la plupart des autres étaient plutôt des amis de Caitlin. J'en avais rencontré un grand nombre en une occasion ou une autre, et j'avais honte d'en savoir si peu sur leur vie, leur travail et leur amitié pour Caitlin.

Leur bonne volonté était presque palpable et, en même temps, leur propre besoin de réconfort me donnait un rôle, un objectif sur lequel me concentrer. Deux femmes en larmes vinrent me saluer et il fallut aider l'une d'elles à s'asseoir. Le professeur Curtiz avait manifestement préparé un petit discours de condoléances mais, une fois qu'il fut devant moi et qu'il m'eut pris la main, il resta coi comme un écolier. Ils avaient tous envie d'entendre que j'étais content de les voir, que leur présence m'aidait à supporter mon fardeau. Rien de tout cela n'était vrai, mais, pendant un moment, je jouai la comédie du mieux que je pus, passant de l'un à l'autre en serrant des mains, embrassant des joues, murmurant des remerciements.

A un moment, je me retrouvai face à une femme de petite taille fermement campée devant moi. Il y avait quelque chose d'agressif dans sa posture qui m'arrêta.

— Nous sommes tous bouleversés, au centre, déclarat-elle. Personnel et élèves. Je tenais à ce que vous le sachiez.

— Merci, répondis-je avec un sourire.

Je voulus passer à quelqu'un d'autre mais elle ne bougeait pas. Je l'examinai plus attentivement : rien en elle ne m'était familier.

— Je sais que vous n'étiez pas très content qu'elle vienne mais elle faisait du bon travail. Du très bon travail.

— Au centre..., répétai-je, sans avoir la moindre idée de ce qu'elle voulait dire.

Elle le devina, serra les mâchoires.

— Je suis Julie Clarke. Du Centre de York Road, dit-elle en articulant lentement, comme si je cherchais délibérément à ne pas comprendre.

J'étais à peu près sûr que Caitlin ne m'avait jamais parlé d'une Julie Clarke ou d'un quelconque centre, mais le ton de la femme ne souffrait pas la contradiction et je hochai simplement la tête en espérant qu'elle s'éloignerait. Elle n'en fit rien.

— Bon, peu importe, reprit-elle. Nous l'aimions, c'est tout ce que je voulais vous dire. Je tiens vraiment à ce que vous ne l'oubliiez pas.

Cette fois, elle partit et je la regardai se frayer un chemin dans la foule, puis je fus de nouveau submergé par des gens tristes, larmoyants, et je n'eus plus le temps d'y penser.

Près de la grille, je surpris Anthony en train de glisser de l'argent au croque-mort. Il toucha le coude de l'homme et le remercia en lui mettant les billets pliés dans son autre main. J'ignorais si l'on donnait des pourboires aux croque-morts, mais, comme tout ce que faisait Anthony, le geste était honorable et discret. Je remarquai que l'homme réagissait comme si ce petit rituel s'était déroulé cinquante ans plus tôt : regardant Anthony dans les yeux avec déférence, il mit l'argent dans sa poche de la main gauche cependant que la droite se portait quasiment à hauteur de son toupet. C'était l'effet qu'Anthony faisait aux gens. Ses valeurs antiques suscitaient chez ceux qui l'entouraient des réactions équivalentes, souvent meilleures que ce dont les gens se croyaient capables. Anthony critiquait rarement qui que ce soit, mais il était difficile de mal se conduire en sa présence.

Je m'approchai et lui dis :

— Je te remercie pour tout. C'est un peu tard, je le sais. Cate aussi aurait voulu te remercier.

194

— Il vaut mieux être occupé dans des moments pareils. C'est un privilège d'être utile, en fait. C'est la clé. Cela remplit les implacables minutes. Soixante secondes de distance parcourue. Et on passe à la suivante.

Il scruta le ciel en plissant les yeux, comme s'il voyait autre chose que les nuages argentés qui y roulaient.

— Stella m'a parlé du Venezuela. Tu comptes y aller ?

— Je crois, oui.

— Je pense que c'est peut-être le mieux pour toi, mon garçon. Tu me manqueras terriblement, bien sûr, mais je pense que c'est le mieux.

Il leva vers moi son visage affligé et poursuivit :

— Un homme a besoin de quelque chose qui l'aide à tenir. La colère et les remords peuvent jouer ce rôle un moment, mais tu ne les trouveras plus si roboratifs, à la longue. Crois-moi, je le sais.

— De l'action, dis-je.

— C'est exactement ce qu'il te faut, vieux.

Il me toucha le bras, se détourna aussitôt en répétant :

— Exactement.

Je le regardai s'éloigner lentement entre les tombes. L'une des deux limousines passa devant moi, emportant Caitlin. L'autre suivit et leur départ laissa un espace libre entre moi et la Jaguar des Dacre, de sorte que je me retrouvai tout à coup face à la mère de Caitlin. Margot Dacre se tenait près du fauteuil roulant de son mari, devant la portière arrière ouverte de la voiture. Bien que regardant dans ma direction, elle ne manifesta d'aucune manière qu'elle m'avait vu. Le fauteuil était tourné dans l'autre sens et le jeune chauffeur s'apprêtait à installer Edward Dacre sur la banquette arrière. Je n'avais pas envie de leur parler mais, estimant qu'il serait absurde de ne pas au moins leur manifester ma sympathie, je m'approchai.

— Margot?

Elle se détourna sans un mot, fit le tour de la voiture, se dirigea vers le portail de l'église et franchit l'entrée obscure. Le chauffeur, abasourdi, semblait ne plus savoir quoi faire. Je l'aidai à asseoir Edward Dacre à l'arrière. Le vieil homme se laissa soulever sans rien dire. Son regard était vide, son corps décharné léger comme une feuille. Je me penchai pour attacher la ceinture de sécurité en évitant ses yeux morts. Il émanait de lui une odeur douceâtre de dépression et de décrépitude.

Quand j'eus terminé, j'entrai moi aussi dans l'église. Près de l'autel, là où avait été le cercueil, un homme âgé balayait les pétales de fleurs dans la lumière arc-en-ciel du vitrail. Dans le vide du lieu, des poussières dansaient et brillaient comme des lucioles. L'organiste faisait jouer les pédales de son instrument, peut-être pour réparer un défaut quelconque, et le claquement du bois résonnait dans la nef. J'éprouvais un sentiment étrange, à me retrouver dans l'église après le service funèbre. Elle faisait penser à un théâtre lorsque le public est sorti et que les comédiens se dirigent déjà vers le pub, un endroit vidé de sa magie, un lieu innocent qu'on associe difficilement au drame qu'on y a joué.

Assise à une rangée du milieu, Margot Dacre me tournait le dos. Sa silhouette noire me fit penser à un oiseau, un oiseau silencieux et sur ses gardes. L'organiste eut un rire, échangea quelques mots avec une personne hors de ma vue puis se rendit compte que nous étions dans l'église, ferma son instrument et partit. Le vieil homme au balai sortit lui aussi, par la porte de la sacristie. Margot se leva en entendant mes pas derrière elle, s'avança dans l'allée et me fit face. Elle leva sa voilette, révélant un visage fermé, puis entrecroisa ses doigts gantés devant elle en un geste étonnamment enfantin et attendit que je m'approche.

— Margot, que puis-je dire? Je suis terriblement peiné.

— Oui, répondit-elle d'une voix claire. J'imagine.

Son ton me glaça et je me figeai, les bras stupidement à demi ouverts, dans l'intention de la serrer contre moi.

— Je sais ce que vous voulez, Michael. Vous voulez que je vous dise que vous n'avez rien à vous reprocher. Vous voulez une absolution. Mais je ne vous donnerai pas cette satisfaction.

Mes bras retombèrent et je dus m'appuyer au dossier d'un des bancs pour garder l'équilibre. Elle me fixait de ses yeux alertes, dépourvus de pitié. Le vieil homme était revenu près de l'autel et avait recommencé à balayer, en sifflotant maintenant. Peut-être parce qu'il était curieux, peut-être parce qu'il pressentait une dispute et tentait délibérément de faire diversion, de nous rappeler que nous nous trouvions dans un lieu de culte.

— Margot, vous devez savoir que j'aurais fait n'importe quoi pour empêcher ça, assurai-je.

Elle haussa les sourcils.

— Vraiment? En ce cas, je m'étonne que vous ne l'ayez pas fait.

Elle passa devant moi, descendit l'allée en faisant claquer ses talons sur les dalles. Parvenue au dernier banc, elle s'immobilisa.

— Nous n'irons pas à la crémation, dit-elle sans se retourner. Nous avons fait nos adieux. Nous les avons tous faits, je pense.

Elle poussa la lourde porte, la tint un moment ouverte puis la laissa se refermer derrière elle, dans un claquement sonore comme un coup de canon. Par les carreaux en losange des vitraux, je vis des oiseaux s'envoler des branches nues des arbres.

Je restai un long moment dans l'église, écoutant les au revoir murmurés dehors, les pas crissant sur le gravier, les bruits sourds des portières. L'une après l'autre, les voitures partirent. Je les entendis parcourir lentement l'allée puis tourner et accélérer avec soulagement pour regagner le monde des vivants. Une dizaine de minutes s'écoulèrent de cette façon et le silence se fit, mais je ne fus pas surpris quand la porte s'ouvrit de nouveau derrière moi.

— Michael?

Anthony se tenait sous le porche, hésitant, l'air gêné de son intrusion. Je me dirigeai vers lui pour qu'il puisse mieux me voir mais m'arrêtai au milieu de l'allée.

— Pas la peine de m'attendre, dis-je. Ça va.

— Je n'ai pas pu m'empêcher de voir Margot Dacre sortir. Je me demandais s'il n'y avait pas eu... un moment désagréable. Comme vous ne vous entendez pas très bien...

— Pas de problème.

Il ne fit même pas semblant de me croire.

— Ne la juge pas trop durement. Je doute qu'elle sache elle-même ce qu'elle dit.

— Anthony, j'aimerais être seul un moment.

— Naturellement. Naturellement.

Il contempla ses chaussures étincelantes d'un air malheureux, joignit les mains devant lui comme s'il ne savait pas trop quoi en faire.

— Prends soin de toi, Michael, hein?

Il recula dans la pénombre; la porte s'ouvrit en grinçant, laissa pénétrer un éclat de lumière et se referma. J'entendis ses pas sur le gravier, puis la vieille Rover démarra et s'éloigna.

Quand le bruit de son moteur mourut, je sortis au

soleil de l'après-midi. Le vent s'engouffrait entre les arbres, aplatissant l'herbe sur le sol.

Le crématorium était un bâtiment neuf de briques rouges serti dans un cadre agréable et bien entretenu. Les pelouses plantées d'arbres à intervalles réguliers semblaient avoir été dessinées pour le train électrique d'un enfant. A mes yeux, toute la cérémonie avait le même côté artificiel. Dans une salle quasiment déserte, des haut-parleurs diffusaient une musique d'orgue baroque. Je m'assis au troisième rang, appuyai le front au bois clair du siège de la rangée précédente. J'entendis les rideaux s'ouvrir dans un murmure; j'entendis le mécanisme bourdonner, mais je ne parvins pas à me convaincre que tout cela avait un rapport avec moi ou avec Caitlin. La tête baissée, je ne regardai pas.

Quand ce fut terminé, je sortis, tournai le coin du bâtiment. On avait déposé les couronnes sur une bande de gazon et, bien que l'endroit soit protégé, le vent faisait trembler les fleurs, éparpillant les pétales comme des confettis, agitant les emballages de Cellophane. J'en fus agacé : on aurait dit le bruit d'un morceau de carton pris dans les rayons d'un vélo d'enfant. Comme je me penchais pour essayer de le faire cesser, quelque chose attira mon attention : des fleurs sauvages arrangées en bouquet. On les avait à l'évidence choisies avec soin, voire avec amour, et je n'arrivais pas à les quitter des yeux. Je détachai la carte écrite à la main, me redressai pour la lire : *De la part de Julie et de toute l'équipe de York Road. Catey, nous ne t'oublierons JAMAIS.* J'avais presque oublié ma rencontre avec la brune trapue pendant la présentation des condoléances. Il y avait dans ce style d'écolière quelque chose qui ne cadrait pas avec cette femme brusque et impatiente, et cela éveilla ma curiosité. Tout comme

Margot, Julie Clarke m'avait reproché quelque chose, je ne me rappelais plus quoi. Je tentai de me souvenir de ce qu'elle m'avait dit — c'était peut-être important — mais j'avais l'esprit bien trop embrouillé.

— Elle était estimée, votre dame, dit Barrett derrière moi. C'est déjà ça, de le savoir.

Je fourrai le mot de Julie Clarke dans la poche de ma veste et me retournai. L'inspecteur se tenait un peu en retrait du tas de fleurs, et le vêtement sombre qui flottait autour de son corps lui donnait un air massif. Il attendit que je réponde, mais je ne trouvai rien à dire, et au bout d'un moment il reprit :

— Je peux m'en aller, si vous voulez. Suffit de demander.

— Je partais, moi aussi.

Il referma son manteau, le boutonna.

— Un verre, ça vous dit? proposa-t-il. Y a un pub qui a l'air sympa, au village. J'ai pensé qu'un petit remontant nous ferait pas de mal.

— Je rentre à Londres en voiture.

— Un seul, c'est rien, et je le dirai à personne.

Voyant que je m'apprêtais à réitérer mon refus, il ajouta :

— En plus, j'ai quelque chose à vous montrer.

— Qu'est-ce que c'est?

— Oh! Pas grand-chose. On peut remettre à plus tard. Vous êtes sûrement pas en état, maintenant.

Je capitulai, comme il s'y attendait.

— Bon, fis-je en m'efforçant de paraître plus fatigué que curieux. Allons-y et finissons-en.

— Le Nag's Head. Je vous retrouve là-bas.

C'était le genre d'endroit agréable et bas de plafond qui passait pour un pub campagnard dans le sud de l'Angleterre : des bassinoires en cuivre sur les murs, des médaillons de bronze sur des lanières de cuir, et un énorme faux feu de bûches qui aurait épuisé tout un gisement de gaz. Il y avait une machine à expresso derrière le comptoir et un menu gastronomique sur le tableau noir. La salle accueillait essentiellement la nouvelle aristocratie rurale des riches retraités — leurs Range Rover immaculées occupaient tout le parking —, ainsi que quelques jeunes membres des professions libérales de Gloucester ou Cheltenham venus impressionner un client ou une maîtresse par un déjeuner à la campagne.

Barrett avait trouvé une table près de la fenêtre quand j'entrai en baissant la tête. Dès qu'il m'aperçut, il se leva d'un bond et se précipita vers moi.

— Qu'est-ce que je vous offre, doc?

— Un demi. Peu importe quelle bière.

— Tout de suite.

Il se faufila dans la foule tandis que j'allais m'asseoir. Sur la table, je découvris un portfolio de cuir noir, assez grand pour recouvrir presque tout le plateau, avec de gros fermoirs d'acier et une bandoulière. A côté, un plumier en bois, probablement de l'acajou, peut-être une antiquité. Je n'avais jamais vu aucun de ces objets. Je dus les pousser légèrement sur le côté pour passer et, ce faisant, je relevai la tête et surpris Barrett à demi tourné vers moi. Il sourit, me montra les verres pour signifier qu'il arrivait, mais je savais qu'il m'avait observé. Il me rejoignit l'instant d'après avec une pinte de bitter trouble pour lui et un demi pour moi. Il posa ma bière devant moi, mit le portfolio par terre, appuyé à un pied de la table.

— J'ai pensé que je pouvais en profiter pour vous rendre ces trucs, annonça-t-il.

Il prit sa pinte, l'examina à la lumière, la leva vers moi.

— A la vôtre.

Je ne touchai pas à mon verre.

— Quels trucs?

— Le plumier et le portfolio, doc. Les dessins de votre femme. Ils sont jolis, hein? Ah, c'est tragique : un talent pareil...

— Si c'est une sorte de devinette, je ne suis pas très en forme pour ça en ce moment.

Barrett reposa son verre avec soin.

— Vous voulez dire que vous les reconnaissez pas? Ni le portfolio ni le plumier? Regardez bien.

— Ils ne sont pas à Caitlin, si c'est ce que vous voulez dire.

— Ils étaient dans son repaire. Avec tout le reste.

— Ils ne lui appartiennent pas.

Il prit le plumier dans ses mains fortes, fit glisser le couvercle pour m'en montrer le contenu : des crayons, des mines de plomb, un petit canif, une gomme noircie par l'usage.

— Ça ne me dit absolument rien.

— Alors, ouvrez le portfolio.

Il poussa le plumier et les verres sur le côté, remit le portfolio sur la table.

La bouche soudain sèche, j'évitais de regarder le cuir noir.

— Je n'ai pas besoin de l'ouvrir.

— Allez-y. Y a rien de si terrible, là-dedans. Je vous ferais pas un coup pareil.

Conscient qu'il ne me laisserait pas me dérober, je pressai les fermoirs, ouvris le portfolio et constatai aussitôt que les dessins étaient très beaux. Beaucoup étaient de simples esquisses, quelques-unes au crayon, d'autres à l'encre et au crayon, partageant parfois une feuille à deux ou trois : un pigeon se rengorgeant sur une place, un tronc d'arbre, une silhouette de vieillard courbé sous un parapluie. Plusieurs études de bâtiments, certains étonnamment détaillés et précis, d'autres saisis en quelques lignes fluides, comme s'ils avaient été dessinés de l'impériale d'un autobus passant dans la rue. Parmi les vues de Londres, je reconnus des lieux célèbres : la cathédrale St Paul, l'Albert Hall, Hampton Court. Mais il y en avait de nombreux autres, une profusion d'images que mon cerveau ne parvint pas à enregistrer.

— Vous m'aviez pas dit que votre femme était une telle artiste...

— Elle ne l'était plus, répondis-je en tournant les lourdes feuilles. Elle n'avait rien dessiné depuis des années.

— Vous voulez dire qu'elle était pas artiste *professionnelle* ? Que c'était un simple passe-temps, pour elle ? C'est ça que vous voulez dire ?

Des bâtiments que je ne connaissais pas, d'autres qui me semblaient familiers, un bouquet de fleurs, un oiseau sur un poteau de clôture. Je les regardais sans les voir. Il y avait déjà eu un amant que je ne connaissais pas, un enfant que je ne connaissais pas : quelques dessins que je ne connaissais pas n'auraient pas dû avoir une telle importance, en comparaison. C'était le cas, pourtant.

— Parce que c'est elle qui les a faits, ces dessins, hein, doc ? insista Barrett. Elle les a signés, datés...

— Oui. C'est elle, confirmai-je en refermant lentement le portfolio. Mais je ne les avais jamais vus. A ma connaissance, elle avait arrêté de dessiner depuis notre mariage. Avant, même. Je la poussais à reprendre, mais elle ne voulait pas en entendre parler.

— Quelque chose l'a décidée à recommencer, en tout cas.

— Oui. Il semblerait.

Barrett plissa les lèvres, réfléchit.

— Voilà ce que je voudrais que vous fassiez, doc : vous emportez ces dessins, vous les regardez bien, et quand vous les aurez bien regardés, vous me dites si ça vous a fait penser à quelque chose.

— Je ne savais même pas qu'ils existaient. Qu'est-ce que je pourrais vous dire?

— Un détail concernant les dates ou les lieux. Il y a quelques dessins de la grande baraque de ses parents, de St Paul, de la Tour de Londres, etc., mais à part ceux-là, je veux dire. Je peux compter sur vous?

Je posai la main sur le cuir froid.

— Bon, fit l'inspecteur d'un ton satisfait, comme si j'avais répondu.

Il se leva, boutonna son manteau en prenant son temps et finit par lâcher :

— Quand on y réfléchit, y a pas mal de choses que vous connaissiez pas, hein?

Je lui lançai un regard aigu. Il releva le menton en signe d'au revoir, passa devant moi et sortit.

16

Il y avait en effet plusieurs croquis de Morrow House, comme Barrett l'avait fait remarquer. Et une poignée d'autres bâtiments : une fabrique en ruine, un *college* d'Oxford dans lequel je reconnus Magdalen, une rangée de maisons attenantes et identiques.

Les douze derniers dessins étaient différents, toutefois : un cottage, simple bâtisse de briques rouges représentée sous divers angles, dans un cadre boisé. Caitlin avait rendu le passage de la lumière entre les feuilles, le sentier gravissant une pente escarpée couverte de fougères, un ruisseau traversé par les pierres d'un gué. Le paysage était assez joli, mais la ferme n'avait rien de particulièrement attirant et semblait en assez mauvais état : la porte d'un appentis pendait sur ses gonds, il manquait deux ou trois tuiles au toit bas. Un instrument agricole — une herse, peut-être — rouillait sous la fenêtre de devant, à moitié recouvert de fougères. C'était une vraie ferme que j'avais sous les yeux, je le savais, pas une construction imaginaire sortie de l'esprit de Caitlin. C'était un lieu qui existait dans le temps et l'espace, un bâtiment de briques, de mortier et de bois. Le sentier était probablement boueux, la porte grinçait, le toit fuyait. Un endroit modeste, voire misérable. Un lieu qu'elle connaissait intimement, cependant, et qu'elle aimait.

Je repoussai doucement le portfolio sur la table du pub, fis bruire les feuilles de papier en les feuilletant du pouce : il y en avait plus d'une centaine. Combien cela représentait-il d'heures de concentration, d'immersion dans un monde dont je ne savais rien, dans lequel je n'existais pas ?

J'ouvris le plumier en acajou qui sentait les copeaux de bois et me rappela l'école primaire. Je pris délicatement un des crayons usés de Caitlin, le fixai en songeant qu'il avait sûrement son odeur, qu'il devait receler un message pour moi, elle s'en était servie si souvent. Mais je ne me rappelais même pas la façon dont elle tenait un crayon, dont les traits de son visage se crispaient de concentration, dont elle posait son carnet sur son genou. Elle avait sans doute une manière à elle de faire ces gestes, mais je ne l'avais vue dessiner qu'une seule fois, des années auparavant. Ne pas même pouvoir l'imaginer au travail laissait en moi une sorte de vide. Les coudes sur la table, j'appuyai la tête sur mes mains.

Vernissage à la Tate deux ans plus tôt, en plein hiver. Caitlin avait participé à l'organisation de l'exposition et j'étais en retard. Avec l'équipe de traumato, j'avais travaillé tout l'après-midi sur une jeune Suédoise de dix-sept ans qui était passée sous un bus dans le Strand. Au début, nous avions espéré la sauver mais, finalement, nous n'avions rien pu faire d'autre que la regarder s'éteindre. Elle était très jolie, en particulier au moment de sa mort, et nous avions tous été touchés de voir la vie la quitter. Je n'étais pas arrivé à la chasser de mon esprit en descendant d'un pas pressé une Gower Street battue par le vent, hélant sous la pluie des taxis qui ne s'arrêtaient pas. J'arrivai à la Tate gelé, trempé, fatigué, prêt à chercher querelle au premier venu.

La salle était pleine de femmes élégamment émaciées et d'hommes mûrs aux cheveux longs portant des costumes coûteux sur des tee-shirts noirs. Des serveuses déguisées en soubrettes victoriennes présentaient des plateaux de canapés décoratifs et de verres de sancerre. La plupart des invités avaient déjà le teint rougeaud et parlaient trop fort. J'attirai quelques regards, peut-être à cause de mes vêtements froissés, mais plus certainement parce que ma mauvaise humeur était évidente. Je ne repérai pas Cate et, plutôt que d'être contraint à faire la conversation à l'une de ces personnes injustement riches, je me faufilai jusqu'au mur et contemplai l'œuvre exposée : lugubres dessins au fusain, scènes de rue misérables, longues silhouettes ployées de désespoir. Une mère et son enfant, un chien rongeant quelque chose dans un caniveau.

— Salut, étranger.

Caitlin s'approcha de moi, se hissa sur la pointe des pieds pour m'embrasser.

— Je suis en retard. Désolé.

Elle remarqua mon ton.

— Mauvaise journée ?

— Désolé, répétai-je.

Avant de pouvoir me contrôler, je jetai un coup d'œil à ma montre.

Caitlin arrêta une femme de chambre qui passait, prit un verre de vin sur le plateau et me le tendit.

— Je sais que tu détestes ce genre de choses. Nous ne resterons pas longtemps.

— Je ne déteste pas ça.

— Si tu le dis. Alors, qu'est-ce que tu penses de l'artiste ?

— Cate, pourquoi as-tu cessé de dessiner?

— O.K. Michael, nous partons.

— Pourquoi? Nous ne sommes pas obligés de partir.

— Si.

Elle me reprit le verre, le posa sur une table et m'entraîna vers la sortie, glissa quelques mots au passage à une collègue puis récupéra son manteau. Quelques instants plus tard, nous descendions les marches de Victoria Embankment dans la nuit froide.

— Cate, on peut retourner là-bas. Allez, on y va, plaidai-je.

Au lieu de me répondre, elle continua à descendre, traversa la chaussée, s'arrêta, s'appuya au parapet et regarda le fleuve noir glisser dans l'obscurité. Elle se tourna vers moi.

— Michael, si tu penses que le travail que je fais est complètement dépourvu de sens, dis-le-moi tout de suite.

— Je ne comprends pas pourquoi tu ne dessines plus alors que tu as un tel talent.

— Le monde a besoin de médecins, de chercheurs, d'enseignants, pas d'une artiste de seconde zone de plus, déclara-t-elle avec une amertume inattendue.

Je ne trouvai rien à lui répondre. Au bout d'un moment, elle me pressa le bras.

— Je mène cette vie pour toi, Michael. Enfin, pour nous, bien sûr. Mais surtout pour toi. Parce qu'il faut un équilibre. Il semblerait que je ne sois pas capable de choses importantes. Je ne peux qu'apporter ma petite pierre, alors c'est ce que je fais. Mais même ça, je ne peux pas continuer à le faire si tu penses que c'est sans intérêt. Si tu n'y accordes aucune valeur.

Je la pris dans mes bras, la serrai contre moi avec désespoir et nous restâmes ainsi sous la pluie, tandis que le vent cinglait le fleuve.

208

Le patron du pub s'éclaircit la voix.

— Vous voulez autre chose, monsieur?

Il se tenait près de ma table, personnage jovial dont la panse de buveur de bière s'arrondissait sous un pull Arran, un plateau de verres sales sur une main. Je me rendis compte que la salle s'était vidée autour de moi, que les pompes à bière, derrière le comptoir, étaient drapées de torchons et qu'une jeune fille en tablier essuyait les tables.

— Normalement, nous fermons à trois heures, me rappela-t-il.

— J'ai perdu la notion du temps.

— Pas de problème, monsieur, clama-t-il.

Il emporta mon verre encore à moitié plein de bière tiède, celui que Barrett m'avait offert, désigna de la tête le portfolio ouvert sur la table devant moi.

— Du beau travail, si je peux me permettre.

Puis il alla se poster près de la porte et la tint ouverte jusqu'à ce que je sorte.

— Quand vous voudrez, assura-t-il avant de fermer rapidement derrière moi.

Moins d'une heure plus tard, je franchis en voiture les grilles en fer forgé de la maison des Dacre, descendis lentement la longue allée bordée de cèdres et de cyprès. Les arbres avaient l'air de découpages sombres sur le ciel de novembre et laissaient passer entre leurs barres d'ombre une lumière qui tremblotait au-dessus de moi comme un stroboscope. Le bâtiment de pierre couleur chamois m'apparut au détour d'un virage, puis la façade impérieuse et la serre aux nervures de fer courant le long d'un des flancs. Je ralentis, roulai presque au pas.

Morrow House était toujours impressionnante mais ne m'avait jamais paru aussi majestueuse que le soir où je

209

l'avais vue pour la première fois, quand Bruno et moi avions emprunté cette même allée sinueuse dans son Austin Healey déglinguée. L'endroit était alors illuminé, pinceaux de lumière sur la pierre chaude. Bruno et moi nous étions esclaffés devant ce château de Dracula en nous demandant quelle sorte de créature pouvait bien y habiter. Je passai devant la Jaguar argent des Dacre, m'arrêtai à l'endroit précis où Bruno s'était garé, dix ans plus tôt. Je pris ma respiration, glissai le portfolio sous mon bras et descendis de voiture.

Edward Dacre était en partie caché par les colonnes de la porte cochère et il me fallut un moment pour le découvrir, assis dans son fauteuil roulant sous les derniers rayons du soleil. Il avait l'air d'un vieux meuble fragile qu'on avait mis dehors pour l'aérer. Je ne m'étais jamais réconcilié avec lui, mais je trouvais pitoyable de voir une stature aussi orgueilleuse réduite à cet état. Sa fragilité me donnait l'impression d'être d'une robustesse offensante, dont j'avais envie de m'excuser. Je ne vis pas trace de Margot. Appuyant le portfolio contre l'une des chaises, je lançai :

— Salut, Edward !

Les yeux jaunis se levèrent vers moi en clignotant, ne parurent pas me reconnaître. Sur la chaise la plus proche du fauteuil étaient posés un sécateur et un journal encore plié.

— Je peux ?

Il ne répondit pas et j'ôtai l'outil et le journal pour m'asseoir. Il avait une couverture sur les genoux, un livre sous ses mains jointes bien qu'il ne me paraisse plus capable de lire. Peut-être que Margot laissait le bouquin là pour la forme. Le vent souleva la couverture du vieil homme, que je remis en place et coinçai sous ses cuisses.

Il n'y avait aucune raison d'entretenir une quelconque

rancœur entre nous. Ses yeux avaient perdu leur lumière. J'essayai de l'imaginer à la fleur de l'âge, soixante ans plus tôt, beau jeune homme resplendissant dans son uniforme, accostant sur quelque plage étrangère, un énorme revolver à la hanche. Comme cela avait dû être pénible pour lui de s'adapter ensuite au monde gris de la Grande-Bretagne des années cinquante-soixante. Et de vivre assez longtemps pour voir ça. J'espérais qu'il n'avait pas conscience de ce qui était arrivé à Caitlin.

La porte de la serre s'ouvrit derrière moi et je me levai.

— Tiens, Michael, dit Margot Dacre avec un sourire qui montra ses dents. Comme c'est gentil.

Elle portait un survêtement marron et des gants de jardinage. Jamais je ne l'avais vue dans une tenue aussi décontractée. C'était comme si elle s'était méticuleusement débarrassée de toute trace de l'enterrement qui s'était déroulé à peine quelques heures auparavant. Paradoxalement, cela avait pour effet de la faire paraître plus jeune que ses soixante-dix ans et plus alerte que jamais. Elle entourait de ses bras un gros pot de terre cuite rempli de terre sombre et me considérait, sourcils haussés, attendant que je parle.

— Vous voulez que je vous le porte? proposai-je.

— Non, répondit-elle sans bouger. Nous ne vous attendions pas, vous auriez dû téléphoner.

— Si j'avais téléphoné, vous auriez trouvé une excuse.

— En effet.

— Margot, il fallait que je vous voie.

— Vraiment, Michael? Je n'ai pourtant pas le sentiment que nous ayons encore quelque chose à nous dire.

Je pris le portfolio, l'ouvris au hasard en observant Margot. Elle posa le pot sur le gravier, se frotta les mains, le visage sans expression.

— Je suis censée réagir?

— Une demi-douzaine de ces dessins représentent cette maison. Plusieurs sont datés de ces derniers mois.

— Oui, elle est venue ici. Ne prenez pas cet air surpris, Michael. Nous sommes ses parents.

— Margot, pourquoi serait-elle venue ici sans m'en parler? Je ne savais même pas qu'elle avait repris le dessin.

— Elle n'était pas sous ma responsabilité, répliqua-t-elle. Malheureusement, semble-t-il.

— Je cherche simplement à comprendre, je n'accuse personne.

Elle détourna ses yeux des miens, regarda le ciel. L'ombre d'un nuage avait assombri le devant de la maison et traversait maintenant la pelouse. Margot semblait réfléchir.

— Si vous voulez vous rendre utile, dit-elle enfin, vous pouvez rentrer Edward.

Je ne m'attendais pas à cela et je fis ce qu'elle me demandait, passai la bandoulière du portfolio à mon épaule, poussai le fauteuil roulant le long de la rampe et franchis la porte d'entrée de la maison. Il faisait très sombre à l'intérieur, après la clarté du jour. Margot me suivit, passa devant moi et me précéda dans le couloir, un long passage sentant les fleurs séchées. Elle ouvrit une porte sur ma gauche et je fis rouler le fauteuil dans une pièce agréable donnant sur la pente de la pelouse de derrière, ponctuée de rhododendrons et de lilas. Je décelai des traces d'odeur de peinture et d'enduit. La disposition des lieux m'était familière, mais la pièce était maintenant si claire et si gaie, si changée, que, pendant une seconde, je ne la reconnus pas.

— C'était la bibliothèque, m'informa Margot en me voyant regarder autour de moi. Sombre comme une crypte, des rangées et des rangées de volumes reliés cuir. Edward y passait beaucoup de temps.

Je me souvenais, maintenant : Caitlin, assise toute raide sur le sofa, Edward Dacre jouant à chercher le Glenlivet.

Elle me prit les poignées du fauteuil et plaça son mari à un endroit d'où il pouvait contempler la pelouse de ses yeux vides. Puis elle mit le frein, se baissa pour arranger la couverture du vieillard avec des gestes si protecteurs qu'ils décourageaient toute aide de ma part.

— Lorsque nous avons vidé les rayonnages, je me suis aperçue que tous ces livres n'avaient aucun sens. Des recueils de procès-verbaux des années trente. En suédois, en plus.

Elle se redressa, regarda son mari.

— Je ne sais pas ce qu'il faisait pendant des heures dans cette pièce sombre. En tout cas, il ne lisait pas.

J'avais conscience du ton de confessionnal qu'elle avait pris mais je le préférais à une hostilité déclarée, et je sentais qu'elle se préparait à m'en dire plus. Dehors, le jour déclinait, le vent argentait le gazon. Quelques gouttes de pluie éclaboussèrent la fenêtre qu'Edward Dacre fixait de son fauteuil. Margot en fit le tour, alluma la radio et choisit une station légère. C'était la première fois que j'entendais de la musique dans cette maison. Elle posa plusieurs objets sur une console à portée de main : un bouton d'appel, une carafe d'eau, un vase de pivoines.

— Reconnaissez que c'est une grande amélioration, dit-elle. Bien sûr, Caitlin s'est chargée de la décoration. Elle a complètement repensé la pièce.

J'en eus assez :

— Combien de fois est-elle venue ici ?

Au lieu de me répondre, Margot posa brièvement la main sur l'épaule de son mari et me fit signe de ressortir de la pièce. Je sentis les yeux du vieillard nous suivre. Margot traversa le couloir, pénétra dans la vaste salle à manger, alluma la lumière. Là, rien n'avait changé, ou presque : toujours le même plafond haut où flottait l'obscurité, l'immense cheminée, les hautes fenêtres donnant sur le jardin. Margot s'approcha de la table et, les bras croisés, me regarda parcourir la pièce des yeux.

— C'est exact, Michael. Nous continuons à vivre seuls dans cette caverne. Nous avons l'habitude. D'être seuls.

Après un silence, elle ajouta :

— En grande partie grâce à vous.

— De quoi parlez-vous ?

— Vous l'avez empêchée de me voir, de nous voir, accusa-t-elle, le menton relevé. Année après année, vous avez tout fait pour la dissuader de revenir. Combien de fois nous la voyions ? Une fois tous les six mois ? Même à Noël, vous l'empêchiez de venir. Par votre faute, nous n'aurons même pas ce souvenir d'elle.

— Cela n'aide personne de dire ça maintenant, fis-je observer.

— Vous lui avez promis la liberté et vous l'avez gardée enfermée, comme le faisait son père. Vous ne la laissiez même pas venir me voir.

— Je ne l'ai jamais empêchée de venir ici, repartis-je en m'efforçant de contrôler ma voix. Caitlin exécrait cette maison : le vide des pièces, les disputes, la façon dont son père la traitait, dont il vous traitait, votre passivité...

— Pourquoi êtes-vous venu, exactement ? Pour m'exposer votre pitoyable autojustification ?

— Vous n'êtes pas la seule à souffrir.

— Quelle vertueuse indignation !

Je décrochai le portfolio de mon épaule, le laissai tomber bruyamment sur la table.

— Je ne suis pas seulement indigné, nom de Dieu!

Dans le silence qui suivit, j'entendis l'écho de ma voix résonner entre les poutres du plafond et je retins ma respiration jusqu'à ce qu'il meure.

— Vous voulez voir sa chambre? me proposa Margot, presque avec douceur.

— Sa chambre?

— Quand elle était petite fille.

Il y avait dans son comportement une ferveur qui me mit mal à l'aise et je me demandai un instant si les événements des deux dernières semaines ne l'avaient pas déstabilisée. Avant que je puisse répondre, elle fit le tour de la table et me prit la main. C'était la première fois qu'elle faisait une chose pareille et je fus trop sidéré pour résister.

— Venez, Michael. Je veux vous montrer quelque chose.

Elle me conduisit au premier étage en me serrant la main comme un étau, et par instants j'avais l'impression qu'elle me remorquait. Nous arrivâmes à l'entrée d'un large couloir avec des fenêtres d'un côté et des portes en bois toutes simples de l'autre. Elle ouvrit la première, s'écarta pour me laisser passer.

— Voilà.

Je m'immobilisai sur le seuil, soudain conscient de ne pas avoir envie de voir cette pièce aujourd'hui.

— Oh, ne reculez pas maintenant. Pas après avoir fait tout ce chemin.

Elle me prit le bras, me poussa à l'intérieur.

Une chambre toute simple, claire, petite, avec une étroite cheminée en fer forgé et un plafond mansardé. Un vieux lit d'une personne, nettement ouvert. Un panier en osier plein de jouets en peluche. Une coupe d'un championnat scolaire sur le manteau de la cheminée.

— On voit le fleuve de la fenêtre, dit Margot. Elle aimait le regarder.

Oui, Caitlin m'en avait parlé. Je l'imaginais, petite fille blonde aux grands yeux, assise sur ce lit pendant des heures, contemplant le clair de lune jouant sur l'eau, perdue dans cette grande maison sombre comme une princesse dans une tour. Je fis un pas vers la fenêtre, m'arrêtai : il y avait trois photos encadrées sur l'appui de fenêtre, et sur le mur, à côté de l'une d'elles, un calendrier dont on avait barré des blocs de jours avec un feutre de couleur.

Je fus envahi d'un sentiment de malaise que je ne parvins pas à localiser, quelque part dans mon ventre. C'était une impression physique et distincte, comme le tressautement d'un muscle. Je pris l'une des photos. Moi, pendant une mission récente en Bosnie. Les yeux cachés derrière des lunettes de soleil, je riais, accroché à la cabine d'un camion, faisant signe à l'objectif. Les deux autres photos me représentaient également, prises l'année précédente. Le calendrier était de l'année et les blocs de jours correspondaient à mes séjours à l'étranger. La date originelle du retour du Venezuela avait été barrée, remplacée par un point d'interrogation. La sensation de vide grandit dans mon ventre.

— Ces deux dernières années, chaque fois que vous partiez, elle venait passer une nuit ou deux ici, expliqua Margot. Quelquefois plus. Et je l'entendais sangloter dans cette chambre. Votre épouse qui *comprenait*.

Je fixai la photo que j'avais dans la main.

— Elle ne m'en a jamais rien dit.

— Bien sûr. C'était son devoir.

Je reposai la photo sur l'appui de fenêtre. Dehors, des barrières de nuages — gris dessus, doublés d'or à leur

216

base, là où le soleil couchant les touchait — se formaient au-dessus des pentes boisées.

— Qu'est-ce que j'ai à me reprocher, Margot?

Elle parut hésiter à me faire une réponse franche.

— Vous nous écrasez, dit-elle enfin. Vous nous paralysez.

— Vous?

— Moi. Caitlin. Vous piétinez la vie qui est en nous. Les hommes comme vous, comme Edward. Vous nous étouffez avec votre foutue protection incessante. Vous partez pour les croisades en nous laissant comme des châtelaines. Payer les serviteurs. Entretenir le feu du foyer.

— Rien à voir, même de loin, avec Caitlin et moi, me défendis-je.

— Cela se passe toujours comme ça. Avec Edward, c'était l'Italie et la Corée, puis la Malaisie. Vous, c'était la Turquie, l'Afrique, l'Amérique du Sud : ces trous perdus où vous allez toujours pour pouvoir jouer au sauveur.

Elle détourna les yeux, regarda par la fenêtre argentée.

— Vous savez, quand j'étais jeune fille, je voulais enseigner. L'histoire et l'anglais. Vraiment. J'avais obtenu les diplômes. Un poste m'attendait. Une petite école de village à Brightwell, dans le Kent. Ç'aurait été ma grande aventure. Aucune femme de ma famille n'avait jamais eu de métier. Je n'étais jamais allée où que ce soit seule. Pour ce que je savais de la vie hors de Londres, Brightwell aurait aussi bien pu être à côté de Singapour. J'avais même acheté mon billet, je l'ai encore quelque part.

Sa voix se durcit.

— Et puis j'ai rencontré Edward. Naturellement il n'a pas voulu en entendre parler et j'ai dû m'incliner. Il était beaucoup plus âgé que moi, il avait beaucoup plus d'expérience, mais ce n'était pas la vraie raison. La vraie raison, c'était que je l'aimais. Je ne pouvais pas gagner contre lui, je ne pouvais pas même me battre, parce que je l'aimais. Exactement comme Caitlin ne pouvait se battre contre vous.

— Mais je ne me suis jamais opposé à elle. Je n'ai jamais fait obstacle à ce qu'elle voulait...

— Quel imbécile vous faites! rétorqua-t-elle. Imbéciles et sans imagination, tous autant que vous êtes. Qu'est-ce qu'elle voulait? Vivre avec vous, voilà ce qu'elle voulait.

Inconsciemment, peut-être, elle toucha le couvre-lit, en lissa le tissu du plat de la main.

— *Vivre*. Pas être traitée comme une geisha.

— Margot, j'aurais fait n'importe quoi pour Caitlin. N'importe quoi.

— Oui, dit-elle en relevant les yeux. Sauf avoir besoin d'elle.

Je n'arrivais pas à détacher mon regard de ces photos. Sur chacune d'elles, je riais. Sur chacune d'elles, j'étais totalement, scandaleusement heureux.

— Elle vous aimait plus que tout au monde, vous savez, murmura Margot. Ne l'oubliez jamais, ou elle vous aura aimé pour rien.

J'entendis ses pas sur le plancher du couloir puis dans l'escalier. Je savais qu'elle ne souhaitait pas que je la suive, cette fois. Quand le silence revint, je parcourus la chambre, passant d'un objet à un autre : des cocardes poussiéreuses que Cate avait gagnées à un gymkhana, dans son enfance, une photo d'identité jaunie glissée dans le cadre d'un miroir. Je peux peut-être la faire revenir en la touchant, pensai-je. Je l'imaginai apparaissant dans l'ombre du miroir, pâle comme un linge, tendant vers moi une main ressemblant à une poignée de bâtons.

Je m'assis sur le lit et fermai les yeux. Les ressorts du sommier grincèrent sous moi.

Au bout d'un moment, j'éteignis la lumière, sortis de la chambre et refermai doucement la porte derrière moi. Je retournai dans la vaste salle à manger. Margot n'y était pas, mais des géraniums écarlates jonchaient la longue table à côté d'un vase en verre taillé, comme si elle avait été dérangée alors qu'elle s'apprêtait à arranger son bouquet. L'odeur âcre des tiges coupées flottait dans la pièce. Le portfolio était resté à l'endroit où je l'avais laissé. Je le passai à mon épaule et sortis par la porte de derrière dans le soir tombant.

La nuit serait agitée; le vent faisait déjà gémir les arbres. Je fis halte au coin de la maison, regardai la terrasse par-dessus mon épaule. Le gazon mouillé était éclairé par la lumière jaune des fenêtres de la pièce que Caitlin avait refaite au cours de visites dont je n'avais rien su. Son père y était assis, tentant peut-être de rassembler les fragments éparpillés de sa mémoire avant qu'ils ne s'enfuient à jamais, emportés par un vent plus violent encore que celui qui me giflait. J'éprouvai une bouffée de commisération pour ce vieillard qui luttait afin de garder un sens à un monde qui perdait sa cohérence un peu plus chaque jour.

Comme je me dirigeais vers ma voiture, garée sur la droite, j'aperçus une autre lumière devant moi, entre les arbres. Je compris qu'elle provenait de l'ancien local du générateur devenu l'atelier de Caitlin. Je sus que c'était un signal qui m'était adressé et, quittant l'allée, je m'engageai dans les broussailles humides. La porte était entrouverte. Je la poussai du bout du doigt, entrai. L'endroit avait à peine changé depuis la seule et unique fois où je l'avais vu : le chevalet au centre de la pièce, des dessins et des aquarelles accrochés aux murs. Je laissai la porte se refermer derrière moi. L'atelier semblait secret et sûr dans cette lumière dorée, avec les branches qui grattaient le toit et la pluie qui cinglait les fenêtres.

— Caitlin n'a jamais amené personne d'autre ici, dit Margot.

Assise sur un tabouret près de la banquette de la fenêtre, elle paraissait plus vieille et plus menue que dans la maison et s'exprimait avec plus de douceur.

— Elle ne m'a jamais parlé de personne d'autre non plus, ajouta-t-elle. Je tiens à ce qu'il n'y ait aucun doute dans votre esprit à ce sujet.

— Merci.

Je fis le tour de la pièce basse comme je l'avais fait la première fois, examinant dessins et peintures, surpris et charmé comme je l'avais été, des années plus tôt, par leur force et leur hardiesse.

— Ils sont tous nouveaux, commenta Margot. Edward avait vraiment brûlé les autres, ce jour-là.

— Quand avait-elle recommencé?

— Après la seconde attaque d'Edward. Il y a près de deux ans.

— Vous en avez parlé à la police?

— Je ne sais rien qui pourrait l'aider. Qu'on me laisse au moins garder quelques souvenirs pour moi.

Elle soupira, promena le regard sur le petit atelier et reprit :

— Je ne sais pas ce qui l'a décidée à reprendre. Je n'osais pas lui poser la question, de peur de la faire fuir de nouveau. Peut-être parce que Edward ne pouvait plus l'en empêcher. Peut-être parce qu'elle souhaitait une sorte de réconciliation. Elle était très bonne avec lui quand elle venait ici.

— Pourquoi ne m'a-t-elle rien dit?

— Il y avait beaucoup de choses qu'elle nous cachait. Elle ne m'avait même pas parlé de notre petit-fils ou petite-fille. Qui est maintenant réduit en fumée et en cendres. Comme elle.

L'image me choqua, et Margot dut s'en apercevoir car elle ajouta :

— Je ne veux pas être cruelle, Michael, mais vous n'êtes pas le seul concerné.

Je laissai de nouveau mon regard errer sur les dessins ; un vieil homme penché au-dessus d'une pinte dans un pub, des canards sur une mare, un bosquet de sapins.

— Comment tout cela a pu arriver, vous en avez une idée ? Comment cela a pu commencer, même ?

— Nous avons eu Caitlin très tard, vous savez.

Je me demandai si elle avait entendu ma question, mais elle poursuivit :

— C'était moi qui voulais un enfant. Je ne sais pas si Edward en avait envie, pour être franche. Il avait déjà plus de quarante-cinq ans. Alors, je ne lui ai pas laissé le choix. C'était mal, je suppose, mais je voulais désespérément quelque chose à moi. Quelque chose d'important. Quelqu'un qui aurait besoin de moi. Etait-ce si monstrueusement égoïste ?

Incapable de soutenir son regard, je détournai les yeux. Si je ne l'avais pas fait, je n'aurais peut-être pas remarqué le dessin fixé au mur par une punaise, près de la porte. Je m'approchai, l'examinai attentivement sans savoir pourquoi au début, hormis qu'il était différent des autres. Un dessin d'enfant au crayon bleu. Une maison avec deux fenêtres à peu près carrées, divisées en carreaux comme une génoise. De la fumée montant en volutes d'une cheminée branlante. Des arbres avec un bâton en guise de tronc, des boules de coton pour feuillage. Une machine avec des roues et des piques devant. Une ferme. La ferme du dessin de Caitlin, mais une version enfantine, touchante par sa vigueur maladroite.

Le dessin avait été fait sur une feuille de photocopieuse de format standard. Je le détachai, le retournai et lus, écrit au crayon en majuscules grossièrement tracées : *J'AI SENTIS LE GOÛT DE TON ABSENSSE ET IL EST AMÈRE.* Cela ressemblait à une citation laborieusement et inexactement recopiée. Dessous, une signature en script aux lettres à peine jointes : *B. Carrick.*

Je posai la feuille sur la banquette devant Margot.

— Elle l'avait accroché là il y a un bon moment. Un cadeau, sans doute. Quelque chose qui avait une signification particulière pour elle...

— Vous ne savez pas d'où il vient?

— On dirait le genre de dessin qu'un enfant offre à sa maîtresse d'école...

Je montrai la signature au verso.

— Qui est B. Carrick? demandai-je, avec plus de brusquerie que je ne l'avais souhaité.

— Comment le saurais-je?

— Ou Angie Carrick? Vous avez déjà entendu ce nom?

— Michael, je vous le dirais si je le savais!

Je pliai le dessin, le glissai dans la poche de ma veste et y sentis un autre morceau de papier. La carte gribouillée jointe au bouquet de Julie Clarke. Julie Clarke, du centre de York Road. Elle avait parlé d'élèves : les élèves et le personnel. Debout près des fenêtres, je regardai la pluie ruisseler sur le laurier noir.

— Qu'est-ce que vous allez faire? me demanda Margot. De votre vie?

— J'ai la possibilité de partir à l'étranger. Avec une amie.

— Où ça?

— Dans un autre trou perdu où je pourrai jouer au sauveur, répondis-je, surpris par l'amertume de ma voix.

— Vous avez sans doute raison. Vous ne pouvez plus rien faire pour Caitlin, à présent.

Je regardai une dernière fois l'atelier baignant dans une lumière douce, touchai le dessin plié dans la poche de ma veste.

— Elle voulait que je la trouve. Elle me l'a dit, un jour.

Margot se leva et contempla l'enchevêtrement des sous-bois.

— Si vous y arrivez un jour, Michael, vous me direz peut-être où elle est.

17

Le lendemain matin apporta une de ces journées londoniennes mornes, humides et faites pour le travail, ce qui convenait parfaitement à mon humeur.

J'appelai les renseignements, essayai diverses combinaisons des mots York, Road et centre, et il ne me fallut pas plus d'une demi-heure de recherches et de coups de téléphone pour dénicher celui dont une certaine Julie Clarke était la directrice. L'adresse ne me donna aucune indication. Le centre de York Road se trouvait à Streatham, un quartier du sud de Londres qui m'était complètement inconnu. Je ne voyais pas quel lien Caitlin avait pu avoir avec cet endroit. Je me fis un café noir et consultai le plan de la ville en écoutant le vent de novembre malmener les arbustes dans le jardin. Quand je fus prêt, je glissai le dessin dans la poche de ma veste et allai à ma voiture.

La traversée de la ville me prit plus d'une heure, mais je trouvai assez facilement le centre, un bâtiment bas en forme de L, de couleur bistre, un peu en retrait de Streatham High Street, dans un entrelacs de rues sinistres pas encore touchées par la rénovation. Il était abrité par un mur coupe-vent qu'un chauffard quelconque avait à moitié démoli en faisant marche arrière. Il y avait des barreaux aux fenêtres, des graffitis sur la brique, et là, sous le crachin, l'endroit faisait penser à un de ces lugubres bâtiments officiels de l'ancien bloc de l'Est. Je me garai de l'autre côté de la rue, traversai les voies où les voitures passaient dans un chuintement continu, franchis les doubles portes et pénétrai dans un hall flanqué de tableaux d'affichage et d'extincteurs.

A l'intérieur, l'atmosphère était gaie, animée, les tableaux couverts d'affichettes et d'annonces proposant des leçons de langue, des conseils juridiques, des chambres à louer, des cours de yoga, des cures de désintoxication. Dans une pièce sur ma droite, on entendait les bruits d'un cours de gymnastique. La professeur scandait les mouvements d'une voix à la fois stridente et rythmée qui me parut familière.

Le plancher tremblait un peu et, même dans le hall, on sentait une faible odeur de transpiration et de serviettes pas très propres. A gauche, deux autres doubles portes s'ouvraient sur une cantine, une vaste salle meublée de tables en contreplaqué et éclairée par une rangée de lucarnes grises de suie. Je m'avançai, reniflai une odeur de café frais, de gingembre et de poulet. Derrière le comptoir, une Antillaise en tablier préparait le repas en fredonnant. Sa planche à découper était couverte d'herbes finement hachées.

— Vous voulez quelque chose, trésor? Sauf que normalement, on est pas encore ouvert.

— Julie. Je cherche Julie Clarke.

— C'est sa classe qu'on entend.

Elle eut un mouvement de tête en direction des ahans et des claquements de basket, puis m'examina franchement de la tête aux pieds.

— Mais vous avez pas l'air parti pour faire de l'exercice aujourd'hui, hein?

Elle eut un rire qui secoua son ventre.

— Vous avez eu une nuit agitée, hein, trésor?

Je ne m'étais pas rasé et je me demandai quel genre d'impression je donnais. Crevé et un peu dingue, supposai-je.

— J'attendrai, dis-je.

— D'accord, elle en a pas pour plus de dix minutes. Brenda vous sert un café quand elle a fini.

Je mis un instant à comprendre qu'elle parlait d'elle-même.

— Merci, ça ira, déclinai-je.

Mais, une fois que je me fus assis à l'une des tables, Brenda m'apporta quand même un café. J'eus soudain une envie quasi irrépressible de l'interroger au sujet de Caitlin. Cate s'était peut-être appuyée à ce comptoir, elle avait peut-être plaisanté avec cette femme généreuse, bu son café, mangé son poulet au gingembre. Ici, dans cette autre vie. J'éprouvais un sentiment de rejet presque insupportable.

— Ça va, vous êtes bien, là? s'enquit Brenda.

Avant qu'elle puisse m'offrir un peu plus de son amabilité bienveillante, les portes s'ouvrirent, la salle fut envahie de femmes mûres en tenues de gymnastique criardes, riant, bavardant, se bousculant. Brenda battit en retraite derrière le comptoir, en baissa le rabat comme un pont-levis. Au bord du groupe, j'entrevis Julie Clarke en short et tee-shirt bleus. Brenda lui fit signe et les deux femmes regardèrent dans ma direction, Brenda pleine de sollicitude, Julie étonnée. La prof de gym fendit la foule en direction de ma table.

— Michael, vous êtes bien la dernière personne que je m'attendais à voir ici aujourd'hui!

Après une pause, elle reprit :

— Ou n'importe quel autre jour, en fait.

— J'imagine.

Elle me considérait d'un air à la fois troublé et agressif. La sueur avait assombri son tee-shirt autour du cou et aux aisselles, et je sentais la chaleur dégagée par son corps trapu. Elle se tamponna le visage avec la serviette drapée sur ses épaules.

— Vous avez l'air mal foutu, fit-elle observer. Ça va?

— J'ai quelque chose à vous demander.

Elle repassa en mode professionnel, jeta un coup d'œil à sa montre.

— Je prends une douche rapide, je suis à vous tout de suite.

— Je préférerais maintenant.

Elle était agacée par mon insistance mais incapable de la décourager. Après un claquement de langue, elle capitula :

— Bon, venez.

Elle me précéda dans le hall, poussa une porte faisant face à la salle de gymnastique. Je la suivis dans une petite pièce défraîchie, avec un bureau métallique rayé coincé entre deux classeurs verts. Sur le plateau du bureau, d'une propreté clinique, un modèle réduit de Bugatti en bronze était garé devant la photo floue d'une femme, cheveux châtains et yeux de biche. Sur le mur, la photocopie d'une pancarte lançait cette mise en garde : *Nous continuerons à administrer le fouet jusqu'à ce que la moralité s'améliore!* Julie passa derrière le bureau et s'assit, frotta ses cheveux hérissés avec la serviette, me désigna la seule autre chaise.

— Nous sommes bouleversés, pour Caitlin, annonça-t-elle. Tous. J'ai probablement fait une remarque déplacée, hier, mais je tenais à ce que ce soit clair pour vous. J'imagine ce que vous devez ressentir.

— Merci d'être venue. A l'enterrement. Ça m'a touché.

— Vraiment? fit-elle, redressant la tête. Même sans savoir qui j'étais?

Je pris une inspiration.

— J'essaie justement de comprendre comment tout ça est arrivé. C'est la raison pour laquelle j'ai besoin de savoir ce que Caitlin faisait ici.

Elle cessa de sécher ses cheveux.

— Apparemment, ça ne vous intéressait pas beaucoup, avant.

— Ça m'intéresse beaucoup, maintenant.

— Et ça servira à quelque chose?

— Je l'espère.

Elle démarra comme si j'avais pressé une détente sensible.

— Ça servira à quelque chose pour *vous*, dit-elle en abattant la serviette sur la surface du bureau. Si vous aviez montré un peu d'intérêt pour ce que nous faisons ici, pour ce que Caitlin faisait, essayait de faire, vous auriez peut-être su quelle personne extraordinaire elle était, sans avoir à venir fouiner ici maintenant que c'est trop tard!

Elle se ressaisit, soudain consternée par ce qu'elle venait de m'assener, et recommença à frotter furieusement ses cheveux.

— Je ne veux pas attiser votre chagrin, Michael, mais venir maintenant... Caitlin a travaillé ici deux ans. En deux ans, vous n'êtes pas venu une fois. Pas une seule fois.

— Je ne savais pas qu'elle travaillait ici.

— Vous ne le saviez pas? Vous le saviez forcément.

Je secouai la tête.

— Jusqu'à hier je n'avais jamais entendu parler du centre ni de vous.

Julie garda un moment le silence puis reprit :

— D'accord. Elle enseignait. Elle avait commencé par deux cours d'alphabétisation par semaine, essentiellement pour des immigrés.

— Elle enseignait l'anglais ?

— Alphabétisation, répéta-t-elle, agacée de mon ignorance. Apprendre à lire et à écrire. A toutes sortes de gens, mais surtout à des immigrés. Au début, elle n'était pas très bonne. En fait, elle ne l'est jamais devenue. Je pense qu'avant de venir ici elle n'avait jamais rencontré quelqu'un qui ne sache ni lire ni écrire. Mais elle avait tellement envie d'aider que c'était... contagieux. Ça nous dynamisait tous. Par la suite, elle a assuré les visites avec moi ou quelqu'un d'autre. Les personnes âgées, les centres d'accueil pour femmes, les hôpitaux, les prisons...

— Elle faisait tout ça ?

— Oui, Michael, elle faisait tout. Elle n'était pas très bonne pour ça non plus, ça l'affectait trop. Elle avait eu une enfance protégée. Je suppose que vous le savez. Mais elle apprenait. Et jamais, jamais elle n'arrêtait d'essayer.

Elle passa une main dans ses cheveux courts, poursuivit :

— Pour certains ici, c'était une sainte. Ils ne penseront jamais ça de moi, quoi que je fasse. Il y avait quelque chose de spécial chez Caitlin. Et vous savez quoi, Michael ?

Elle leva son visage carré d'un air de défi pour me montrer qu'elle était prête à reconnaître ses propres erreurs.

— Je n'ai jamais cru qu'elle tiendrait. La femme d'un chirurgien, fringues de luxe et bonnes intentions... Mais vous auriez dû la voir...

— Je regrette de ne pas l'avoir vue, dis-je. Je le regrette sincèrement.

Peut-être prit-elle cela pour des excuses, peut-être s'était-elle soulagée en exprimant sa rancœur, en tout cas elle perdit une partie de son agressivité.

— J'ai bien cru que nous ne nous en remettrions jamais, quand elle est partie.

— Elle a cessé de venir?

Elle me regarda d'un air hésitant.

— Ben, oui.

— Quand?

— Je ne sais pas. Il y a sept, huit mois, peut-être plus. Elle passait encore de temps en temps pour nous aider, mais elle disait qu'elle avait trop de choses à faire à la maison.

Après une pause, Julie rectifia :

— En fait, elle disait que vous n'aimiez pas qu'elle vienne ici.

Je tirai le dessin de ma poche, le dépliai sur le bureau.

— Ça vous dit quelque chose?

Je vis ses mâchoires se crisper : elle n'aimait pas être interrogée, mais me sentait trop près d'éclater pour risquer de m'envoyer paître.

— Non. Qu'est-ce que c'est?

Je retournai le dessin mais couvris de ma main la signature. Elle fronça les sourcils.

— Qu'est-ce que vous voulez que ça me dise?

— J'ai trouvé ce dessin dans les affaires de Caitlin. Est-ce que l'un des élèves du centre aurait pu le faire? Le lui donner?

Devinant où cela pouvait nous mener, Julie ouvrit la bouche pour répondre, mais, avant qu'elle puisse parler, j'ôtai ma main de la signature.

— Oh.

— Qui est B. Carrick?

Elle prit le dessin, l'inclina vers la lumière.

— Qui est B. Carrick, Julie? Et Angie Carrick, tant qu'on y est.

— Je ne connais aucune Angie Carrick mais je me souviens de lui. Bernie, c'est ça? Non, non. Barney. Il insistait pour qu'on l'appelle Barney. Il y a un an et demi environ. Un gars du Nord. Beau gosse, si vous aimiez ce genre-là.

— Il est toujours dans le coin?

— Oh non. Il n'est venu qu'une semaine ou deux. Je crois qu'il a trouvé un boulot à l'étranger, quelque chose comme ça.

Elle me rendit le dessin, parut soudain comprendre.

— Oui, c'est ça : les élèves font souvent des petits cadeaux aux profs. Ils sont si fiers de ce qu'ils ont appris. Des vrais gosses.

— Caitlin n'a rien gardé d'autre qui provienne d'ici.

— Ça ne veut rien dire. Ce type n'a fait que passer. Comme les autres. Ça n'arrête pas de défiler, ici. Je l'ai remarqué uniquement parce que les filles du bureau s'extasiaient devant lui.

Elle se leva, ouvrit le tiroir d'un des classeurs, chercha quelque chose.

— Voilà...

Elle posa sur le bureau un dossier en carton jaune, l'ouvrit. Il contenait une liste de noms imprimée par ordinateur.

— Bernard John Carrick. Avril de l'année dernière. Il s'est bien inscrit au cours de Catey, mais il n'y a assisté que deux fois, d'après ce dossier. Ensuite, il est parti et n'est jamais revenu.

— Vous avez une adresse?

— Nous sommes obligés, pour notre financement.

Elle traça une ligne du doigt dans le dossier, émit un grognement.

— Je crois pas que celle-là nous aurait servi à grand-chose...

Elle tourna la feuille pour que je puisse lire l'adresse qui y était écrite : *Indian Mutiny, Mason Park, Bradford.*

— Sûrement le nom d'un restaurant qu'il connaissait, expliqua-t-elle. Certains de ces types sont vraiment cachottiers. Pour échapper au fisc ou aux flics, ils mettent le premier nom qui leur passe par la tête.

Je quittai le centre et traversai la chaussée mouillée pour retourner à ma voiture, posai le dessin grossier sur le siège à côté de moi. La pluie tambourinait sur la carrosserie de l'Audi. J'interrogeai les renseignements avec mon portable, obtins un numéro pour le restaurant Indian Mutiny à Bradford, trouvai sans trop de problème le nom de la rue. J'appelai. Un homme âgé, avec un accent à la Peter Sellers, décrocha.

— Je cherche à joindre M. Carrick, annonçai-je.

— Elle est pas arrivée.

— Elle?

— Angela. Elle travaille, aujourd'hui. Elle vient ici à quatre heures.

Après une pause, l'homme s'enquit :

— C'est de la part de qui, s'il vous plaît?

— Je rappellerai, dis-je en coupant la communication.

Je restai un moment sans bouger, les mains sur le volant, regardant la pluie onduler sur le pare-brise jusqu'à ce qu'un coup frappé à la vitre, près de mon oreille, me fasse sursauter. J'entrevis un pan d'uniforme noir et jaune, le visage mal luné d'une femme sous une casquette dégouttante d'eau. Je fis un signe de la main pour montrer que j'avais compris et démarrai.

18

Je quittai la route glissante pour pénétrer dans la friche industrielle qui s'étendait au sud de Bradford et me perdis aussitôt dans une enfilade de terrains d'usine. Des voies en blocs de béton bordées de bâtiments bas délabrés, des portes roulantes, des camions garés sur des parkings à l'abandon, un dépôt d'autobus derrière une clôture en grillage, une haute cheminée en brique d'un autre âge ici ou là. Dans le froid de fin d'après-midi, une brume blanchâtre recouvrait la haute lande, à l'est. Les collines lointaines semblaient barbouillées sur une toile de fond. Ici, en bas, l'air empestait le gazole et les ordures mouillées. Je parvins à une longue route droite qui suivait une voie ferrée en passant devant d'interminables rangées de wagons rouillés décorés de graffitis. Je tournai à droite sous un viaduc en brique et pénétrai dans la cité. Mason Park.

Les maisons, toutes semblables, étaient des bâtisses victoriennes étroites précédées de minuscules jardins bordés de troènes et envahis de mauvaises herbes. Des bric-à-brac ménagers étaient empilés contre les clôtures. Un groupe de gamins tapait dans un ballon de football de l'autre côté de la rue. J'entendis un coup sourd sur l'aile arrière de l'Audi quand je passai et vis dans le rétroviseur les gosses au milieu de la chaussée derrière moi, leurs petits visages durs brillant de malice. J'arrivai à un croisement en forme de T avec une rue plus large, une plaque indiquant qu'il s'agissait de Mason Park Road.

J'avais pensé que l'Indian Mutiny me sauterait aux yeux une fois que je serais sur place, mais ce n'était pas le cas et je ne savais pas ce que je devais chercher. Il y avait un pub sur la gauche et, quelques mètres plus loin, un petit groupe sur le trottoir. J'entendis un verre se briser dans le caniveau et deux hommes commencèrent à échanger des coups de poing maladroits. Ils reculèrent sur la chaussée et je dus m'arrêter pour ne pas les renverser.

Pendant que la bagarre se déroulait, tout en insultes et grands moulinets, une voiture de police approcha par l'autre bout de la rue. Quatre agents en descendirent et la foule battit en retraite vers le pub avec des cris hostiles. Les policiers ne la suivirent pas mais ne partirent pas tout de suite non plus. L'un d'eux repéra l'Audi, la considéra pensivement puis se dirigea vers moi. Je baissai ma vitre. Costaud, la quarantaine, il portait un anorak fluorescent. Il s'arrêta, recula d'un pas, regarda de nouveau l'Audi dont l'aspect neuf l'intriguait visiblement.

— Vous êtes sûr que vous vous êtes pas trompé de quartier, monsieur?

Il avait forcé sur son accent pour que le dernier mot ressemble à une insulte.

— Je cherche un restaurant, répondis-je. L'Indian Mutiny.

— On dirait que vous vous êtes pas trompé, finalement.

Il posa les mains sur le bord de la fenêtre et se pencha.

— C'est chez Hukum, le Mutiny. Première à droite, deux cents mètres plus bas.

— Merci.

Je tendis le bras pour relever la vitre, mais il ne bougea pas et continua à inspecter l'intérieur en cuir de l'Audi, avec mépris, me sembla-t-il. Ou peut-être était-ce moi qu'il regardait.

— Si j'étais vous, j'éviterais la bouffe paki, ce soir.

— Pourquoi?

— Suivez mon conseil et tirez-vous d'ici, avec votre belle voiture toute neuve, O.K.?

Il me congédia d'un signe de tête et s'éloigna.

Le restaurant se trouvait au milieu d'une morne succession de boutiques retranchées derrière un large trottoir. Dans la rue, un colosse en costume traditionnel et sandales de plastique repliait les volets en fer qui protégeaient les fenêtres. J'arrêtai la voiture, descendis. L'homme se retourna, nous regarda, l'Audi et moi, avec la même expression que le policier. Gigantesque, il faisait au moins une tête de plus que moi et sa barbe bleu-noir luisait dans la lumière de l'après-midi. Lorsque je m'avançai pour lui parler, il s'éloigna comme s'il ne m'avait pas vu et continua à s'occuper de ses volets, me laissant planté sur le trottoir.

— Oui? C'est pour quoi?

L'autre homme était plus âgé et beaucoup plus petit, torse maigre d'employé de bureau pris dans une veste chatoyante. Il avait un visage rond, des lunettes à monture métallique, et il s'essuyait les mains à un torchon sur le pas de la porte. Je crus reconnaître la voix à la Peter Sellers entendue au téléphone.

— Vous êtes le patron?

— C'est exact. Hukum, oui.

— Je cherche Angie Carrick.

Son expression ne changea pas mais je vis ses yeux m'inspecter de la racine des cheveux aux orteils. Je remarquai que l'énorme barbu n'était pas allé loin et s'affairait sur l'un des volets comme s'il était bloqué.

— Et vous êtes, s'il vous plaît? voulut savoir Hukum.

— Un de ses amis.

Il m'examina de nouveau d'un air dubitatif, lança le torchon à l'intérieur. Sans réfléchir, j'ajoutai :

— Elle est venue me voir à Londres.

Le barbu cessa de tripoter ses volets et nous rejoignit, se plaça délibérément tout près de moi. Hukum lui lança quelques mots en urdu, sur le ton qu'on utiliserait pour renvoyer à sa niche un chien méfiant. Le géant passa devant nous, entra dans le restaurant. Il ne faisait aucun bruit en marchant.

— Angela est comme une fille pour moi, déclara Hukum en me fixant derrière ses lunettes.

De toute évidence, ce qu'il voyait ne lui plaisait pas.

— J'ai fait un long chemin pour lui parler. Vous ne pouvez pas simplement la prévenir que je suis là?

— Elle est allée au canal de Wharf Street, finit-il par répondre. Chercher le vieux monsieur. Son oncle Stanley.

— Comment on y va?

— Ce n'est pas bon pour elle d'aller là-bas. Je l'en ai avertie très souvent, mais elle est têtue.

— Je veux bien vous croire.

— Il y a des problèmes tout le temps, là-bas. Des bandes, des bagarres, des voleurs.

— J'irai la chercher, si vous me dites où est le canal.

Hukum ne me faisait manifestement pas confiance, peut-être parce que j'avais parlé avec trop d'ardeur. Mais le soir tombait et il se faisait du souci pour la jeune femme. Finalement, sa peur prit le dessus et il m'indiqua rapidement le chemin.

— Je reviens tout de suite, promis-je.

— Sinon, de mon côté, j'appelle la police.

Le trajet me fit traverser toute la cité. Il régnait une étrange atmosphère dans les rues, et les rares personnes encore dehors paraissaient sur leurs gardes. Une femme en sari bleu pressait ses enfants de rentrer, tache de couleur sur le trottoir, mais elle disparut l'instant d'après comme un oiseau exotique envolé. Un vieil homme poussa une antique bicyclette dans un passage, referma la grille à clé derrière lui. Quelques-uns des réverbères s'allumèrent et ce fut soudain la nuit, une sinistre nuit d'hiver.

Je tournai dans Wharf Street. Des maisons de briques dressées au bord de la chaussée bordaient une forte pente qui descendait vers le canal. La moitié d'entre elles étaient condamnées par des planches et le reste n'avait plus de carreaux aux fenêtres de devant. Je n'aurais su dire si elles étaient habitées ou non. En bas de la rue, une palissade en tôle ondulée était couverte d'obscénités tracées à la bombe. Plusieurs plaques métalliques étaient défoncées, et par la brèche je pouvais voir l'éclat de l'eau et la falaise en brique d'un mur d'usine sur l'autre berge.

Elle se tenait au bord du canal, me tournant le dos, la main en visière, regardant dans une direction puis dans l'autre. Elle était vêtue d'un jean et d'un blouson de cuir. Ses cheveux tombaient sur ses épaules et, même de dos, elle semblait plus jeune que dans mon souvenir. Elle ne m'entendit pas me garer, descendre de voiture, claquer la portière et appuyer sur le boîtier de fermeture à distance. L'alarme émit alors un bip qui la fit se retourner. Elle se raidit en me voyant, croisa les bras sur sa poitrine. Je me glissai par le trou de la palissade, m'engageai sur le chemin de halage embroussaillé. Un vent froid soulevait ses cheveux et ridait la surface de l'eau.

— Vous auriez pas dû venir, me dit-elle.

— Je voulais m'excuser.

La ligne de sa bouche se durcit.

— Et?

— Et il faut qu'on parle, Angie. Vous le savez.

— Comment vous m'avez trouvée?

— Peu importe. Il faut qu'on parle.

— Pas maintenant. Laissez-moi tranquille.

Je m'approchai d'elle.

— Angie, qui est Barney Carrick?

Son visage se ferma dans l'effort qu'elle fit pour cacher sa surprise.

— Dites-le-moi, vous, répliqua-t-elle.

Elle ferma son blouson, détourna la tête.

— Qui est-ce, Angie? insistai-je en lui prenant le coude. Vous pouvez au moins me dire ça.

Elle se dégagea, fit quelques pas sur le chemin de halage. Elle baissa la tête pour se protéger d'une rafale de vent et rassembla ses cheveux d'une main.

— « J'ai senti le goût de ton absence et il est amer »! lançai-je à sa silhouette qui s'éloignait.

Elle s'immobilisa et se tourna lentement vers moi.

— Qu'est-ce que c'est? demandai-je en la rejoignant. Des mots qu'il avait l'habitude de dire?

— Allez-vous-en, Michael.

Je tirai le dessin de ma poche, le lui montrai. Sa bouche s'entrouvrit.

— Pourquoi a-t-il envoyé ça à Caitlin?

Elle resta un moment sans voix, faisant aller son regard de mon visage au dessin puis du dessin à mon visage. C'était la première fois que je la voyais désemparée.

— Angie, je ne vous reproche rien de ce qui s'est passé. Je veux simplement savoir. Qui est Barney Carrick? Votre mari? Votre ex-mari?

238

— C'est mon frère, murmura-t-elle, les yeux dans le vague. Barney Carrick est mon frère.

— Et ça? demandai-je, montrant de nouveau le dessin. Qu'est-ce que ça veut dire?

— Vous le savez bien.

Je repliai la feuille, la remis dans ma poche.

— O.K. O.K.

Aussitôt elle se ressaisit.

— Ça ne vous avancera à rien. Allez-vous-en, maintenant.

— Vous vous attendez que je rentre chez moi comme s'il n'était rien arrivé?

— Il vaudrait mieux.

— Je ne peux pas. Et vous le savez.

Indécise, elle se mordit la lèvre, tendit soudain le bras.

— Mon oncle est là-bas, quelque part! s'écria-t-elle, comme si j'étais responsable de l'absence du vieil homme.

— Nous allons le retrouver, promis-je. Ensuite, nous parlerons.

— Non, Michael. Vous comprenez pas? Je peux pas vous parler.

— J'irai à la police si vous ne m'aidez pas.

— Allez-y. Faites ce que vous devez faire, mais laissez-moi.

Elle s'éloigna d'un pas rapide le long du canal, m'entendit probablement la suivre mais garda la tête baissée et ne se retourna pas. Le chemin passait devant des jardinets remplis d'orties et de briques. Une péniche à demi immergée gisait dans le canal, coque en fer rouillée embourbée dans la vase. Un vent froid projetait quelques gouttes de pluie sur mon visage, et dans les dernières lueurs du jour le reflet du ciel donnait à l'eau un teint laiteux. Devant nous, un pont barrait la vue. Je passai dessous à la suite d'Angie et, de l'autre côté, je découvris le vieil homme, assis sur une pile de traverses, tirant sur une pipe. Il portait un manteau brun élimé et une casquette plate graisseuse. Grand et maigre, il avait des cheveux blancs, une moustache tachée de nicotine. Je remarquai qu'il n'avait pas de chaussettes dans ses chaussures.

— Vieille canaille, lui dit Angie en s'approchant. Je me faisais du souci pour toi.

— C'est vrai, ma fille ? répondit-il en posant sur elle de grands yeux bleus.

Elle s'assit à côté de lui, glissa un bras sous le sien et pressa son visage contre le tissu du manteau brun, comme si elle pouvait oblitérer mon existence en refusant de me regarder. Gêné, je reculai d'un pas.

— Tu finiras par te perdre, vieux bandit.

L'oncle Stanley cligna des yeux, se tourna vers les ateliers abandonnés de l'autre berge.

— Ça fait près de soixante-dix ans que je viens ici, petite. Je devrais connaître mon chemin.

Il m'observa par-dessus la tête brune d'Angie et j'eus l'impression qu'il n'échappait pas grand-chose à ces yeux bleus. Il frappa sa pipe contre la traverse sur laquelle il était assis, en braqua le tuyau vers moi comme si j'étais un cheval à vendre au marché.

— Qui c'est, ton ami ?

— Je ne suis pas venu causer de problèmes, dis-je, me rendant aussitôt compte du caractère mélodramatique de ma déclaration.

— Ah oui ? fit le vieillard avec un intérêt nouveau. Vous êtes venu pour quoi, alors ? Admirer le paysage ?

— Je suis venu pour vous ramener en voiture, répondis-je sous le coup d'une inspiration.

240

— Vous êtes venu de la Grande Brumeuse ?

— De Londres, oui.

— Ça, c'est magnifique. Faire tout ce trajet pour ramener un vieux débris comme moi...

— J'avais d'autres raisons.

— Je m'en doute.

— Il faut y aller, maintenant, oncle Stanley, dit Angie.

Elle se leva, resserra le col de son blouson. La pluie tombait régulièrement à présent, poussée par le vent, et des gouttes étincelaient dans ses cheveux bruns. Elle continuait à ne pas me regarder.

— Tu risques pas de fondre, repartit-il. A moins que tu ne sois en sel, comme la femme de Loth.

L'oncle Stanley n'est pas un homme qu'on peut facilement bousculer, pensai-je. Il tendit un doigt vers le canal et expliqua :

— Les grenouilles. C'est surtout pour elles que je viens.

Je suivis des yeux la direction indiquée. La pluie granulait l'eau comme de l'étain. Un Caddie de supermarché dont les roues crevaient la surface avait pris dans son grillage des détritus détrempés, des morceaux de polystyrène, des bouteilles en plastique, des canettes de bière.

— Les usines, elles ouvrent, elles ferment, dit-il. La fabrique d'hélices, la tréfilerie et la forge à marteau-pilon... Mais les grenouilles, elles reviennent chaque année comme s'il s'était rien passé. Ce canal a été creusé en 1798. Vous le saviez ? Ça fait plus de deux cents ans qu'y a des grenouilles ici. Une paye, pour une grenouille. Sauf que les grenouilles touchent pas de paye.

Il regarda sa pipe comme s'il était étonné de la voir dans sa main, la rangea dans sa poche et ajouta :

— Mais p't-êt' que j'ai encore du brouillard dans la tête.

Angie se pencha et lui prit le bras.

— Viens, on rentre, maintenant. Tu ne devrais pas être dehors à cette heure-ci. Le quartier n'est plus sûr.

Elle l'aida à se mettre debout et nous fîmes au rythme du vieillard la dizaine de mètres que nous avions parcourus pour venir. Il s'arrêta, contempla l'eau stagnante et les bâtiments en ruine où il avait dû travailler, pendant un demi-siècle ou plus.

— C'est mieux dirigé au Pérou, marmonna-t-il en secouant la tête.

— Au Pérou? fit Angie, un peu agacée mais cherchant à lui faire plaisir. Comment c'est dirigé au Pérou, oncle Stanley?

— Je sais pas, ma fille. Mais bougrement mieux qu'ici, je parie.

Je les laissai s'éloigner de quelques pas puis les suivis. Quand nous fûmes à proximité de la voiture, je passai devant, déverrouillai les portes, ouvris celle de derrière et leur fis signe de monter.

— Vous ne voulez vraiment pas comprendre! me lança Angie d'une voix sifflante. On n'a pas besoin de vous ici. On n'a pas besoin de votre aide.

— Tu peux marcher si tu veux, petite, mais ça pisse dru, dit l'oncle.

Avant qu'elle puisse l'en empêcher, il se coula sur la banquette.

Je l'aidai à attacher sa ceinture. Je sentis Angie m'observer mais, le temps que je m'installe au volant, elle était déjà assise à l'avant, recroquevillée contre la portière, le visage détourné. Je démarrai.

— Belle bagnole, fit remarquer l'oncle dans le silence tendu.

Il se fit un peu rebondir sur la banquette et demanda :

— C'est une Super Snipe, hein?

— Une quoi?

Dans le rétroviseur, je le vis caresser le cuir du siège. Il passait un bon moment, semblait-il.

— Une Super Snipe. Monty[1] avait une Super Snipe, à Tobrouk.

— Commence pas, oncle Stanley, lui enjoignit sèchement Angie.

— Une sacrée tire, la Super Snipe, fit-il d'un ton songeur.

— Ce n'est pas une Super Snipe, l'informai-je.

— Celle de Monty était recouverte de peinture de camouflage, reprit le vieil homme au bout d'un moment. Sa Super Snipe, je veux dire. Elle était du tonnerre, avec cette peinture de camouflage, ah! ça oui.

— Ce n'est pas une Super Snipe, répétai-je plus fort.

— Non?

— Non. C'est une Audi.

L'oncle Stanley regarda autour de lui avec un intérêt accru.

— Une chignole yankee, alors?

Je m'arrêtai devant la porte du restaurant. Les fenêtres étaient éclairées et la salle commençait déjà à se remplir. Angie descendit sans un mot, ouvrit la portière arrière, aida son oncle à sortir, lui prit le bras et l'entraîna vers le restaurant. Sur le seuil, elle se retourna vers moi.

— Vous ne me suivez pas ici. Vous auriez des ennuis, je vous préviens.

Sans attendre que je proteste, elle entra, guida le vieil homme entre les tables et lui fit franchir une porte qui devait conduire aux cuisines. Je la suivis quand même. La salle longue et sombre sentait l'oignon et les épices. C'était un endroit assez modeste, avec un comptoir pour

1. Le maréchal Montgomery. *(N.d.T.)*

les plats à emporter, quelques tables aux nappes tachées de safran, mais la lumière douce des appliques murales et un fond sonore de sitar le rendaient accueillant et même intime après la rue morne.

Des conversations en urdu, gujarati et anglais résonnaient dans la salle à moitié pleine. Au fond, Hukum, en costume de ville rutilant, servait à une table, à l'aide d'un chariot incroyablement surchargé de petits plats en métal. Il me jeta un coup d'œil, avec la même expression méfiante. Je traversai la salle comme Angie l'avait fait, mais, du coin de l'œil, je surpris un geste de Hukum — un signal, peut-être — et un jeune serveur pakistanais me barra le passage.

— Elle veut pas vous parler, mon vieux, me signifia-t-il avec un accent du Yorkshire prononcé. A votre place, je laisserais tomber pendant qu'il est temps.

Il avait le crâne rasé et un sourire combatif. Je fis un autre pas, il plaça sa main à plat sur ma poitrine. Il était beaucoup plus petit que moi mais solidement bâti, et je sentais son agressivité à travers la paume de sa main, comme de l'électricité.

— Angie! criai-je par-dessus sa tête.

Le silence se fit dans la salle.

— Angie, nous devons parler! Vous le savez!

— Personne aime les mauvais perdants, mon gars, dit le serveur en me poussant un peu. Alors, on reste gentil et amical, d'accord?

J'avançai encore, le télescopant, et il partit à la renverse contre une table. Je fus étonné de l'avoir aussi facilement écarté. Des couverts claquèrent, un verre se brisa, une femme poussa un cri aigu et je sentis une agitation confuse derrière moi.

— Angie!

J'étais presque arrivé à la porte par laquelle elle avait

244

disparu. Elle était percée d'un hublot qui me laissa voir une cuisine enfumée, des hommes en tablier blanc qui regardaient dans ma direction, dans la direction du vacarme. Le serveur réapparut, me saisit le bras. Je le poussai de nouveau. Il y eut un bruit de pas derrière moi, des protestations indignées, et quelqu'un agrippa le pan de ma veste. Je tendis le bras vers la porte mais, avant que je puisse la toucher, le hublot s'obscurcit. Elle s'ouvrit brusquement, et l'énorme barbu m'empoigna par l'épaule, me fit tourner et me propulsa dans la salle.

Je heurtai une table inoccupée, tombai à genoux parmi les chaises renversées et la vaisselle cassée. J'entendis Hukum s'égosiller en urdu pour me dire de sortir, peut-être, ou pour demander à ses gens d'y aller en douceur. Je repris mes esprits, mais avant d'avoir pu me remettre debout je me sentis soulevé par-derrière comme un sac. La porte s'ouvrit et je la franchis en vol plané, sans effort. J'atterris sur le flanc de l'Audi, assez durement pour avoir la respiration coupée, et je m'effondrai sur le trottoir mouillé, hoquetant, la bouche grande ouverte comme un poisson abandonné par sa rivière. Le géant se tenait sur le seuil, les bras croisés, le visage sans expression. Des têtes se pressèrent à la fenêtre.

Je m'assis, adossé à la voiture, la respiration sifflante. Le jeune serveur passa sous le bras de l'hercule et vint se planter devant moi. Avant que je puisse trouver la force de bouger, il m'expédia son pied dans les côtes, sans trop de violence, presque expérimentalement.

— Je t'avais prévenu, mon pote. T'as pas voulu écouter.

Il me frappa de nouveau, plus fort, cette fois, et je m'écroulai sur les pavés froids en me demandant avec détachement quelle force aurait le prochain coup et où il m'atteindrait.

Un claquement de pas puis de nouveau la voix de Hukum, sermonnant furieusement son serveur. Profitant de ce sursis, je parvins à inspirer un peu d'air. Le garçon se regimba, ce qui provoqua une autre tirade de son patron, et, l'instant d'après, ils discutaient âprement, Hukum ulcéré, le serveur plein de ressentiment.

Je me sentais étourdi, lointain. J'avais maintenant leurs pieds dans mon champ de vision, les boots à grosse semelle du garçon, les chaussures noires usées de Hukum et, sur le pas de la porte, les sandales en plastique bleu du colosse barbu enchâssant d'énormes pieds aux ongles épais comme de la corne. Elles étaient parsemées de paillettes brillantes et me semblaient remarquablement belles. Des baskets apparurent, s'avancèrent sur le trottoir et la discussion cessa. Elles s'immobilisèrent devant moi.

— Vous êtes tous cinglés ? s'écria Angie. Qu'est-ce que vous faites ?

— Cet homme créait une perturbation, se justifia Hukum. C'est indéniable.

— Et donc vous lui tapez dessus ?

— Je regrette la violence, concéda-t-il avec majesté, mais je ne crois pas que le fauteur de troubles soit gravement blessé...

— Rentrez ! Tous ! ordonna-t-elle.

— Angela, je ne recommanderais pas... commença Hukum.

— Rentrez ! répéta-t-elle.

Voyant qu'ils hésitaient encore, elle ajouta, plus calmement :

— Je ne pense pas qu'il soit bien dangereux.

— Néanmoins, Grand Iqbal restera, répondit Hukum.

Le patron et le jeune serveur retournèrent dans le restaurant, où leur discussion repartit aussitôt. Je me mis en position assise contre la voiture et pus au moins respirer presque normalement. Grand Iqbal se tenait sur le seuil, immobile comme un Indien de débit de tabac, les bras toujours croisés, fixant un point dans le vide, à mi-distance.

— Je vous avais dit de me laisser tranquille, marmonna Angie, accroupie à côté de moi. Je vous avais prévenu.

Avec plus de douceur, elle demanda :

— Ça va ?

Je fus incapable de répondre immédiatement. Je me sentais puéril, humilié.

— Vous voulez voir un docteur ?

Je retrouvai enfin ma voix :

— Je suis docteur, bon Dieu. Ce que je veux, c'est que vous me parliez.

Elle secoua la tête.

— Vous ne renoncez jamais ?

— Qu'est-ce que vous feriez, à ma place ?

J'entrepris de me relever en m'appuyant au côté de la voiture. L'une de mes côtes me faisait mal mais je pouvais dire, à ma surprise, qu'il n'y avait rien de grave. Angie me prit par le bras pour m'aider. Ce geste lui rappela peut-être la dernière fois où nous nous étions vus, quand les rôles étaient inversés, et c'est ce qui la décida. Elle me lâcha, recula d'un pas.

— On ne peut pas parler ici.

— Où, alors ?

— Vous êtes en état de conduire ?

— Bien sûr.

Je m'époussetai et m'efforçai de retrouver un peu de dignité.

Puis je fis le tour de la voiture et constatai que je tenais à peu près sur mes jambes.

— Montez, lui dis-je en m'asseyant derrière le volant.

Elle s'installa à côté de moi et je démarrai.

— Où allons-nous?

— Chez moi, répondit-elle. A Leeds. C'est tranquille, là-bas. Descendez jusqu'au coin et tournez à droite.

Je suivis ses instructions. L'acte familier de conduire m'apaisa et, guidé par Angie, je sortis de la cité, empruntai un boulevard puis une section d'autoroute droite éclairée comme une piste d'aéroport. Les panneaux vert et blanc indiquaient que Leeds se trouvait à dix kilomètres. Je m'aperçus que mes mains, éraflées par ma chute, collaient au volant et m'élançaient quand je les bougeais. Je les décollai tour à tour et remuai les doigts. Angie le remarqua mais ne fit pas de commentaires.

— Comment vous m'avez trouvée? demanda-t-elle enfin.

— Votre frère avait donné au centre l'adresse du restaurant.

— L'imbécile. On allait tous les deux chez Hukum, quand on était gosses, et Barney disait en plaisantant que c'était là qu'il habitait.

Elle ouvrit le compartiment de l'accoudoir, fouilla dans mes CD, en choisit un et me le montra.

— Il est bon?

Je jetai un coup d'œil au disque.

— Vivaldi.

— Je sais lire. Il est bon?

— Bien sûr.

Elle le glissa dans le lecteur, se renversa sur son siège, les yeux clos, tandis que la musique s'élevait dans la voiture. Jetant un autre coup d'œil de côté, je vis que les lumières de l'autoroute jouaient sur les méplats de son visage. Je roulai en silence. Au bout d'un moment, je la regardai à nouveau, et cette fois ses yeux s'ouvrirent.

— A gauche et sous le viaduc, dit-elle. Suivez les panneaux marqués Leeds, ensuite je vous indiquerai.

Elle me fit prendre le périphérique, sortir à un échangeur puis traverser un dédale de rues de banlieue. Nous nous arrêtâmes finalement dans une rue en pente de Kirkstall bordée de hautes et superbes vieilles maisons. Même à la lumière jaune des réverbères, elles avaient l'aspect à vif de bâtiments récemment rénovés. Nous descendîmes de voiture, montâmes une volée de marches en pierre flanquée d'arbustes. Une lampe de sécurité s'alluma et les branches devinrent des serres noires.

Le vestibule était éclairé par des tubes fluorescents et le moniteur d'un système d'alarme clignotait dans un coin. Je grimpai à la suite d'Angie quatre étages de marches moquettées, puis elle ouvrit la porte, me fit entrer chez elle. C'était un agréable grenier aménagé, un vaste espace découvert avec, sur le derrière, de grandes fenêtres donnant sur le vide noir d'un parc et, au-delà, les lumières de la ville, tremblantes dans l'air froid.

Je regardai autour de moi. L'endroit était propre, récemment refait. Le mobilier était scandinave : le genre de trucs en pin, pratiques, achetés en kit. Sous un vasistas, un bureau équipé d'un ordinateur et d'une lampe blanche articulée, une collection de CD et de manuels de l'Open University. Des rayonnages bourrés de livres couvraient tout un mur et ceux qui n'avaient pas trouvé de place sur les étagères étaient entassés par terre. Une minichaîne stéréo logée dans un élément de bois blond alimentait des enceintes placées en hauteur aux quatre coins de la pièce. Sous un lampadaire chromé, l'unique fauteuil était assiégé par des documents annotés au surligneur, des coupures de journaux, des lettres à en-tête.

— Je n'ai pas de visiteurs, me lança Angie avec désinvolture par-dessus son épaule.

Pas d'adverbe. Ni « souvent », ni « beaucoup ». Elle n'avait pas de visiteurs, point.

Un épais rapport était posé par terre près du fauteuil. Je le fis tourner de la pointe du pied tandis qu'Angie se débarrassait de son sac et de sa veste. Je n'arrivais pas à lire ce qui était imprimé sur la couverture et je ne voulais pas avoir l'air curieux. Mais curieux, je l'étais quand même. Peut-être entendit-elle le bruit que fit le document en tournant.

— Je travaille dans le logement, dit-elle en me rejoignant. On ne dirait pas, à voir le bazar que c'est ici. Enfin, le cordonnier est toujours le plus mal chaussé, hein ?

Elle me prit les poignets, retourna mes mains écorchées et les examina.

— Grand Iqbal a une attitude protectrice envers moi. Je ne pensais pas qu'il se montrerait brutal...

— Ce n'est rien.

— La salle de bains est là-bas. Lavez-vous les mains, ensuite je vous mettrai quelque chose dessus.

Debout devant le petit lavabo, je nettoyai mes éraflures jusqu'à ce qu'elles me piquent. Au bout d'une minute ou deux, Angie me rejoignit, sécha mes mains méthodiquement et les enduisit d'une crème antiseptique. Sa tête penchée était tout près de mon visage.

— Il vaut mieux ne pas mettre de pansement, conseilla-t-elle.

— Oui. Je sais.

Elle leva les yeux.

— Vous pouvez vous en occuper vous-même, docteur, si vous préférez.

Mais c'était dit sans rancœur, et bientôt elle reprit ses soins et j'en fus heureux. Finalement, elle se redressa, ramena ses cheveux en arrière.

— Merci, murmurai-je.

Elle ne lâcha pas immédiatement mes mains et resta un moment indécise, comme si leur contact l'incitait à dire quelque chose. Mais le moment passa et elle sortit de la salle de bains en annonçant :

— Je vais faire du café.

Je la suivis dans le séjour. Elle alla dans la cuisine et je l'entendis remplir le percolateur. D'un œil distrait, je parcourus les titres des livres de ses rayonnages. Il y avait de gros manuels d'urbanisme et de sociologie, mais aussi des romans : Martin Amis, Vikhram Seth, Sebastian Faulks. Je m'approchai, examinai la triple rangée de CD. Je n'avais jamais eu beaucoup de temps pour la musique pop et je ne connaissais même pas de nom la plupart d'entre eux, mais je vis qu'elle avait réservé une partie à la musique classique. Je comptai trois Vivaldi et quatre Mozart, notamment le concerto pour clarinette. Je me surpris à sourire.

— Le logement, vous disiez? Vous êtes dans une agence immobilière?

— Pas du tout, répondit-elle en servant le café. Je travaille pour l'Office d'aménagement de Leeds. Du moins, j'en dépends.

— Vous faites quoi?

— Je bosse au Programme de rénovation de Mason Park. Nous sommes censés sauver la cité. C'est une zone où la police ne met plus les pieds, et il faut quasiment un visa pour y entrer si vous n'y vivez pas. Ça ne devrait pas prendre beaucoup plus d'un siècle pour la rendre de nouveau habitable pour des êtres humains. Vous savez comment on l'appelle, à l'Office? La Fosse. Voilà un vrai défi à relever.

— Et vous faites partie de l'équipe?

— Je la dirige. J'en suis le chef.

— Oh.

Je levai la tête quand elle apporta nos cafés et je pus voir qu'elle était ravie de m'avoir surpris.

— Ce n'est pas Microsoft, mais c'est quand même mieux que ce que vous attendiez d'une pétasse à grande gueule et pas de nichons, non?

Je ne répondis pas.

Elle indiqua le fauteuil d'un mouvement de tête, posa ma tasse sur la table, à côté. Je m'assis.

— On a grandi à Mason Park, Barney et moi. Mais même si c'est lui qui est parti, c'est moi qui m'en suis sortie. Plus ou moins.

Je levai ma tasse, qui était décorée de fleurs aux couleurs vives peintes à la main. Je ne m'attendais pas à ça non plus : du café dans une jolie tasse. Les bruits et les odeurs d'un foyer. Une pièce claire et gaie. Angie posa sa tasse sur le pourtour carrelé de la cheminée, glissa ses jambes sous elle et tint ses longs cheveux en arrière tandis qu'elle tournait le bouton du radiateur à gaz. Il s'alluma avec un léger *plop* et baigna un côté de son visage d'une lueur magenta. Elle reprit son café, leva les yeux vers moi.

— On a peut-être assez joué à la famille heureuse, suggérai-je.

Elle haussa les sourcils, but une gorgée en m'observant par-dessus le bord de sa tasse.

— Allez-y.

— Ils étaient amants, n'est-ce pas? Caitlin et votre frère.

— Oui. Désolée, ça doit vous faire mal.

Je m'efforçai de garder une voix calme :

— Vous savez que je dois en informer la police.

— Michael, faire l'amour avec la femme d'un autre n'est pas interdit par la loi.

252

— Le meurtre l'est.

Elle secoua la tête.

— C'est vraiment ce que vous vous êtes raconté? Juste parce qu'il lui a envoyé un petit dessin, avec une petite phrase au dos?

— Pas seulement.

— Qu'est-ce qu'il y a d'autre?

— Le fait que vous soyez venue chez moi poser des tas de questions en vous faisant passer pour une amie de Caitlin.

— Ça m'a vraiment gênée, vous savez. Je déteste mentir. Ecoutez, je comprends que vous soyez blessé, furieux, et que vous ayez besoin de trouver quelqu'un sur qui tout faire retomber. Je réagirais de la même façon. Mais même à Londres, les flics ne bouclent personne pour meurtre sur des preuves aussi minces.

— Ils voudront savoir où il est. Moi aussi.

— Et qu'est-ce que vous feriez exactement, si vous le trouviez ce soir? Vous procéderiez à une arrestation citoyenne[1]? Je ne vous le conseille pas. De toute façon, je ne sais pas où est Barney en ce moment.

— Il a disparu? Quand?

— Je n'ai pas dit ça. J'ai dit que je ne sais pas où il est et ce n'est pas nouveau. Il travaille beaucoup à l'étranger.

Devant mon air intrigué, elle précisa :

— Il est soldat. Enfin, soldat de fortune, comme il dit.

— Mercenaire?

— Il n'utiliserait pas ce mot.

— Je m'en doute.

— Vous le prenez pour un voyou ignare, hein? explosa-t-elle. Un demeuré qui ne sait ni lire ni écrire?

---

1. Conformément au droit qu'a tout citoyen de conduire à la police une personne suspecte. (N.d.T.)

Barney n'est pas du tout comme ça. Il a été décoré plusieurs fois pour bravoure. Il a fait six ans dans les paras, au Kosovo, en Afghanistan et dans d'autres pays que je ne connaissais même pas. Il était sergent.

Je n'arrivais pas à faire face à sa véhémence, je n'y étais pas préparé. Je me sentais aussi impuissant que deux jours plus tôt, quand elle avait forcé ma porte.

— Angie, il vaudrait mieux pour tout le monde que vous en parliez vous-même à la police, arguai-je. Votre frère a des ennuis...

— S'il en a vraiment, ne comptez pas sur moi pour l'enfoncer davantage.

— Alors, c'est moi qui irai à la police.

— Allez-y, si vous êtes si sûr que votre histoire tient debout! Mais je vous avertis : il faudra plus qu'une équipe de flics de Londres pour trouver Barney. Il a été entraîné à ne pas se faire repérer. Il n'y a qu'une seule personne qui puisse le trouver, c'est moi. Et uniquement s'il a envie que je le trouve.

— S'il n'est coupable de rien, pourquoi se cacherait-il?

— Parce que les gens comme vous pensent qu'il l'est, et que les gens comme lui n'ont pas le choix.

Quand je me levai, elle ne bougea pas. Elle resta assise devant le radiateur, enveloppée d'ombre comme le personnage d'un tableau, la lumière des flammes soulignant de rouge le contour de sa joue et dessinant une bande rose là où son blouson s'était ouvert sur son tee-shirt.

— Cate était enceinte, déclarai-je.

Elle ouvrit et referma la bouche.

— Je l'aimais, continuai-je. Il faut que je sache. Il faut que je comprenne.

— Je ne savais pas, pour l'enfant. Mais Barney aimait

254

Caitlin, lui aussi. Il l'aimait vraiment. Ce n'était pas ce que vous pensez.

— Comment le savez-vous ?

— Je connais mon frère.

Elle se leva et me fit face.

— Je n'ai pas les réponses que vous cherchez, Michael, mais je sais qu'il ne lui aurait jamais fait le moindre mal. Je vous le jure.

J'eus un grognement sceptique et elle s'approcha de moi, entra dans ma bulle.

— Il a une attitude protectrice envers les femmes. Cela vient du lieu où nous avons grandi, lui et moi.

Voyant que je ne la croyais pas, elle ajouta :

— Vous ne pouvez pas comprendre. Ce n'est pas votre faute, vous avez toujours vécu dans un autre monde.

J'eus envie de partir. J'aurais pu la pousser pour gagner la porte mais je n'arrivais pas à m'y résoudre, et pendant que j'hésitais une idée lui vint, apparemment.

— Attendez, dit-elle.

Elle traversa le séjour, ouvrit la porte de la chambre et revint avec une photo encadrée qu'elle me mit sous le nez.

— C'est lui. C'est Barney. Elle est déjà ancienne, mais c'est lui.

La photo montrait un jeune garçon de dix-neuf ou vingt ans, cheveux bruns, visage ouvert et rieur. Peut-être Angie avait-elle deviné l'effet que cette photo aurait sur moi, parce que, avant que je puisse réfléchir, l'idée me traversa que ce jeune homme me plairait, qu'il était compétent, intelligent, doué d'humour, et que j'aurais aimé l'avoir dans mon équipe. Il y avait autre chose aussi, autre chose qu'elle ne pouvait pas savoir. Vêtu d'un jean et d'une chemise en denim bleu, Barney s'appuyait à l'aile d'un 4 x 4, un bâtiment exotique en arrière-plan, une mosquée, peut-être. Des ombres noires et dures marquaient la poussière à ses pieds. La photo ressemblait étonnamment à celle de mon père que j'avais vue sur la table d'Anthony : les yeux plissés au soleil, la posture un peu canaille, l'air indépendant.

Je fus désarçonné. Le visage de Barney n'aurait pas dû être attirant, franc, rieur. Comme cette pièce n'aurait pas dû être claire et gaie. La photo n'aurait pas dû ressembler à celle de mon père. Je la fis tourner dans mes mains et mes doigts effleurèrent quatre ou cinq autres tirages glissés sous le dos du cadre. J'entrevis un ciel éclatant, des hommes en kaki. Je rendis la photo à Angie et, profitant du fait qu'elle la regardait à son tour, je glissai les autres dans la poche de ma veste.

— C'est un type bien, Barney, assura-t-elle. Pas un saint mais un type bien.

— Il arrive des choses. Même aux gens les plus ordinaires, je l'ai vu. Quelque chose peut craquer en eux...

— Pas Barney.

— Quelque chose les fait passer à l'acte. Je ne sais pas quoi. Je ne suis pas psychiatre. Je laisserai la police s'en occuper. Vous devriez en faire autant.

Je me dirigeai vers la porte. Angie me suivit et me dit :

— Vous l'avez déjà condamné. Vous ne le connaissez pas, vous ne savez rien de lui. Mais quelqu'un a pénétré dans le château et a tué la belle princesse. Maintenant, il faut que quelqu'un paie.

Je me retournai en arrivant à la porte.

— Ce n'est pas ça du tout.

— Oh si. Un pauvre malheureux doit être pendu pour ce crime, et finalement peu importe quel paysan vous choisirez.

Je n'arrivais pas à chasser de mon esprit le visage de son frère : souriant, plein d'espoir et de défi. Pas éton-

256

nant qu'elle l'aime, pensai-je, pas étonnant qu'elle aime sa vitalité, son charme insouciant, son assurance. Après l'enfance qu'ils avaient eue. Je soutins le regard de ses yeux sombres. Elle était tendue, prête à bondir comme une panthère.

Je tendis le bras, ouvris la porte, sortis sur le palier. Comme je me retournais pour la refermer, je vis Angie dans l'encadrement, le menton levé, les yeux brillants. J'eus pitié d'elle : être obligée de défendre un frère pourri, de tenir cette position impossible. C'était la première fois que j'éprouvais de la pitié pour elle et elle le lut peut-être sur mon visage car, à cet instant précis, elle ramena ses épaules en arrière et son regard se durcit.

— Les damoiselles en détresse vous excitent, hein, Michael ? Eh bien, foutez le camp et allez en chercher une ailleurs.

19

Je remontai dans ma voiture et suivis les panneaux jusqu'à l'autoroute. Mes côtes me faisaient mal et j'aurais sans doute dû trouver un hôtel pour la nuit, mais je me sentais sur les nerfs, incapable de dormir. Je retournai à Londres sous une pluie battante, qui tailladait le faisceau de mes phares.

Je rangeai l'Audi au garage, entrai dans la maison par la porte de derrière en me félicitant d'avoir laissé le chauffage. J'allumai toutes les lumières du rez-de-chaussée, trouvai dans le réfrigérateur le reste des provisions achetées par Stella — du jambon, du fromage et un petit pain un peu rassis — et mangeai debout devant la fenêtre de la cuisine. Le vent se levait, un vent fort qui projetait de la neige fondue sur les carreaux comme du gravier. Je retournai au frigo prendre la bouteille de vin blanc de Stella et m'en servis un verre que j'emportai dans la salle à manger. Puis je m'assis à la table et tirai les photos de ma poche. La maison baignait dans un silence que le sifflement du vent accentuait encore.

La lumière éclairant la table donnait aux photos des couleurs criardes. Il y en avait sept, six d'hommes en uniforme et une qui faisait exception, un instantané de mauvaise qualité, apparemment pris pendant des vacances qu'Angie et Barney Carrick avaient passées ensemble. Je la mis de côté. Les six autres avaient manifestement été prises dans des pays différents, ou à des saisons différentes. Sur quatre d'entre elles, les soldats étaient en parka verte de camouflage et se tenaient dans un lieu boisé, le fusil au creux du bras, autour d'un camion militaire arrêté dans une clairière boueuse, devant un bosquet de pins et des bâtiments de ferme.

Les deux autres avaient pour toile de fond une plaine inondée de soleil sous un ciel bleu éclatant. Les hommes projetaient des ombres indigo sur un sol pierreux. Leur tenue de camouflage était de couleur sable et le soleil se reflétait sur la surface anguleuse d'un tank se détachant au second plan telle une ziggourat d'acier. Même sur la photo, le métal de son armure semblait brûlant.

Barney Carrick était facile à repérer sur les six photos. Brun, souriant, dents blanches dans un visage hâlé, l'arme confortablement nichée dans ses bras. Svelte, en pleine forme. Il avait un visage fort, à l'ancienne, et dans son uniforme il me rappelait les jeunes soldats de la Première Guerre mondiale, arrogants et sûrs d'eux. Sur chaque photo, il fixait l'objectif. Les autres prétendaient l'ignorer ou faisaient des grimaces, mais Barney regardait l'appareil, aussi séduisant et rebelle que sa sœur.

Je pris les photos et les battis pensivement comme un jeu de cartes. Cela me troublait de repenser à Angie sur le pas de sa porte, redressant les épaules, un défi dans les yeux. Cette image ne me laissait pas tranquille. Si je regrettais d'avoir chapardé les photos, je ne pouvais nier que j'étais content de les avoir. Je ne me racontais pas que j'avais avancé de beaucoup dans la partie, mais détenir ces photos me donnait au moins l'impression d'avoir pris du galon : je n'étais plus un simple pion.

Je reposai les photos sur la table, les fis glisser sur le

bois comme pour une réussite. Barney Carrick me souriait de cet endroit sauvage et fascinant, où qu'il pût se trouver. Le soleil dur luisait sur ses dents, sur le canon de son arme. Je m'assis et étudiai longuement le jeu de la lumière et des couleurs, puis je tirai de mon portefeuille une photo de Caitlin que je portais toujours sur moi et la plaçai entre les photos de Carrick. La pluie fouettait la fenêtre.

J'étais à demi aveuglé par les embruns, la bourrasque m'avait à moitié rendu sourd. Je tenais l'appareil photo d'une seule main parce que l'autre agrippait la barre du yacht de Ben Friedman, et j'avais du mal à prendre la photo parce que cette barre tressautait comme une créature vivante et qu'il m'aurait fallu mes deux mains pour la maintenir. Ce n'était que le milieu de l'après-midi, mais le jour était déjà si faible que le flash se déclencha automatiquement lorsque je pressai le bouton de l'obturateur. L'éclair inattendu flamboya dans les yeux de Caitlin, étincela sur les embruns et la pluie qui ruisselaient sur ses vêtements.

Je trouvai que prendre cette photo était une perte de temps et c'est peut-être pour cette raison qu'elle s'avéra aussi réussie. Ses cheveux blonds volaient en tous sens et elle riait de plaisir, comme un enfant. Accrochée aux étais de misaine, les bras en croix, elle oscillait avec les mouvements violents du bateau. Derrière elle, je voyais l'avant heurter les crêtes grises de la houle tandis que l'horizon s'inclinait, plongeait et disparaissait sous chaque nouvel Himalaya d'eau.

— Incroyable, non? me cria-t-elle.

Nous n'étions qu'à deux mètres l'un de l'autre, mais le vent emportait ses paroles.

— Tu ferais mieux de descendre, Cate!

260

Elle rejeta la tête en arrière dans un rire et laissa l'eau salée couler sur son visage.

Je n'avais pas envie de rire. J'étais trempé, gelé et passablement inquiet. Je ne connaissais pas très bien Ben Friedman — un chirurgien du cœur du Bart's —, mais il avait renouvelé si souvent son invitation à aller faire de la voile avec lui que c'eût été grossier de refuser une fois de plus. Si seulement j'avais accepté en été. Le mois d'octobre était lugubre et venteux, et Ben s'était révélé être un fanatique de la pire espèce. En outre, il n'avait pas beaucoup d'expérience de la voile, son bateau n'était ni très grand ni bien équipé. Au large, la mer était si agitée et la pluie si drue que nous perdîmes bientôt la terre de vue.

Je n'étais pas très porté sur la voile, pour dire les choses poliment, et j'avais présumé que Caitlin détesterait ça, en particulier par ce temps et sur ce bateau. Mais elle était suspendue là-haut, crucifiée, criant d'excitation tandis que le vent et les embruns la cinglaient.

Le soir même, au yacht-club, pendant le dîner, Friedman, tout déconfit, ruminait son manque de jugement. Je n'étais pas d'humeur charitable. Je voyais encore trop clairement les vagues gris acier nous ballotter, j'entendais encore le ronflement impuissant du moteur par-dessus les rafales de vent tandis que nous nous traînions enfin vers la jetée. Mais Caitlin n'en voulait pas à Ben. C'était moi qui l'agaçais.

— Bon sang, Michael, ne sois pas aussi vieux jeu! Je ne m'étais pas autant amusée depuis des années...

— Super, maugréai-je.

— Nous ne courions aucun danger. Enfin, pas vraiment. Juste assez pour rendre la chose intéressante. Tu crois que je n'étais jamais montée sur un bateau avant?

— Pas aussi petit.

— Ils sont tous petits comparés à l'immensité de la mer, fit-elle d'un ton solennel. Même le *Titanic*.

Je ne pus que constater qu'elle rayonnait, qu'elle buvait un peu plus que d'habitude, parlait un peu plus fort.

— Lâche-toi, Michael. La vie doit être un peu dangereuse.

Elle se pencha par-dessus la table et me lança un regard que je n'arrivai pas à déchiffrer.

— La tienne l'est, en tout cas.

Nous retournâmes à l'auberge après minuit. Une foule bruyante occupait le bar mais nous passâmes par le salon, désert et obscur, où les chaises étaient empilées sur les tables. C'était un ancien relais de diligence, avec des couloirs étroits, des angles bizarres, et, ne trouvant pas l'interrupteur, j'avançai à tâtons le long du mur en direction de la cage d'escalier, contournai le billard recouvert d'un drap.

— C'est comme rentrer en douce au dortoir après l'extinction des feux, murmura Caitlin. On a l'impression de commettre un crime...

Elle gloussa, m'attira contre elle dans le noir. Elle sentait le vin et sa respiration rapide trahissait son excitation. Il me fallut un moment pour trouver la porte. Finalement, je la tins ouverte pour Cate et, en passant devant moi, elle m'étreignit soudain et m'embrassa avidement, avec une telle vigueur que j'entendis nos dents s'entrechoquer.

Les petits miaulements qui sortaient de sa gorge semblaient monter directement dans ma tête. Je passai un bras sous ses fesses et la portai à moitié jusqu'à la chambre. J'eus à peine le temps de refermer la porte derrière nous d'un coup de pied que nous étions déjà sur le grand lit aux draps humides et frais, où Caitlin m'attira en elle, son ventre collé au mien. Elle empoigna mes cheveux à pleines mains, noua ses longues jambes au creux de mes reins. Son corps eut une sorte de sanglot convulsif. Elle s'agrippa à moi, ses yeux s'ouvrirent, elle poussa un cri et nous roulâmes loin du monde, accrochés l'un à l'autre.

Dehors, l'enseigne de l'auberge grinçait au vent comme un gibet et la pluie frappait les fenêtres. La mer grondait et brassait les galets, les drisses métalliques des yachts cliquetaient dans la marina.

— J'ai bien cru qu'on allait faire ça sur le billard, dis-je.

— C'est ce qui serait arrivé si tu avais mis une seconde de plus pour monter ici.

J'entendis dans sa voix qu'elle souriait, mais je me rendis compte en même temps qu'elle ne plaisantait pas. J'étais un peu effrayé par l'intensité de son désir. Elle nicha sa tête au creux de mon cou, en embrassa la peau tendre.

— Ce que tu peux être sérieux, chéri, fit-elle en riant. Tu me plais comme tu es, mais ce que tu peux être sérieux.

— On fait l'amour sur un billard quand tu veux, déclarai-je, un peu vexé.

— Ouais, d'accord.

Elle m'embrassa de nouveau et reprit, au bout d'un moment :

— Dis, est-ce qu'il t'arrive d'avoir envie de faire quelque chose de vraiment dangereux? De vraiment dingue? Qui te flanquerait une peur bleue?

Je roulai sur le flanc pour lui faire face.

— Je rentre de Somalie. Ça me suffit pour la semaine.

Elle me caressa le visage de l'index dans le noir.

— Oh, je sais que tu es un héros dans ton travail. Tout

le monde le sait. Mais c'est précisément parce que tu n'as pas peur.

— Cate, je suis terrifié à chaque instant. Je suis un couard professionnel, crois-moi.

— Je pourrais faire une liste de choses qui te font plus peur que la Somalie.

— Vas-y.

— Voyons... Apprendre à danser la salsa.

— Ah.

— Ou faire un discours au collège du coin.

— Hé, pas de coups bas !

— Ou me mettre enceinte.

La pièce oscilla, se remit d'aplomb.

— Tu l'es ?

— Non.

— Tu as raison, Cate. Ça, ça me fait peur.

Je me redressai légèrement, pris sa tête au creux de mon bras.

— Notre balade en haute mer t'a toute retournée ?

— Je crois que c'est ça, répondit-elle d'une petite voix qui avait perdu son ton moqueur.

Dehors, le vent fit rouler une canette de bière.

— Tu y penses beaucoup ? demandai-je.

— Beaucoup, non. Quelquefois. Surtout quand tu es loin. Cela m'effraie un peu, moi aussi.

Je la berçai contre moi.

— Je connais ta position, Michael. Et je sais que nous nous sommes mis d'accord là-dessus dès le départ.

— Mais ?

— Mais je pense que nous devrions nous donner le temps d'en parler. Passer une semaine quelque part. En France ou en Italie, peut-être. Cela fait des années que nous ne sommes pas partis...

— Tu auras trente-trois ans la semaine prochaine, dis-je, à moitié à ma propre intention.

Elle tourna la tête vers moi.

— Ah, voilà l'explication! Mon horloge biologique! me lança-t-elle, soudain acerbe. On ne discute pas avec un tas d'hormones hystérique.

— Je ne voulais pas dire ça.

— Tu aurais dû être gynécologue, Michael. Tu es fait pour ça.

Je demeurai un moment silencieux, hésitant, cherchant la réponse la plus sûre, mais avant que je puisse parler, Caitlin se pencha et souleva la clé en bronze accrochée à mon cou.

— Est-ce que tu me diras un jour ce que cette clé signifie pour toi?

L'hostilité de sa voix avait disparu aussi soudainement qu'elle était venue. Je voyais luire dans le noir le métal poli de la clé et les yeux de Cate.

— C'est mon talisman, tu le sais bien.

— Il t'a porté chance?

— Jusqu'ici.

Je tendis le bras et touchai ses cheveux blonds. J'aimais sentir la courbe tiède de son crâne sous ma main. Elle arqua le dos sous ma caresse, comme un chat.

— Je n'en suis pas si sûre. Je ne suis pas sûre qu'il t'ait porté chance. Qu'il nous ait porté chance.

Je cessai de caresser ses cheveux. J'avais peur qu'elle n'aille plus loin, qu'elle ne brise une sorte de tabou, que les mots qu'elle prononcerait ne causent une catastrophe. Je ne savais pas d'où venait cette peur, ou plutôt je le savais peut-être mais je n'osais pas l'exprimer clairement, ni même laisser le souvenir se former dans mon esprit.

— Parle-moi, Michael, murmura-t-elle.

— De quoi? fis-je d'une voix rauque.

Elle tira sur la clé.

— Parle-moi.

— Tu connais l'histoire. Il y a eu un incendie. Je ne suis pas rentré à temps. Ils sont tous morts. C'est la clé de la maison, voilà tout.

— Ne te fâche pas, Michael. Parle-moi.

— Mais je ne sais pas ce que tu veux que je dise.

— Je veux savoir ce qui te fait mal.

— Pourquoi?

— Pour t'aider.

— Cela ne fait plus mal, Cate. Plus maintenant.

Elle me posa une question inattendue :

— Tu penses qu'il y a une sorte d'alliance entre nous, Michael?

— Je me trompe?

— Nous vivons ensemble. Depuis six ans. Nous sommes mariés. Nous formons un couple, comme on dit.

— Bien sûr.

— Un couple. Pas deux personnes séparées.

Je fis courir mes doigts sur les encoches de sa colonne vertébrale.

— Cela ne signifie pas que chacun de nous ne peut pas garder des choses pour lui. De mauvaises choses.

— Justement celles que nous ne devrions pas garder pour nous.

— On ne pourrait pas changer de sujet?

Elle s'appuya sur un coude.

— Michael, je ne suis pas une enfant incapable de porter un poids trop lourd. Et nous n'avons pas conclu un pacte territorial. Tu ne peux pas fixer les frontières à ta guise.

— Cette histoire est arrivée il y a très longtemps, Cate. C'est fini.

— Fini? C'est ce qui détermine ta vie. Chaque jour. Je

ne sais pas ce que c'est, mais ça détermine ta vie. Donc la nôtre. Et tu dis que c'est fini? Tu dis que cela ne me regarde pas?

Je sentis ses cheveux frais balayer ma poitrine.

— A quoi cela nous avancera d'en parler? arguai-je.

— Je crois que les deux choses sont liées.

— Quelles deux choses?

— Ça, dit-elle en soulevant de nouveau la clé. Et ça... Elle prit ma main et la plaça sur son ventre.

— Comment serait-ce possible? fis-je, la bouche sèche.

— Je crois que si nous affrontions l'une de nos peurs, les autres seraient moins terribles.

Une goutte de sueur roula le long de ma joue. Cate dut la sentir sur son bras et cela éveilla peut-être en elle un sentiment de pitié pour moi car elle soupira et posa sa tête sur ma poitrine.

— Michael, nous nous aimons mais nous ne devons pas croire que la vie ne changera jamais pour nous. Que tout est en ordre. Parfaitement maîtrisé. Parce que ce n'est pas le cas.

Je présumai que la discussion était terminée. J'en fus soulagé et recouvrai peu à peu mon calme. Il y avait une certaine ironie à ce que ce soit Cate qui me tienne ce genre de propos : c'était moi qui ne connaissais que trop bien la fragilité des choses, non? Mais alors que ses mots résonnaient encore dans ma tête, mon esprit rationnel s'efforçait déjà de me convaincre que c'était un message codé, sa façon à elle de me dire que j'avais été trop souvent parti, trop inattentif, et trop préoccupé à mon retour. C'était vrai. Et plus facile à régler que l'autre problème. Oui, je préférais croire ça. Je lui caressai l'intérieur de la cuisse du dos de la main.

Elle gémit d'une voix étrange, supplique ou protestation. Presque comme si elle ne voulait pas que je la touche à cet instant, comme si elle savait que nous venions de laisser passer une occasion que nous ne retrouverions peut-être jamais. Mais je l'entendis alors prendre une courte inspiration. Elle renversa la tête en arrière et s'étira. Dehors, l'enseigne grinçait dans le vent et les drisses claquaient au-dessus de l'eau noire.

Les photos étaient étalées sur le bois sombre, comme des icônes. Surgie du passé, Catey riait de moi, le visage brillant d'eau de mer et de joie devant l'horizon incliné. Je m'étais totalement trompé, cette nuit-là, bien sûr. Cate ne faisait pas simplement bonne figure, elle était courageuse.

Je me sentis tout à coup épuisé, pénétré de fatigue jusqu'aux os. Comme je remettais la photo de Caitlin dans mon portefeuille et les autres dans une enveloppe, mon attention fut attirée par la photo de vacances, que j'avais presque oubliée. Je l'approchai de la lampe. Je remarquai que les bords en étaient abîmés, sans doute d'avoir été trop touchés, et je compris que ce n'était pas une simple photo mais un trésor qu'Angie chérissait comme je chérissais celle de Caitlin. Je l'examinai attentivement.

Angie était plus jeune sur la photo, une vingtaine d'années environ, et son frère devait avoir un ou deux ans de moins qu'elle. Ils étaient assis l'un contre l'autre sur un banc de jardin public. Barney avait l'air raide et emprunté dans son uniforme, comme s'il ne le portait pas depuis longtemps. Je fus intrigué par cette gêne, puis je notai qu'Angie riait et se moquait peut-être de lui. Je devinai qu'il était venu faire étalage d'une prouesse quelconque : il avait fini ses classes, ou avait mérité ses ailes, un truc en usage dans les paras. La longue chevelure dénouée d'Angie flottait autour de son visage levé et ses yeux noirs étincelaient de hardiesse. Ils se ressemblaient beaucoup sur cette photo : fiers, farouches, jeunes, pleins d'une vie intense. Et ils avaient l'air unis, extrêmement proches.

La photo me troubla car je décelai dans les traits de Barney Carrick une vulnérabilité que je ne voulais pas reconnaître. Je ne voulais pas penser que Caitlin avait pu l'y avoir vue. Je ne voulais pas admettre la possibilité d'une relation complexe. Le visage d'Angie sur la photo me troublait plus encore, et parce que j'en connaissais la raison, je fus pris de colère contre elle. Je retournai la photo et la glissai dans l'enveloppe, mais cette tentative mesquine pour la priver de figure me rendit encore plus en colère contre moi que contre elle.

20

Le lendemain matin, j'appelai Barrett.

— Redites-moi ça, me demanda-t-il. Lentement.

Je répétai ma déclaration pour qu'il puisse prendre note et ajoutai :

— Il y a des photos, aussi.

— Vous avez pas chômé, commenta-t-il d'une voix neutre. Vous feriez mieux de passer. Donnez-nous une heure ou deux, je verrai ce que je peux trouver d'ici là.

Emma Dickenson retourna l'enveloppe, la secoua pour faire tomber les photos sur le plateau encombré de son bureau puis les disposa en éventail et les déplaça un peu. Son silence me mettait mal à l'aise. Elle ôta ses lunettes, ferma les yeux, les ouvrit de nouveau. Ses traits empâtés s'étaient durcis. Je sentais un climat étrange s'installer dans la pièce et je ne comprenais pas pourquoi. Je m'étais attendu à une certaine excitation de leur part, voire à des félicitations, mais l'inspectrice ne m'avait même pas invité à m'asseoir. Elle déplaça de nouveau les photos, tapota de l'ongle le dessin grossier de Carrick posé à côté.

— Vous dites que c'est lui qui a fait ça?

La question m'était adressée mais Dickenson ne me regardait pas.

— Il l'a signé.

Elle fit la moue.

— Et vous connaissez l'endroit qu'il a dessiné? A supposer qu'il existe?

— Il existe. Je ne le connais pas mais il y a une demi-douzaine de croquis du même cottage dans le portfolio de Caitlin.

— Vous en concluez quoi?

— Je dirais que c'est un endroit où ils ont été ensemble.

Elle grogna et son scepticisme me rendit perplexe.

— Ce n'est qu'une supposition.

Dickenson remit ses lunettes.

— Personnellement, je n'aime pas trop ça, les suppositions.

Je me tournai vers Barrett puis revins à elle.

— Il y a un problème?

Au lieu de me répondre, elle demanda :

— Voilà donc l'homme que nous devons trouver, d'après vous?

— C'est évident, non?

— Pourquoi?

— Parce qu'ils étaient amants. Parce que Caitlin était enceinte de lui, bon Dieu!

— Je vous signale que nous n'en savons rien, intervint l'inspecteur derrière moi. Ce n'est pas forcément de lui qu'elle était enceinte.

Je me retournai brusquement.

— Avec combien d'hommes vous pensez qu'elle couchait? Approximativement?

— Même s'il était le père, reprit Barrett, imperturbable, ça ferait pas obligatoirement de lui l'assassin.

Je le fixai durement.

— Vous vous amusez à vos petits jeux à un moment pareil ?

— Ben, on est bien obligés, répondit-il avec aisance. Et c'est pas avec des conclusions hâtives qu'on a une chance de gagner.

Dickenson me fit sursauter en me lançant soudain :

— Qu'est-ce qui vous a pris de vous mettre à fouiner de votre côté sans nous prévenir ? De jouer au cow-boy ?

— Je voulais des réponses. Vous ne m'en donniez pas.

— Et vous croyez que c'est à vous de les chercher ?

— Je pars dans très peu de temps, dis-je en m'efforçant de refréner ma colère. Pour l'étranger. Définitivement, sans doute. J'aimerais au moins — ce serait déjà ça — partir avec un semblant d'explication sur les raisons pour lesquelles cette chose horrible est arrivée.

Le ton de Dickenson monta au niveau du mien :

— Cela vous étonnera peut-être, mais nous ne programmons pas nos investigations en fonction de vos changements de carrière. Nous enquêtons sur un meurtre.

— Vous imaginiez que je pourrais l'oublier ?

— Vous avez peut-être oublié que nous sommes censés être dans le même camp.

Elle ôta de nouveau ses lunettes, les laissa tomber sur les photos.

— Vous auriez pu venir m'en parler, Michael, ma porte était ouverte. Au lieu de quoi, vous vous êtes lancé dans une bataille personnelle, en indépendant. Vous êtes allé interroger cette femme, qui aurait pu devenir un témoin. Vous vous êtes mis en danger.

Elle tendit le doigt vers mes mains éraflées que je me hâtai de cacher.

— Je n'aime pas les indépendants. Ils sont une plaie. Ils ne savent pas ce qu'ils font. Ils troublent l'eau, ils

272

sèment la confusion. Ils n'arrivent jamais à trouver de preuves recevables et ils nous empêchent d'en trouver.

— C'est lui, affirmai-je en abattant mon poing fermé sur les photos. Je le sais. Vous le savez. On se bat pour une histoire de territoire, là?

Ce qui me rendait furieux, c'était le ton de l'inspectrice, l'injustice de toute cette histoire, mais aussi la conscience naissante qu'elle avait évidemment raison.

— On devrait peut-être tous se calmer, suggéra Barrett d'un ton enjoué.

Je m'écartai du bureau de Dickenson; cramoisie, elle me jeta un regard mauvais puis s'assit et son expression devint embarrassée. Je soupçonnai qu'elle ne perdait son calme que rarement et qu'elle s'en voulait de sa réaction. Je me faisais le même reproche.

— J'ai pris contact avec les collègues de West York et les services sociaux, continua l'inspecteur. Je vous lis ce qu'on a sur ce type?

Emma Dickenson farfouilla dans sa paperasse pour ne pas avoir à nous regarder.

— Oui, bonne idée, Dig.

— Je me suis peut-être laissé emporter, admis-je.

— Bon, allons-y, marmonna-t-elle.

Je compris au ton de sa voix qu'une trêve précaire avait été décrétée.

Barrett s'assit au bout du bureau, ouvrit son dossier, chaussa des lunettes à grosse monture. Il avait l'air d'un président de conseil d'administration vérifiant le premier point de l'ordre du jour.

— Bernard John Carrick, commença-t-il, Barney Carrick, comme on l'appelle, apparemment.

C'était étrange de l'entendre énoncer ce nom d'une voix détachée. Il en devenait banal et innocent, comme un nom qu'on aurait pu lire sur la camionnette d'un entrepreneur.

— Né à Bradford, de père inconnu. La mère était une junkie du ruisseau, racoleuse à ses heures. Elle est morte il y a six mois, à quarante-quatre ans. Carrick n'a plus pour famille qu'une sœur, Angela Grace, vingt-huit ans. Elle travaille pour la municipalité de Bradford, quelque chose comme ça.

— L'Office d'aménagement de Leeds, dis-je. Elle en est la responsable.

Il jeta un coup d'œil à ses notes, me regarda de nouveau.

— Exact.

Il haussa les sourcils, tourna une feuille.

— On va y venir, à cette fille. Elle n'est que sa demi-sœur, en fait. Ils avaient la même mère, des pères différents. Barney a vingt-six ans, à propos.

Vingt-six ans. Pour une raison quelconque, j'avais laissé ce détail dans le vague, et maintenant que j'entendais son âge clairement précisé, il me semblait incroyablement jeune. Neuf ans de moins que Caitlin.

— Comme il a fait six ans dans les paras, l'armée doit avoir un dossier sur lui : profil psychologique, etc. J'ai déjà parlé à un colonel. Apparemment, notre homme était plutôt doué : il a été nommé sergent deux fois. Il a perdu ses galons après une embrouille — voies de fait — mais les a récupérés. Je me suis laissé dire qu'on les aime un peu tête brûlée, chez les paras. Finalement, il a eu de sérieux ennuis en Afghanistan. Il a tué une femme et deux gosses dans un coup foireux, et là, ils l'ont viré. Plus ou moins.

Barrett remonta ses lunettes le long de son nez.

— Depuis quatre ou cinq ans, il a un appart' à Londres, à Brixton. Il paie le loyer régulièrement. Ces deux dernières années, il a bossé comme consultant en matière de sécurité. Mercenaire, autrement dit. Son téléphone répond pas et y a personne à l'appartement, mais les voisins disent que ça n'a rien d'inhabituel.

Il tourna quelques feuilles.

— Dingue de moto... Mène une vie discrète... Longs séjours à l'étranger.

Je songeai au jeune homme emprunté assis sur un banc à côté d'Angie puis au soldat mince et dur des photos plus récentes. Père inconnu. Mère prostituée et toxicomane, morte à quarante-quatre ans en en paraissant probablement quatre-vingts. Des épaves, voilà comment nous les appelions, quand je travaillais aux urgences, les cas désespérés comme la mère de Barney et d'Angie Carrick. Des épaves, disions-nous, lorsqu'ils arrivaient pour la dixième ou la vingtième fois en un mois, catatoniques ou délirants, jusqu'à ce que finalement, inéluctablement et au soulagement de tous, ils nous reviennent morts.

— Il a pas de casier ici, précisait Barrett, mais les gars du Yorkshire savent pas mal de choses sur lui. Il a eu des ennuis depuis l'âge de onze ans. Essentiellement des petits délits liés à la drogue, troubles à l'ordre public. A quinze ans, il a quasiment tué un type dans un pub de Liverpool. Salement arrangé, le gars. Barney lui a fracturé le crâne avec un tabouret de bar. Il a fallu quatre videurs pour le maîtriser. Il aurait dû être condamné à deux ans par un tribunal pour mineurs, je sais pas pourquoi il est passé au travers. Ensuite, plus grand-chose jusqu'à l'armée.

L'inspecteur referma le dossier, posa ses lunettes dessus.

— C'est en gros ce à quoi vous vous attendiez, doc?

— Je ne sais pas à quoi je m'attendais.

— Tout ça ne prouve rien, bien sûr. Mais faut avouer

que ça a pas l'air bon pour Barney Carrick. Pas bon du tout.

Un peu plus tard, il me raccompagna jusqu'à l'ascenseur et Emma Dickenson nous regarda passer du seuil de son bureau. Elle avait l'air encore perturbée par notre passe d'armes. Quand elle ne put plus nous entendre, Barrett murmura :

— Vous y allez pas avec le dos de la cuillère, doc, faut vous rendre cette justice.

J'eus l'impression que l'accrochage avec Dickenson l'avait plutôt amusé.

— Mais poussez pas le bouchon trop loin quand même, hein, ajouta-t-il.

Nous descendîmes le couloir en silence, puis il reprit, sur le ton de la conversation :

— Comme ça, vous repartez à l'étranger? Où?

— Je retourne au Venezuela. Ce n'est pas encore vraiment décidé mais ça doit se faire.

— Recommencer à sauver le monde, hein?

— Quelque chose comme ça.

— Tout seul?

— Non. On a proposé à Stella Cowan...

— D'accord, me coupa-t-il comme pour éviter de se mêler d'une affaire délicate.

Je le regardai avec perplexité mais il ne poursuivit pas.

Après le tournant du couloir, il s'arrêta devant une porte, la main sur la poignée.

— La salle des opérations. Vous voulez jeter un œil?

Avant que je puisse répondre, il ouvrit la porte. La salle, guère plus grande qu'un vaste salon, était encombrée de bureaux métalliques, d'ordinateurs, de téléphones et de fax. Des câbles enchevêtrés traversaient le sol. L'endroit puait la fumée froide et, sur les bureaux, des cendriers débordants de mégots disputaient l'espace à des gobelets de café vides et des boîtes de plats à emporter. Trois personnes seulement étaient au travail, deux hommes en civil parlant au téléphone et une policière en uniforme devant un classeur. Tous trois me regardèrent avec curiosité. La femme hocha la tête pour nous saluer puis me reconnut et lança à Barrett un regard alarmé.

— Normalement y a plus de gus que ça, mais tout le monde est sur le terrain. Quinze personnes à temps plein. Sans compter les gars du labo, ceux qui vérifient les relevés téléphoniques, etc.

Il fit halte près d'un tableau en plastique blanc qui couvrait presque tout un mur et sur lequel on avait griffonné au feutre de couleur des noms et des codes. Barrett le tapota de ses jointures.

— Sergent? fit la policière d'une voix tendue.

Il l'ignora, tapota de nouveau le tableau.

— Ça, c'est les noms des collègues procédant aux investigations. Et le charabia en dessous, c'est le code informatique pour les pistes qu'ils sont en train de suivre. Des dizaines, voyez? Depuis le début, on a des gens qui font du porte-à-porte, posent des questions, fouillent dans les recoins les plus sombres. On va encore en avoir davantage, avec ce que vous nous avez apporté aujourd'hui. Ça continuera jusqu'à ce qu'on ait trouvé. Et on trouvera, doc. Faites-moi confiance.

— Sergent? insista la femme, dont l'inquiétude était palpable.

Je me rendis alors compte qu'on avait punaisé à côté du tableau plusieurs photos mal rangées. Des photos de Caitlin. Caitlin telle que le médecin et les techniciens l'avaient laissée, gisant dans le sang et les débris, les vêtements déchirés, les seins nus. Caitlin, bleuâtre sur un plateau métallique. Caitlin en vie, riant devant l'objectif.

— Faut pas que ça vous monte à la tête, me dit Barrett tandis que je regardais les photos. Vous avez eu un coup de bol, mais le boulot, le vrai, il est fait ici, par les malheureux qui bossent en première ligne.

En ressortant dans le couloir, il m'annonça, comme si rien ne s'était passé :

— J'aurai une conversation avec votre copine, Angie Carrick. En attendant, on fait passer le mot pour son voyou de frérot. Je viendrai vous voir si j'ai quelque chose. Ça pourrait prendre quelques jours.

Je me tournai vers l'ascenseur, mais Barrett me toucha le bras.

— C'était juste pour que vous pensiez pas qu'on passe la journée assis sur notre cul à rien faire, doc. O.K. ?

Je retournai chez moi sous un ciel gris ardoise qui s'assombrissait déjà. Je mis la chaîne de sûreté de la porte derrière moi et allai dans la salle à manger. De l'autre côté de la fenêtre, le jardin avait un air débraillé, sous le tapis de feuilles mortes mouillées qui aplatissait l'herbe. Le rosier s'était détaché du mur de gauche et gisait comme un rouleau de fil barbelé. Du vivant de Caitlin, je n'accordais jamais vraiment d'attention au jardin, mais je ne pouvais manquer de remarquer maintenant combien il était désolé. Bien que peu féru de jardinage, je promis dans ma tête à Caitlin de le nettoyer bientôt.

Son portfolio était sur la table où je l'avais laissé après l'enterrement, noir et lourd comme une vieille bible familiale. Je l'emportai dans le bureau, en tirai plusieurs dessins que j'appuyai aux bibelots ou aux étagères de livres, bien en vue. Puis je m'assis à l'autre bout de la pièce et je fis passer mon regard de l'un à l'autre. Ils étaient encore plus saisissants de loin, formes hardies et tons prenants.

Les noirs étaient si épais qu'on voyait luire la couche de graphite.

Dehors, des nuages chevauchaient le vent au-dessus des toits. Un reste de lumière chrome éclairait le mur et les images qui y étaient exposées. Images d'une bâtisse en brique banale, nichée dans une ride du sol, avec une herse rouillant sur le devant, une fenêtre brisée, des toiles tombant du toit. En fait, l'endroit n'avait rien de banal. C'était un lieu enchanté où l'on menait une vie magique, pleine. Il m'excluait totalement.

Caitlin se laissa glisser sur les deux derniers mètres, jeta son sac à dos dans l'herbe grasse, s'assit sur le muret et me tira la langue comme un garnement.

— On peut monter dans la camionnette avec les bagages, et terminé, proposai-je. On arrête cette balade insensée.

Je posai mon sac près du sien, m'assis sur la pierre tiède à côté d'elle.

— Tu peux transformer la balade en marche d'entraînement si tu veux. Moi, je suis en vacances.

C'était un jeu auquel nous nous prêtions, à moitié pour plaisanter. Je jouais le chef d'équipe, celui qui traçait l'itinéraire, déterminait l'allure. C'était mon boulot de savoir où nous allions et quand nous devions arriver. Caitlin, de son côté, faisait des détours pour admirer une jolie ferme de l'Ombrie, donner à manger à un âne ou suivre simplement un sentier qui l'attirait. J'insistais pour que nous couvrions tout le trajet prévu; elle arrêtait une charrette qui passait pour se faire emmener. Elle ne répugnait pas vraiment à suivre le plan établi et je ne répugnais pas non plus à m'en écarter, mais il y avait assez de vérité dans cette petite comédie pour la rendre intéressante.

Depuis le petit déjeuner, le sentier nous avait entraînés

dans les collines caillouteuses, à travers des vignes et des champs verts de blé en herbe. Il était près de midi et le soleil était haut. Il faisait chaud, l'ombre était délicieuse. Je renversai la tête en arrière, étirai les muscles de mes épaules. Derrière nous, au bas de la pente, une rivière coulait entre de gros rochers polis vers un pont de pierre situé à une centaine de mètres. Au-delà, la route dessinait un ruban sableux entre des boqueteaux de cyprès. Il n'y avait aucune circulation et j'avais même peine à imaginer qu'il pût y en avoir. Des toits de tuile luisaient parmi les arbres ; l'aboiement faible d'un chien montait au loin. Les ruines d'un moulin se dressaient sur la rive opposée, entre nous et le pont. Des meules émergeant de l'eau peu profonde faisaient penser à des comptoirs pour géant.

Caitlin but à sa gourde, me la proposa. Je fis signe que je n'en voulais pas, elle la raccrocha à sa ceinture, se leva, enjamba le muret, descendit la pente dans l'herbe douce et les fleurs des champs, en traînant son sac derrière elle par les bretelles. Lorsque je la rejoignis, elle se tenait au bord de la rivière, une main sur le tronc d'un myrte qui ombrageait l'eau. J'entendais les claquements de langue du courant, les stridulations des grillons dans l'herbe. Un frelon rouge et jaune voleta au-dessus de la berge sableuse, se posa pour boire puis, animé d'une autre intention, repartit en rasant l'eau. Nous suivions tous les deux son vol.

Caitlin s'assit sur un rocher et entreprit de défaire ses bottines.

— Nous pourrions avoir un endroit comme ça, dit-elle en montrant les ruines.

J'ôtai moi aussi mes chaussures : la tentation de se tremper les pieds dans cette eau claire était irrésistible.

— Ah oui ? Et qu'est-ce qu'on en ferait ?

— Nous y vivrions. Ensemble.

— Hmm.

Elle enleva ses chaussettes, posa sur une pierre la bourse en cuir dans laquelle elle gardait son argent et son passeport.

— C'est une idée, non?

Elle passa son tee-shirt par-dessus sa tête, secoua sa chevelure blonde. Puis elle fit glisser son jean et sa culotte le long de ses jambes.

— Cate?

Elle dégrafa son soutien-gorge, le jeta dans l'herbe et se tourna vers moi, souriante, recula vers l'eau, tâtonnant du pied à chaque pas, en un gracieux ballet. Elle écarta les bras, consciente de sa beauté, l'eau froide tendant ses muscles et ses seins. Elle leva son visage vers le soleil et partit d'un rire éclatant. Je me déshabillai et la suivis. L'eau descendait des montagnes, elle était glacée.

Le temps que je gagne le milieu de la rivière, Caitlin avait trouvé un bassin profond près du mur du moulin. Elle s'y laissait tomber puis remontait, haletante, projetant des gerbes d'eau autour d'elle. Je plongeai à mon tour et ne pensai plus à rien pendant un moment, le froid ne laissant en moi que l'impression de formes verdâtres sous la surface, d'une explosion de bulles d'argent et d'un grondement dans mes oreilles. Je refis surface, secouai la tête pour en chasser l'eau.

Caitlin était à deux mètres de moi, assise dans quelques centimètres d'eau sur l'une des meules, les bras enserrant ses genoux repliés. Elle avait les cheveux plaqués sur les épaules et les mamelons durcis par le froid. Enroulant une mèche autour de son doigt, elle me regarda comme une sirène aguichant un marin. Je la rejoignis en deux mouvements de brasse et, restant dans l'eau plus profonde, appuyai les coudes sur la meule et enserrai ses mollets. Je sentais le courant faire osciller mon corps sous la surface.

— D'autres gens en ont, me dit-elle d'un ton grave qui me fit comprendre aussitôt qu'elle ne parlait plus seulement de fermes en Ombrie. Même des gens tout à fait ordinaires s'en tirent très bien. Et certains y prennent plaisir.

— Vraiment? Comment font-ils?

— Ils choisissent une vie plus simple. Une vie moins noble, pas toujours régie par quelque idéal élevé. Nous pourrions en faire autant.

Ma belle humeur s'envola. Je savais que nous avions entrepris ce voyage pour avoir cette discussion, mais je n'en voulais pas maintenant. Pas dans cet endroit. J'avais l'impression d'être tombé dans une embuscade. En même temps, j'avais conscience que mon ressentiment n'était qu'une excuse.

Caitlin tendit le bras, me caressa les cheveux.

— Tu sais à quel point je me sens perdue, Michael? Comme si j'étais égarée dans la forêt, incapable de retrouver mon chemin. J'ai l'impression qu'il n'y a que toi qui puisses me trouver, mais tu ne me cherches pas.

— Nous réglerons ce problème, Cate. Ne t'inquiète pas.

— Je ne m'inquiète pas. J'ai peur. Peur d'une vie sans jalons importants : de bons moments avec de grandes plages de vide entre. Et pas de but. Tu as peur, toi aussi, mais tu refuses de l'admettre.

— De quoi j'ai peur?

— D'arrêter, répondit-elle sans cesser de caresser mes cheveux. De faillir. Peur qu'on ne découvre que tu n'es finalement qu'un être humain. Peur de ne pas être capable de changer les choses.

— Cela fait beaucoup.

— Ce n'est pas tout. C'est peut-être à cause de ces pauvres gosses que tu vois, malades, affamés. Mais je pense qu'il y a autre chose encore.

Je posai mes mains sur sa taille et la regardai dans les yeux.

— Qu'est-ce qui a changé, Cate? Je pensais que nous avions trouvé, toi et moi.

— Je ne peux pas t'expliquer, mon amour. Mais je comprends mieux maintenant qu'avant, c'est tout ce que je peux dire. Un endroit tranquille quelque part, un peu de paix. Revenir au point de départ.

— Au point de départ?

— C'est ce que disait ma mère. Ces mots avaient un sens particulier pour elle. Je veux simplement dire que nous devrions prendre le temps de nous connaître. Tu crois que nous avons vraiment pris le temps de nous connaître?

— Et un enfant, dis-je. Tout à coup un enfant.

Elle passa ses bras autour de moi et m'attira contre ses seins froids.

— Autrefois je pensais que nous ne ferions que répéter les erreurs de nos parents. Et je ne souhaitais l'enfance à personne. Maintenant, j'en suis venue à croire que le contraire est peut-être vrai. Que c'est notre seule chance de briser le cercle. Pas seulement pour cette vie nouvelle, mais pour nous-mêmes.

— Il me faut du temps pour m'y habituer, Cate. C'est tout.

— Non, fit-elle avec tristesse. Ce n'est pas tout.

Elle saisit la clé accrochée à ma poitrine et me la montra, la braqua vers moi comme pour m'accuser. Puis elle la laissa retomber sur ma peau et glissa dans l'eau comme un phoque, sans une éclaboussure, m'entoura le cou de ses bras et me regarda.

— Une aventure, Michael. Notre aventure. La route est peu fréquentée, bien sûr. C'est justement l'intérêt. Explorer ensemble un lieu inconnu.

— Je ne peux pas fonctionner comme ça. Décider sur le coup.

— Nous pouvons attendre le jour où tu penseras en avoir assez fait, répondit-elle. Mais je ne crois pas que ce jour viendra.

Elle prit mon visage entre ses mains.

— Michael, je ne te demande pas d'abandonner ce que tu fais. Je veux simplement que tu n'en sois plus l'esclave. Que nous n'en soyons plus esclaves.

— Donne-moi du temps. Je peux peut-être y arriver, mais j'ai besoin de temps.

Elle s'écarta de moi, les mains sur la pierre plate, et ses yeux s'agrandirent.

— Ne me repousse pas, Michael. Je t'en prie, ne me repousse pas maintenant.

Un Klaxon s'éleva du pont et, regardant par-dessus l'épaule de Caitlin, je vis qu'un tracteur y était arrêté. Dans la remorque, des hommes debout en tenue de travail exprimaient leur approbation par des cris et de grands gestes. Caitlin me fit une grimace, agita une main en réponse et sourit, de sorte que les hommes braillèrent de plus belle et sifflèrent d'admiration. Elle se tourna de nouveau vers moi et, malgré les rires et le soleil, je décelai de la tristesse dans ses yeux.

21

Je m'échinai pendant deux ou trois heures à retourner la terre, élaguer les branches mortes et raccrocher les volutes entremêlées du rosier tombé.

Puis je rangeai l'appentis qui nous servait de remise de jardin, construisis un incinérateur de fortune avec de vieilles briques et fis brûler tous les débris que j'avais ratissés.

Pendant trois jours, j'avais attendu que le temps s'éclaircisse, et encore maintenant il paraissait peu probable que la pluie resterait absente assez longtemps pour me permettre de finir mon travail. Cela ne m'embêtait pas vraiment. Je ne connaissais pas grand-chose au jardinage, de toute façon. Je savais seulement que l'air était pur et froid, que le givre recouvrait les feuilles mortes. Je savais que c'était bien de travailler, de mettre un peu d'ordre dans ce petit lopin embroussaillé. Mes poumons s'ouvraient et se fermaient comme des soufflets de forge.

J'avais perdu la notion du temps. C'était mon premier effort physique depuis des semaines et je sentais qu'il durcissait mes muscles. Quand je fis une pause pour reprendre haleine, la peau de mes avant-bras nus fumait un peu. Je pris soudain conscience que j'avais faim. J'enfonçai les dents de ma fourche dans le sol, m'appuyai dessus et tâchai de me rappeler s'il restait dans le réfrigérateur quelque chose des provisions que Stella avait apportées.

Comme si mes pensées l'avaient fait apparaître, la voiture de Stella descendit à vive allure la ruelle pavée et s'arrêta dans un crissement de pneus. Par-dessus la clôture, je vis son toit marron encore marqué de coups de pinceau là où elle l'avait repeint lors d'un week-end créatif. Je m'en souvenais parfaitement : elle avait inexplicablement décidé que sa couleur d'origine ne lui plaisait plus. L'idée me traversa, presque par réflexe, que je n'avais pas vraiment besoin de visiteurs en ce moment. Que j'allais bien. Que je savourais ma solitude. Mais la vue de la VW m'emplit d'une bouffée d'affection inattendue pour Stella, Stella et son tas de ferraille, qu'elle chérissait plus que de raison, sa façon maladroite de se garer et sa loyauté sans complication. Elle avait jeté un imperméable sur son uniforme vert et blanc. Elle ouvrit la grille, me vit et s'immobilisa devant mon expression.

— Personne n'attend l'Inquisition espagnole, dit-elle en riant.

— Tu as apporté de quoi manger ? Il n'y a qu'à ça que tu sois bonne.

Nous nous rendîmes à pied dans un restaurant italien situé derrière la station de métro de Notting Hill Gate. La salle, bruyante et enfumée par le coup de feu de midi, sentait le café et l'ail. C'était un établissement d'avant la rénovation du quartier, avec des nappes à carreaux et des homards en plastique pris dans des filets. J'avais une faim dévorante et nous fîmes aussitôt notre choix sur le menu plastifié : friture pour Stella, pâtes fraîches pour moi.

— Pas de bibine, cette fois, décida-t-elle. Je prends mon service à trois heures. C'est une visite éclair.

— Ah oui ?

— Je voulais juste te montrer ça. Regarde. C'est arrivé aujourd'hui.

Elle tira de son sac une enveloppe marron ornée de grands timbres aux couleurs tapageuses et expédiée à son adresse, en *Inglaterra*. Je l'ouvris. La photo qu'elle contenait montrait un groupe d'hommes et de femmes souriants, jeunes pour la plupart, assis au soleil à la terrasse d'un restaurant. Je les reconnus presque tous : l'équipe chirurgicale de Mater Misericordia. Au verso, quelqu'un à l'écriture extravagante avait griffonné : *Michael, nous voulons tellement que tu viennes! Nous avons besoin de toi!* Dessous, une dizaine d'autres avaient signé et ajouté des gribouillis, quelques traits figurant un visage hilare, des commentaires en espagnol assortis de multiples points d'exclamation.

— Ce sont des gens formidables, dis-je, étonné de me sentir aussi ému. Ils sont très gentils.

— Le problème, c'est que je dois leur donner une date, maintenant. Je ne voudrais pas te bousculer mais...

Je tournai et retournai la photo entre mes doigts.

— Ce serait merveilleux, non?

— Merveilleux, confirma Stella.

Elle ébaucha un sourire, s'arrêta.

— Qu'est-ce que tu t'es fait?

— Ça? fis-je, regardant stupidement mes mains. De simples écorchures. Je suis tombé sur du gravier.

— Tu es *tombé*?

— Dans la rue. J'ai glissé, affirmai-je en me sentant rougir. Ça arrive.

— Tu étais pété?

— Juste un petit accident, O.K.? Pour l'amour de Dieu, je...

— Hé, t'énerve pas.

Je me sentis aussitôt ridicule.

— Excuse-moi. Il se passe des choses en ce moment. je n'ai pas encore réfléchi aux dates.

— Quel genre de choses?

— Des trucs sur lesquels la police travaille.

Je savais qu'elle avait envie de continuer à poser des questions mais n'osait pas. Elle haussa les sourcils.

— Il faut que je leur donne une réponse, Michael. Ils n'attendront pas éternellement.

— Mars, lançai-je tout à trac.

— Mars? C'est dans trois mois.

— Début mars, alors. Dans quelques semaines. Bon Dieu, Stella, je n'en sais rien. Je dois attendre que la police ait terminé son enquête.

Elle m'observa en se renversant en arrière.

— Michael, au départ, l'idée du Venezuela, c'était pour t'aider. Pas pour te compliquer la vie.

— Ça m'aide. Avoir cette possibilité, ça m'aide vraiment. Mais j'ai quelques détails à régler. La rapidité avec laquelle les flics font leur boulot, ça ne dépend pas de moi.

— Bon, fit-elle d'un ton pensif. Mars, alors.

Elle ne dit plus grand-chose ensuite. Après le repas, je la raccompagnai à sa voiture, l'embrassai pour lui dire au revoir et franchis la grille du jardin tandis qu'elle démarrait. Dans l'allée menant à la porte de derrière, je regardai à nouveau la photo des infirmières et médecins vénézuéliens souriants. Je ne vis Barrett que lorsque je faillis buter contre lui sur le perron.

— Salut, doc. J'allais renoncer.

Je le fixai stupidement, mes clés à la main.

— Vous avez trouvé Carrick?

— On peut avoir une petite conversation?

— Je pensais que vous l'aviez trouvé.

Je savais que c'était un espoir irraisonné, mais j'étais surpris de ma déception.

— On commence seulement, doc. On serait mieux à l'intérieur, non? suggéra-t-il en montrant les clés que je tenais encore.

J'ouvris la porte, le laissai passer devant moi. Il traversa les pièces en regardant autour de lui comme s'il n'avait jamais mis les pieds chez moi. Je posai la photo sur une étagère, mis la radio. Elle était réglée sur une station de musique classique.

— Vous voulez un café? proposai-je.

— Seulement si vous en prenez un aussi.

— Je viens d'en boire, mais je peux remettre ça. Je suis caféinomane, j'en ai peur. Ce sera un café noir, j'oublie toujours d'acheter du lait.

— Noir, ça me va.

— Asseyez-vous.

Je lui indiquai un siège de la salle à manger et passai dans la cuisine.

— Merci.

Barrett portait un long manteau noir qui lui donnait l'allure d'un videur de boîte de nuit. Il l'ôta, le jeta sur le dossier d'une chaise et s'assit au bout de la table pour que nous puissions nous voir pendant que je préparais le café.

Il garda le silence. J'avais l'impression qu'il se taisait délibérément pour me rendre nerveux dans un but quelconque, mais peut-être attendait-il simplement que je le rejoigne pour pouvoir parler sans élever la voix. Je regrettais d'avoir pris des pâtes : je me sentais lourd, l'esprit engourdi. En remplissant de café moulu le filtre en papier, je m'aperçus que mes mains tremblaient légèrement. Trouver Barrett devant ma porte en rentrant avait provoqué en moi une agitation bizarre. J'étais content d'avoir mis la radio, cela rendait le silence moins pesant. Je posai les tasses sur un plateau et les portai dans la salle à manger en m'efforçant de ne pas les faire tinter.

— Avant que j'oublie, voilà vos photos, dit-il en laissant tomber l'enveloppe sur la table. Nous gardons le dessin encore un peu, mais nous pouvons en faire une photocopie, si vous voulez.

— Non, non. Pas de problème.

— Une dernière chose. Nous aimerions procéder à une reconstitution. La filmer et la diffuser sur Crimewatch, peut-être.

— Qu'est-ce qu'il y a à reconstituer? Personne n'a vu quoi que ce soit.

— Nous avons retrouvé une vidéo de Mme Severin prise par une caméra de surveillance au centre commercial ce matin-là. Le boss pense que ça vaudrait le coup de reconstituer son retour à la maison. Quelqu'un l'a peut-être vue rentrer. Si on a vraiment de la chance, quelqu'un a peut-être vu le type arriver peu après le retour de votre femme.

— Vous parlez de Carrick?

— Probablement.

— Vous voulez faire ça quand?

— Vendredi. Faudra condamner la moitié de la rue un moment, mais c'est mieux de faire ça le même jour de la semaine. Les gens ont leurs habitudes.

— Je vois.

— Vous aurez rien d'autre à faire que regarder, doc. Nous dire si quelque chose vous paraît anormal. La tenue de votre femme. Sa façon de marcher. L'ordre dans lequel elle fait les choses. Ce genre de trucs. D'accord?

J'eus un haussement d'épaules.

— Si vous pensez que cela peut être utile.

— Personnellement, je compte pas trop sur les reconstitutions, mais ça vaut le coup d'essayer.

Après un silence, je demandai :

— Vous n'avez aucune idée de l'endroit où il se trouve ?

— Carrick ? D'après moi, il est à l'étranger. Il a les contacts, l'expérience...

Je ne répondis pas.

— Mais il finira par revenir, doc. Ils reviennent toujours. Pour voir une dernière fois leur vieille maman, ou parce qu'ils ont le mal du pays, qu'ils se languissent d'une portion de *fish and chips* et d'une bonne pinte...

Barrett sucra abondamment son café, le remua.

— En attendant, nous avons eu une longue conversation bien agréable avec la jeune Angie.

— Ah bon ?

— Elle est canon, à propos. Vous nous l'aviez pas dit, ça.

— Vous êtes allés à Bradford ? dis-je en prenant ma tasse.

— Elle nous a épargné le déplacement. Elle est à Londres.

— Quoi ? fis-je, sans parvenir à masquer mon étonnement.

— Avec son oncle, le vieux cinglé. Ils se sont installés dans l'appartement du frère, à Brixton.

— Elle a le droit de faire ça ?

Il haussa les épaules.

— Le loyer est payé. Elle a une clé.

— Mais pourquoi est-elle là ?

— Pour être là où ça se passe, à ce qu'elle dit. En fait, elle veut être là le jour où on alpaguera son frère.

— Je voudrais l'adresse, fis-je au bout d'un moment.

Barrett me considéra avec curiosité.

— Pour rendre les photos, expliquai-je. Je les ai prises chez elle. Je me sens gêné.

— C'est plutôt normal, dit-il en haussant de nouveau les épaules.

Il écrivit l'adresse au dos d'une carte et me la tendit.

— En tout cas, je parie qu'elle regrette de pas être restée dans le Nord. On l'a un peu secouée, je le nie pas. Au sens figuré, bien sûr. Quatre, cinq heures au bloc. En pleine nuit. La routine. Ça lui a foutu les jetons.

— Je vois.

— Mais c'est une coriace, Angie, je dois le reconnaître. Y a pas eu moyen de lui faire lâcher quelque chose sur son frère qu'elle voulait pas dire.

— Elle ne sait peut-être rien.

— Oh! que si.

Curieusement, cela m'affectait de l'entendre parler d'elle de cette façon. J'imaginais Barrett tournant autour d'elle dans une pièce obscure, ricanant comme un flic de série B, et je me sentais coupable parce que c'était à cause de moi. Je me sentais tenu de la défendre, ne serait-ce que pour me racheter.

— Rien de ce qui est arrivé n'est de sa faute, plaidai-je.

— Elle a fait votre conquête, hein, doc?

— Je vous demande pardon?

— La jeune Angie. Une belle fille, courageuse... Vous avez de la sympathie pour elle, peut-être.

— Vous ne parlez pas sérieusement, putain?

Je m'interrompis, pris d'un besoin ridicule de m'excuser pour mon langage.

— Juste une idée comme ça, répondit-il d'un ton innocent. Sauf qu'elle a dit quelque chose d'à peu près pareil sur vous. Que la vie est cruelle. Que c'est toujours ceux qui n'ont rien à se reprocher qui souffrent. C'est tout.

292

— Je vois.

Je fis tomber un sucre dans mon café et me rendis compte au même moment que je l'avais déjà fait, et peut-être plus d'une fois.

— Vous savez, doc, c'était lui le père de l'enfant. Carrick. C'est officiel. Les services médicaux de l'armée ont conservé des échantillons de son sang et on a fait une analyse d'ADN. Ça donne à réfléchir, hein? Une belle jeune femme comme elle. Une racaille comme lui... Vous vous sentez bien?

— J'ai besoin d'air.

Je me levai, ouvris la porte de derrière et sortis dans le jardin.

Il faisait froid et humide, dehors, et cela me convenait. Barrett me suivit, se posta près de la porte, posa sa mallette sur les dalles. Il avait remis son manteau et se balançait d'un pied sur l'autre en examinant le petit jardin. Je remarquai qu'il avait emporté sa tasse : il ne semblait pas pressé de partir.

— Vous jardinez un peu, doc?

— J'ai simplement voulu m'offrir une bonne suée.

Je n'avais pas envie de parler de jardinage, je n'avais pas envie de parler tout court.

— Moi, j'adore ça.

Il pointa l'index vers le rosier que j'avais rattaché au mur.

— Il vous faudrait du crottin de cheval. Pas trop, sinon ça brûle les racines. J'en ai par la police montée. Ça fait plaisir de savoir qu'elle sert à quelque chose, hein? Je verrai si je peux vous en avoir un sac.

Je commençais à avoir sérieusement envie de le voir partir, mais il n'en manifestait toujours pas l'intention.

— Vous savez, c'est une drôle d'histoire, doc.

— Qu'est-ce que vous voulez dire?

— Me comprenez pas mal, j'ai aucune sympathie pour un voyou comme Carrick, mais il a plutôt dégusté, dans son enfance.

— Je ne vous suis pas.

— Vous aussi, d'ailleurs. Soyez pas surpris, j'ai jeté un œil dans les dossiers, c'est tout.

— Pourquoi avez-vous fait ça?

— Simple curiosité. Vous vous en êtes bien sorti, après un début pareil.

— J'ai eu de la chance.

— Non, non. C'est aussi grâce à vous. Vous étiez intelligent, plein de ressources...

Barrett toucha sa mallette de la pointe de sa chaussure.

— Pas comme ce raté. Carrick.

Il but une gorgée de café, serra sa tasse pour se réchauffer les doigts.

— Vous avez bien nettoyé, fit-il remarquer avec un hochement de tête approbateur en direction du tas de feuilles mortes et du sol retourné.

Il jeta un coup d'œil au ciel sombre et ajouta :

— Une chance que vous ayez presque fini. Je crois qu'il va pleuvoir sur vos terres.

— Si vous avez autre chose à me dire, allez-y.

L'inspecteur posa sa tasse sur le rebord extérieur de la fenêtre et s'adossa au mur, les bras croisés. Son haleine fumait dans l'air vif.

— Je suis prêt à croire à un accident, déclara-t-il d'un ton raisonnable. Oui, un accident, ça m'irait.

Je ne voyais pas où il voulait en venir. C'était comme si nous marchandions une transaction mineure, l'achat d'une voiture d'occasion, par exemple.

— C'est pas si dur à comprendre, poursuivit-il. Vous rentrez à l'improviste. Vous trouvez votre femme avec ses valises, sur le point de partir. Vous réussissez à lui faire dire ce qu'elle trafique dans votre dos. Echange de reproches. Le ton monte, ça dégénère. Un accès de rage, et voilà.

Je n'arrivais plus à inspirer suffisamment d'air dans mes poumons.

— Oh, tout le monde est capable de violence, doc, commenta-t-il avec détachement. Même vous. C'est pas Angie Carrick qui dirait le contraire.

Il sourit en voyant mon expression.

— Elle vous a collé un coquard, hein?

— Elle vous en a parlé?

— Elle vous a filé un gnon, mais uniquement parce que vous l'aviez giflée d'abord. C'est bien comme ça que c'est arrivé?

Je me sentais mal.

— Vous vous trompez. Vous vous trompez complètement.

— Appelons ça une simple hypothèse pour le moment, d'accord?

Il resserra son manteau autour de lui, scruta de nouveau le ciel froid.

— Mais je veux vous faire comprendre une chose. Vous la faire comprendre maintenant.

— Quoi? demandai-je.

— Y a des trucs que j'arrive pas à m'expliquer depuis qu'on a entendu parler de ce Barney Carrick. Pour mon boss, c'est simple. Vous êtes un vilain garçon de pas nous avoir mis dans le coup, mais à part ça Carrick fait un bon suspect. D'un jour à l'autre, il se retrouvera au trou et nous dira qu'il est content que ce soit fini. Mais moi...

Il eut un petit rire.

— Moi, je pense que tout est changé depuis que vous nous avez parlé de Carrick. On a jeté toutes les cartes en l'air et personne ne sait exactement où elles sont retombées.

— Ce qui signifie?

— Oh, je vous accorde que Barney Carrick est un mauvais. Plus que capable d'une chose pareille. Mais rien n'indique qu'il soit venu chez vous ce jour-là, ou n'importe quel autre. Pas d'empreintes digitales, pas de traces d'ADN, pas de témoins.

— Ça ne prouve pas qu'il n'y était pas.

— Mais c'est loin de prouver qu'il y était, vous devez le reconnaître. Y a même pas eu effraction. En plus, si votre femme avait fait ses valises pour partir avec lui, pourquoi il l'aurait tuée? Vous, en revanche... On *sait* que vous étiez là. Vous et vos fameuses quarante minutes.

Il écarta les mains pour faire appel à ma compréhension.

— Vous voyez comme ça s'enchaîne bien?

— J'y crois pas, soupirai-je.

— Oh, vous feriez bien d'y croire, pourtant. Parce qu'il y a aussi l'affaire de vos relations avec Mlle Cowan. Vous couchez avec elle, manifestement.

— Mais c'est faux! Absolument faux! Je n'ai plus ce genre de relations avec Stella depuis... depuis mon mariage, et même avant...

— Ah? C'est absolument faux aussi que vous envisagez de vivre à l'étranger avec elle? C'est ce que vous m'avez dit, pourtant.

Il tendit un doigt accusateur vers la maison.

— Et j'ai vu que tous vos nouveaux amis étrangers vous écrivent déjà et vous préparent une nouvelle vie, comme qui dirait...

— Cela n'a aucun rapport...

— Vraiment? Vous voulez dire que Mlle Cowan et

vous n'avez pas connu un... — comment dire? — un retour de flamme quand vous étiez ensemble en Amérique du Sud, la dernière fois? Lunes tropicales, airs de guitare, longues nuits solitaires? Tout le monde craquerait!

— Non. Nous n'avons pas craqué. Pas au sens où vous l'entendez.

— Admettons que vous disiez la vérité, doc, mais entre la baiser ou pas, y avait à peine de quoi glisser une patte de moucheron. Suffit d'interroger les membres de votre équipe au Venezuela — ce que j'ai fait — pour parvenir à cette ignoble conclusion.

Je fus tout à coup au bord des larmes et tentai désespérément de le cacher, mais Barrett dut le voir car il évita de me regarder et renversa la tête en arrière pour humer l'air froid.

— Je n'aurais jamais fait de mal à Caitlin, affirmai-je. Même si j'avais tout découvert — Carrick, le bébé —, je ne lui aurais jamais fait le moindre mal. Même si tout ce dont vous m'accusez était vrai.

Il m'observa pensivement pendant quelques secondes.

— On est pas très futés, dans la police, vous savez. Sinon, on serait pas flics. On serait tous chirurgiens du cerveau comme vous, si c'est bien ça que vous faites. Alors, notre façon de travailler est vraiment emmerdante. Un petit fragment à la fois. Si vous continuez assez longtemps, ça devient un tableau. Rien de personnel là-dedans.

Il se mit à pleuvoir et Barrett boutonna son manteau.

— Vous avez probablement rien à craindre, doc. Jusqu'ici, c'est juste de la spéculation de ma part. Pendant ce temps-là, on continue à chercher Carrick partout. On le trouvera peut-être bientôt, on aura une autre vue d'ensemble et je reviendrai ici bouffer mon chapeau.

Après un silence, il reprit :

— Mais un accident, oui, ça m'irait.

Il descendit l'allée jusqu'à la grille de derrière et se retourna, la main sur la poignée.

— Vous devriez peut-être y réfléchir, me conseilla-t-il. En attendant, partez pas en voyage avec Mlle Cowan sans nous en aviser, s'il vous plaît.

Il leva une main pour un au revoir qui était presque un salut et sortit dans la ruelle. J'entendis ses pas lourds claquer sur les pavés.

Quand je ne l'entendis plus, je retournai dans la maison. Je me sentais physiquement mal. Je me précipitai dans la salle de bains et y demeurai un moment, luttant pour ne pas vomir, examinant mon reflet fantomatique dans le miroir. Je m'aspergeai d'eau froide, me ressaisis un peu.

J'allai dans la salle à manger. La maison sombre paraissait oppressante, dans la perspective d'une longue soirée d'hiver sans rien d'autre à faire que continuer à se remettre en question. Je me sentais pris au piège, au bord de la panique. Je me sentais seul. Je pris l'enveloppe que Barrett avait laissée sur la table, mais je n'eus pas besoin de l'ouvrir et de regarder les photos pour voir le visage de Carrick aussi clairement que s'il était devant moi. « Ça donne à réfléchir, avait dit Barrett. Une racaille comme lui. Une belle jeune femme comme elle. »

Je glissai l'enveloppe dans ma poche et, bien que ne me sentant pas en état de conduire, y pêchai mes clés de voiture.

22

Il me fallut moins d'une demi-heure pour trouver sa rue, parallèle à Brixton High Street et pas très loin de la ligne de chemin de fer. Je me garai dans une voie latérale, décidé à marcher un peu pour m'éclaircir les idées. Un marché nocturne se tenait dans la rue bondée d'étals, de parapluies et de gens. Il y avait des cris, des rires, et une odeur de friture montait des woks installés à l'air libre. Une fanfare jouait quelque part.

L'immeuble était situé dans une brève succession de boutiques, à portée de bruits et d'odeurs du marché. L'appartement se trouvait au-dessus d'une épicerie asiatique, entre un marchand de vin et une officine de paris, tous trois fermés. A travers les stores de toile verte de l'épicerie, j'aperçus des sacs de riz et des cartons d'épices entassés de part et d'autre d'une étroite allée. Un passage courait sur le côté du bâtiment ; tout au fond, sur un petit parking, était garée une Fiat Bravo à la lunette arrière ornée d'un autocollant du Yorkshire Dales National Park. Une porte en aggloméré bâillait sous l'angle d'un escalier d'incendie. Je la poussai, me retrouvai dans une cage d'escalier qui sentait la noix de coco et la coriandre. Je montai les marches sans faire de bruit, frappai à la porte de l'appartement, au premier étage.

Pendant un moment, personne ne répondit et je m'apprêtais à frapper de nouveau quand j'entendis des pas rapides, le cliquetis d'une chaîne qu'on défaisait. La porte s'ouvrit. Angie leva les yeux vers moi et je devinai qu'elle s'attendait à voir quelqu'un d'autre. Elle était vêtue d'une chemise en toile de jean au col largement ouvert et d'un pantalon kaki. Elle chercha à cacher sa surprise, mais je vis ses pupilles se dilater et sa main se porta instinctivement à son col pour le resserrer.

— Vous êtes gonflé de venir ici! me lança-t-elle.

— Je peux entrer?

— Non. Foutez le camp.

Elle voulut me claquer la porte au nez, comme j'avais essayé de le faire avec elle chez moi, mais je plaquai une main sur le panneau de bois et de l'autre lui tendis l'enveloppe.

— Je suis venu vous rendre ça.

— Qu'est-ce que c'est?

— Les photos que je vous ai prises.

— Que vous m'avez *volées*!

— Oui. C'est exact. Maintenant, je vous les rends. J'ai tenu à le faire en main propre. C'était peut-être une idée idiote.

Son regard obliqua vers l'enveloppe puis revint à mon visage.

— Pourquoi vous êtes ici, en fait?

— Vous m'avez dit l'autre fois que nous étions tous deux blessés par cette histoire. Cela m'a fait réfléchir.

J'ôtai ma main de la porte pour laisser à Angie la possibilité de la refermer. Elle me fixa un moment puis s'empara de l'enveloppe d'un geste brusque et s'écarta. Je passai devant elle pour entrer dans l'appartement: une pièce avec une table de salle à manger, une kitchenette et une salle de bains, deux chambres dans le fond. On n'avait pas refait la décoration depuis les années soixante. Une grande fenêtre donnait sur le parking et offrait une vue à hauteur des yeux sur un viaduc ferroviaire. Je sentis dans l'air l'odeur du tabac de l'oncle Stanley et d'un déodorant au pin.

— Vous avez le chic pour me retrouver, fit remarquer Angie. Qui vous a dit que j'étais ici? L'intègre sergent Barrett?

— Les policiers disent que c'est l'appartement de votre frère.

— Oui. Et alors?

— Pourquoi êtes-vous venue à Londres? Vous allez vous attirer des ennuis.

Les mains sur les hanches, elle répliqua :

— Qu'est-ce que ça peut vous faire?

— Et vous avez emmené l'oncle Stanley?

— Il n'a pas voulu rester là-bas.

— Où est-il?

Je m'étais attendu que le vieil homme soit là et son absence changeait la situation d'une façon que je ne parvenais pas à définir.

— Il est au marché. Ou au pub, peut-être. J'ai cru que c'était lui qui rentrait.

Angie referma la porte derrière moi, lança l'enveloppe sur la table sans l'ouvrir.

— Vous faites une drôle de tête, dit-elle.

— J'ai eu la visite de la police, aujourd'hui.

— Ça n'a pas dû vous faire plaisir.

— Non, en effet.

— Moi non plus, je n'ai pas été ravie quand ils m'ont embarquée en pleine nuit. Grâce à vous.

— Je ne voulais pas ça, Angie, mais il fallait que j'aille à la police, vous le savez.

— Et vous, vous savez ce qu'ils m'ont fait? ripostat-elle en haussant le ton. Ils m'ont gardée dans cette putain de salle d'interrogatoire pendant des heures sans même me laisser aller aux toilettes. Toujours les mêmes questions, toute la nuit. Et cette brute de Barrett toujours penchée vers moi, à me mater.

Elle serra ses bras autour d'elle comme si ce souvenir la glaçait. En la voyant trembler, je compris à quel point ils l'avaient effrayée et humiliée.

— Si vous savez quoi que ce soit, dites-le-leur. Coopérez. Faites ce qu'ils vous demandent.

— Pourquoi je le ferais?

— Parce que cette histoire va bien au-delà d'une loyauté dévoyée envers votre frère. Parce que vous risquez d'en pâtir.

— Vous ne savez pas grand-chose, Michael, et vous comprenez encore moins.

— Je connais ses antécédents.

— Oh, oui. Le sergent Barrett sait tout sur Barney, n'est-ce pas? Il a estropié un pauvre homme dans un pub à l'âge de quinze ans. Et puis il y a eu le Massacre des Innocents à Kaboul. Je connais toutes ces histoires.

— Vous voulez dire qu'elles ne sont pas vraies?

— Elles sont exactes. Mais ce n'est pas la même chose.

— Ce qui signifie?

— Cela signifie que les choses ne sont pas toujours ce que vous pensez. Que Barney avait ses raisons.

— Quelle raison avait-il de battre Caitlin à mort?

— Vous ne m'écoutez pas : je vous ai dit qu'il est incapable d'une chose pareille.

— Si vous le répétez assez longtemps, cela finira par devenir vrai.

— Essayez de comprendre, Michael. Barney est le seul homme qui ait jamais veillé sur moi. Sans lui, je serais devenue comme ma mère : foutue à quatorze ans. Complètement foutue.

Elle parlait de plus en plus fort et ses yeux prenaient un éclat sauvage.

— Vous n'avez pas le droit de nous juger. Vous n'avez aucune idée de ce que nous avons subi.

— La moitié du monde a eu une enfance pourrie. Vous croyez que la vôtre justifie tout ?

— Vous feriez n'importe quoi pour coller ça sur le dos de Barney, hein ? dit-elle en s'approchant de moi. Pourquoi ? Parce que vous pensez réellement que c'est lui ? Ou parce qu'il tringlait votre femme ?

— Ne vous arrêtez pas en si bon chemin. Pourquoi ne pas aller jusqu'au bout et m'accuser de l'avoir tuée ? Vous ne seriez pas la première.

— Et alors ? cria-t-elle. Vous l'avez tuée ?

Je la saisis par les épaules et la pression de mes mains la fit grimacer, mais je ne relâchai pas mon étreinte.

— Je suis resté auprès d'elle dans l'escalier, dis-je.

Ma voix tomba et j'eus l'impression que c'était quelqu'un d'autre qui parlait. Par-dessus la tête d'Angie, je fixais la fenêtre striée de pluie.

— J'ai fait tout ce que j'ai pu pour la sauver. Son cœur battait encore, je le sentais de temps en temps. Finalement, j'ai dû attendre qu'il s'arrête. Attendre, assis là. Cela a pris très longtemps.

— Lâchez-moi !

Angie se débattit comme un animal farouche que j'aurais pris au piège. Je ne regardais pas son visage.

— Caitlin ne demandait pas grand-chose. Avoir un but dans la vie. Ne plus être seulement la belle princesse du château. Ce n'était pas grand-chose, mais elle a quand même dû le chercher ailleurs.

Dehors, il arrivait quelque chose d'étrange aux lumières colorées, quelque chose qui les faisait trembler.

— Elle voulait un enfant, continuai-je. Finalement, cela aussi, elle a dû le chercher ailleurs.

Je baissai les yeux vers Angie. Je ne voulais pas la menacer, mais, dans ma tête, c'était Caitlin que je regardais, étendue dans l'escalier, les jambes nues, et ce qu'Angie vit à cet instant sur mon visage dut la terrifier car elle poussa soudain un cri et me frappa, main droite, main gauche. Je lui emprisonnai les poignets et elle se tortilla pour se libérer, crachant comme un chat, les yeux agrandis, fulminants.

— Angie, arrêtez.

Je passai mes bras autour d'elle et la tins contre moi.

— Angie!

— Ça réglerait les comptes, hein? hurla-t-elle. Me baiser comme Barney la baisait!

Je laissai mes bras retomber, reculai d'un pas. Un instant, la pièce tournoya, et quand elle s'immobilisa de nouveau, je revins dans le présent, je vis qu'Angie se tenait devant moi, les bras le long du corps, haletant comme un boxeur qui vient de se dégager d'un corps à corps. La rage quittait son visage sous mes yeux et elle avait l'air médusée.

— Michael...

La porte s'ouvrit.

— Excusez-moi, tout le monde, dit l'oncle Stanley.

Il portait une caisse en carton remplie de boîtes de conserve, de paquets en papier d'aluminium scellé et de légumes frais. Il nous lorgna par-dessus une botte d'asperges, comme un animal de la jungle méfiant.

Angie se détourna, ramena ses cheveux en arrière, tira sur sa chemise, tenta de calmer sa respiration. Je retrouvai ma voix avant elle :

— Nous avons eu un problème.

— Ah ouais ? fit le vieil homme.

— Un petit problème. C'est réglé, maintenant.

— Un problème d'algèbre ? dit l'oncle en me considérant d'un œil froid. Je me souviens pas que c'était aussi bruyant, l'algèbre. Je ferais peut-être bien de repartir avant que vous vous mettiez aux logarithmes...

Il lança à Angie un regard interrogateur.

— Tout va bien, assura-t-elle.

Elle fit un pas en avant, lui prit la caisse des mains et dit en affectant un ton autoritaire :

— Donne-moi ça et ferme la porte avant qu'on soit tous gelés.

— Il vaut mieux que je m'en aille, estimai-je. Je n'aurais pas dû venir.

— Vous n'êtes pas obligé de partir.

Angie avait parlé d'une voix essoufflée en me tournant le dos. Elle posa le carton sur la table et ajouta au bout d'un moment :

— Je n'aurais jamais dû vous dire ça.

— Ce n'est pas de votre faute.

— Je m'en voudrai si vous partez maintenant.

— Il vaut quand même mieux que je parte.

L'oncle Stanley suivait notre échange en tournant la tête d'un côté puis de l'autre, comme un arbitre à Wimbledon.

— Comme vous voudrez, fit Angie.

Elle me tournait toujours le dos et je voyais ses épaules se soulever puis retomber.

— J'ai fait un poulet rôti, il y en a pour trois, argua-t-elle.

— Décidez-vous, bon Dieu, s'impatienta l'oncle, sinon personne mangera !

J'aurais encore pu refuser, nous le savions tous.

Je m'assis à la table.

Angie tira les courses du carton d'une main mala-droite.

— T'as pas acheté de vin? reprocha-t-elle à son oncle. Tu crois qu'on va boire ta saleté de bière brune?

— Il te faut du vin, maintenant, grommela-t-il.

Il abattit sa pipe contre sa paume calleuse avec un bruit de petit pistolet, recommença, fronça les sourcils devant le résultat et souffla bruyamment dans le tuyau.

— Excuse-moi mais j'avais pas compris qu'on recevait ton monsieur. J'ai pas ramené d'ortolans non plus.

— Je vais chercher du vin, dit Angie.

Je me levai à demi, mais elle me fit signe de me ras-seoir.

— C'est juste en bas. Et cela me fera du bien de prendre l'air. Vraiment.

Elle enfila son blouson de cuir noir en gardant le visage détourné et sortit, nous laissant l'oncle et moi face à face. Le vieil homme alluma sa pipe, tira dessus d'un air satis-fait pendant une minute ou deux, plissant les yeux chaque fois que je le regardais mais sans rien dire. Un train venant de Victoria ou de Waterloo passa sur le via-duc en direction de la banlieue sud, faisant tinter la vais-selle dans la cuisine. Nous regardâmes tous deux les voi-tures défiler lentement. C'était étrange, ces fenêtres si proches et ces visages anonymes qui saisissaient un moment de notre vie.

— Ils voient dans l'appartement, commenta Stanley. Ça les occupe, les pauvres.

Il sourit, agita la main en direction des voyageurs du train bondé et, fait incroyable, plusieurs d'entre eux répondirent à son salut.

— Après tout, c'est aussi à ça que ça sert, une fenêtre. Sinon, ce serait un mur.

Il cessa de faire signe aux inconnus, joignit ses longues mains sur la table, à côté de ses ustensiles cérémoniels, posés devant lui : blague à tabac, boîte vert et jaune de Swan Vesta, cure-pipes, brûle-gueule en bruyère appuyé au rebord d'un cendrier plein d'allumettes craquées. Il m'observa de ses yeux bleus paisibles. Le calme se fit dans la pièce et, peu à peu, en moi.

— Ça doit être dur pour vous, d'être ici, dis-je.

— Je prends les choses comme elles viennent, répondit-il. C'est mieux que Tobrouk en 42, vous pouvez me croire.

Il prit sa pipe, l'inspecta.

— Et qu'est-ce que vous avez d'autre à me dire, jeune docteur Seven ?

— Que vous ne méritez pas ça, répondis-je sans réfléchir. Ni vous ni Angie.

— Vous non plus, docteur Seven. Mais ce qui arrive dans la vie a rien à voir avec qui mérite quoi.

Il alluma sa pipe avec des gestes théâtraux en secouant vigoureusement chaque allumette. J'essayai de voir ses yeux mais ils étaient perdus dans la fumée. Je me levai et allai à la fenêtre. Les lumières jaillissaient dans tout South London. J'entendis la fanfare du marché, le grondement d'un autre train qui approchait, et j'attendis que les voitures éclairées de jaune passent, dans un bruit de ferraille. Quand je regardai l'oncle Stanley, il saluait de nouveau les banlieusards qui rentraient chez eux. Après le passage du train, il se tourna vers moi, et la fumée de sa pipe s'enroulant autour de ses sourcils lui donnait l'air d'un magicien dans un conte pour enfants.

— Parlez-moi de Barney, dis-je enfin.

— Ah. Il était mauvais, notre Barney.

Voyant mon expression, il ôta sa pipe de sa bouche,

tâta le dessus du fourneau d'un pouce noirci par la cendre et craqua une autre allumette.

— Vous vous attendiez pas que je dise ça, hein?

— Non.

— Vous pensiez que j'allais dire qu'il a toujours veillé sur sa sœur, que personne ne le comprenait et qu'il a jamais eu sa chance?

— Quelque chose comme ça.

— C'est vrai aussi.

— J'espérais une réponse directe.

— A votre âge, vous savez pas encore que ça n'existe pas?

Il reposa sa pipe, joignit de nouveau ses longs doigts, parut s'absorber dans ses souvenirs; il lui fallut un moment pour s'arracher à ce qu'il voyait.

— Je vais vous dire une chose, docteur Seven. La vie est une page vierge pour personne. Pas même au début.

— Je ne comprends pas.

— On croit que tout le monde commence avec une page vierge. Bien propre, bien blanche. On croit que ce que chacun y écrit dépend de lui, seulement de lui. Que ce soit moche et pourri, ou grand et magnifique, c'est de sa faute, ou grâce à lui, selon le cas.

Je l'écoutais en silence. Sa voix avait quelque chose d'envoûtant et je ne voulais pas rompre le charme.

— Mais ça se passe pas du tout comme ça, poursuivit-il. La belle feuille blanche est déjà toute gribouillée avant qu'on commence à y écrire notre histoire. Des fois, c'est des bonnes choses qu'y a de gribouillé, des fois des mauvaises. Pour Barney, c'était des mauvaises. Pour la petite Angela aussi. Et vous avez beau être devenu quelqu'un, je parie qu'elles étaient mauvaises aussi pour vous. J'ai pas raison?

— Si. Vous avez raison.

308

Il haussa ses sourcils blancs, soupira.

— Mais c'est peut-être pas une excuse. Le Barney a fait de vilaines choses. Il a blessé des gens. Bien sûr, Angela pense qu'il a appris la leçon, depuis. Qu'il a changé.

J'entendis la clé tourner dans la serrure. La porte s'ouvrit, Angie entra dans la pièce avec deux sacs en plastique.

Pendant une demi-heure, nous mangeâmes du poulet et de la salade en buvant du vin de table dans des verres dépareillés. En silence. Les trains passaient sur le viaduc, Stanley levait son verre et faisait des grimaces aux voyageurs ; Angie le grondait, mais il recommençait à chaque fois. Une musique des Caraïbes s'insinuait dans la pièce. A un moment, je me rendis compte que le vieil homme, qui avait porté les plats à la cuisine d'un pas traînant en plusieurs allers et retours, n'était pas revenu. Je vis que la porte d'une des chambres était fermée — je n'avais pourtant pas entendu le loquet cliqueter — et quand je ramenai mon regard sur Angie, elle m'observait de l'autre côté de la table.

— Ça va ? me demanda-t-elle.

— Ça va.

— J'ai toujours été une grande gueule.

— Pas de problème.

— Michael, vous devez essayer de comprendre d'où je viens. J'aimerais que vous compreniez. Vraiment.

Je la regardai d'un air interrogateur.

— Quand j'étais ado, ma mère avait Barney, moi et le manque d'héroïne à nourrir. Tout se passait dans la même pièce : les piqûres, les passes, les coups. Nous étions comme des otages, mon frère et moi. Parfois, je pense que nous le sommes encore.

Elle rejeta ses cheveux en arrière, poursuivit :

— Vous ne pouvez pas imaginer ce que c'était. Maman rétamée par terre pendant des heures. Barney et moi tournant autour des poubelles de Hukum comme des chiots affamés... C'est Barney qui m'évitait les ennuis, qui m'empêchait d'entrer dans les mauvaises bandes. Je bossais tout le temps : des petits boulots et les cours du soir. J'étais douée, d'une certaine façon. Finalement, j'ai réussi à m'inscrire à la LMU, la Leeds Metropolitan University. C'est comme ça que je m'en suis sortie. Grâce à Barney.

— Et lui ?

— Pendant que j'avais la tête dans mes bouquins, il accumulait les problèmes. Finalement, pour ne plus avoir d'ennuis, il s'est engagé dans l'armée. C'était il y a huit ans. Il a acheté cet appartement un peu plus tard. Je venais le voir de temps en temps. C'était la grande aventure.

Je parcourus des yeux la pièce nue.

— Oh, je sais, fit-elle, interprétant mon regard. Ce n'est pas grand-chose. Il n'y avait même pas un poster sur les murs quand je suis arrivée avec l'oncle Stanley. Pas de bibelots, pas de décoration. Mais à l'époque, l'appartement était plein de ce que Barney rapportait. Plein de vie, si vous voulez.

— Qu'est-il arrivé ?

— Il est arrivé l'Afghanistan. Je ne connais pas les détails.

— Vous ne lui avez pas posé de questions ?

Angie me regarda dans les yeux.

— Je ne l'ai pas vu depuis deux ans.

Il me fallut un moment pour enregistrer ce qu'elle venait de dire.

— Vous ne l'avez pas vu depuis deux ans ?

— Ni même parlé, sauf une fois. J'ai téléphoné, laissé

des messages, il n'a jamais répondu. C'est une des raisons pour lesquelles je suis venue ici. Pour combler le fossé.

— Comment ferez-vous?

— Barney avait un copain à l'armée, Chris Walker, il m'envoyait des photos des pays où ils étaient allés ensemble. La Bosnie, le Koweït. D'autres pays aussi. C'est au Moyen-Orient qu'il a commencé à utiliser cette phrase : « J'ai senti le goût de ton absence. » Il demandait à Chris de l'écrire pour lui sur les cartes postales qu'il m'envoyait. Barney ne savait pas écrire, enfin, pas très bien. Après l'Afghanistan, plus rien. Je me disais qu'il s'en était sorti, à sa manière. Qu'il avait rencontré une femme, peut-être. Mais la vérité, c'est qu'il avait honte.

Elle s'interrompit, soupira.

— Bref, il m'a appelée, le jour de l'enterrement de maman, il y a six mois. Je ne sais pas comment il avait appris sa mort. C'est là qu'il m'a parlé de Caitlin.

— Qu'est-ce qu'il a dit?

— Qu'elle était jolie. Qu'elle était mariée...

Angie posa sa main sur la mienne.

— Que c'était une femme exceptionnelle, et qu'elle le faisait se sentir exceptionnel, lui aussi.

— Je vois.

— Je sais qu'il était sincère. Je sais que c'était en fait pour m'annoncer ça qu'il appelait. Ensuite, quand j'ai lu dans le journal ce qui était arrivé à Caitlin, j'ai pensé que Barney chercherait à me joindre, mais il ne l'a pas fait et je n'ai pas réussi à le trouver. Voilà pourquoi je suis allée chez vous, l'autre soir. Au cas où vous sauriez quelque chose.

— Angie, vous ne l'avez pas vu depuis deux ans. Vous ne pouvez pas savoir ce qu'il est devenu...

— Mais je sais ce qu'il n'est *pas*. Ce qu'il est incapable

de faire. Barney ne rôdait pas autour de votre Caitlin comme un pervers. Il ne l'a pas frappée avant d'aller se terrer quelque part. Il en était incapable.

— Quelqu'un l'a fait.

— Oui. Un salaud. Un drogué. Un fou. Mais pas Barney.

— Vous ne pouvez pas en être sûre.

— Vous ne comprenez pas. Je ne compare pas des probabilités. Je lui dois simplement de ne pas le croire capable d'une telle chose.

— Croire ne peut pas être seulement un acte de volonté, Angie.

— Ah? Et moi qui pensais que c'était précisément ça, la foi.

Sa conviction était inexpugnable. Elle avait quelque chose de pur, de religieux. Nous laissâmes le silence s'installer et se prolonger un moment. Ses mains agrippaient encore les miennes. Elle parut s'en rendre compte au même moment que moi, les lâcha et se renversa en arrière en écartant ses longs cheveux de son visage. Puis elle tourna la tête et regarda par la fenêtre les néons des devantures, la lumière bleue des lampes au sodium des réverbères, les carrés jaunes d'un millier de fenêtres d'un millier de maisons où dix mille personnes anonymes menaient leur vie inconnaissable. Quelque part au milieu de ces lumières, ou dans l'obscurité qui les séparait, son frère avait mené — ou menait encore — une vie dont ni elle ni moi ne savions rien.

Elle se tourna vers moi.

— Vous comprenez qu'il faut que je sois ici pour lui, dans cette grande ville? Même si, au bout du compte, je ne pourrai rien faire d'autre que me tenir dans la foule devant la potence quand le moment viendra.

Je finis mon vin et annonçai :

— Je dois y aller.

Elle ne répondit pas. Je me levai, enfilai ma veste et traversai la pièce.

— Merci, dis-je en ouvrant la porte.

— De quoi?

— Je ne sais pas. D'avoir parlé. D'avoir été au fond des choses.

— Michael?

— Oui?

— Je sais que c'est dur pour vous. Mais quoi qu'il se soit passé entre elle et lui, cela ne fait pas de nous des êtres mauvais. Pas parce qu'il était mon frère et qu'elle était votre femme.

Les lumières de la ville l'éclairaient par-derrière et faisaient luire ses cheveux bruns. Sur son visage se mêlaient la peur, le défi et l'espoir.

Je lui adressai un bref sourire avant de refermer la porte derrière moi.

23

Meredith Vren tourna plein pot le coin du Strand, la tête baissée, faisant voler les pans de son imperméable en plastique et chassant les piétons de son passage. Elle pressait contre sa poitrine une vieille serviette en cuir usée dont les languettes se soulevaient à chacun de ses pas.

Je l'observais de la fenêtre de la cafétéria où j'étais assis. Je ne l'avais pas revue depuis l'enterrement et il n'y avait plus trace de la Meredith effondrée et en larmes que j'avais serrée contre moi ce jour-là. J'en fus heureux. Cela me faisait chaud au cœur de la voir débordant de nouveau d'énergie, traversant rapidement au passage clouté. Un coursier à motocyclette dut faire un écart pour l'éviter et poussa un juron. Elle lui fit un doigt d'honneur sans même le regarder, poussa la porte de la cafétéria et marcha vers moi au pas de charge.

Je me levai, la pris dans mes bras. Elle me parut plus ronde encore qu'avant, j'arrivais à peine à en faire le tour.

— Merci d'être venue, dis-je. Je vous commande un café?

— Du thé! cria-t-elle au serveur italien qui se dirigeait vers nous d'un pas coulé. Et pas un foutu cocktail de fruits. Un thé d'ouvrier, avec deux sucres.

Le garçon, terrifié, hocha la tête et repartit.

Meredith laissa tomber sa serviette sur la table entre nous. Elle ôta son imperméable en plastique, révélant des vêtements de laine d'une combinaison de couleurs stupéfiante, et s'assit, le souffle court. Quand elle ouvrit la serviette, des pièces de monnaie, des disquettes informatiques et un paquet de barres de Bounty dégringolèrent par terre. Elle se glissa sous la table pour les récupérer, réapparut, le visage écarlate.

— Bon, fit-elle. Courrier.

Elle tira de la serviette deux épais paquets de lettres maintenues par des rubans élastiques, les posa devant moi.

— J'ai éliminé celles qui n'avaient manifestement aucun intérêt. Pas la peine que vous les lisiez maintenant. Il y a aussi des papiers administratifs à signer.

Elle poussa vers moi une liasse de formulaires qui fit choir les lettres sur mon giron.

— Qu'est-ce que c'est que tout ça?

— Congé maladie, assurance... grogna-t-elle avec un geste impatient. Faites ce que je vous dis, signez.

Je signai. Les formulaires étaient nombreux, mais elle avait indiqué au marqueur jaune l'endroit où elle voulait ma signature. Il me fallut quelques minutes pour expédier la corvée et je terminai au moment où le thé de Meredith arrivait, avec un autre café pour moi.

— C'est vraiment gentil de m'avoir apporté tout ça, la remerciai-je. Je ne pourrais pas remettre les pieds là-bas en ce moment.

— L'hôpital tourne mieux sans vous, de toute façon.

— St Ruth s'écroulerait si vous n'étiez pas là pour nous maintenir tous en état de marche.

— Bien sûr, acquiesça-t-elle sans la moindre ironie.

Elle fourra les formulaires dans sa serviette et reprit :

— A propos, tout le monde demande de vos nouvelles. Ils se font tous du souci pour vous.

— Dites-leur que je vais bien.

— C'est vrai?

— Qu'est-ce que vous en pensez?

— Je pense que c'était une question idiote. Alors je la ferme, maintenant. Mais un conseil juste avant, pour ce que ça vaut : prenez ce putain d'avion pour le Venezuela, d'accord?

— Les nouvelles vont vite.

— Michael, fit-elle d'un ton réprobateur, c'est à Meredith Vren que vous parlez. Arrêtez de perdre votre temps avec cette histoire et partez. Occupez-vous à quelque chose d'utile.

— C'est une idée de Stella. Je pars pour, disons, une sorte de congé à durée indéterminée.

Elle tira le coin de sa bouche sur le côté.

— Ouais, c'est ça.

Elle plongea de nouveau la main dans sa serviette et abattit un dossier de carton vert sur la table. Puis, pour ménager ses effets, elle avala bruyamment une gorgée de thé.

— Je dois deviner ce que c'est?

— Je ne suis pas censée sortir ce genre de truc de l'hôpital. A moins que vous ne m'assuriez que ce type est l'un de vos patients.

— On pourrait dire ça.

— Alors, dites-le, m'enjoignit Meredith, qui était à cheval sur la procédure.

— Bernard John Carrick est mon patient, Meredith Vren, déclamai-je. Et je souhaite avoir accès à son dossier parce que cela pourrait avoir une incidence sur son traitement. Ça vous va?

— Ça ira.

316

Elle reposa sa tasse, ouvrit le dossier.

— Qui est-ce, ce bonhomme?

— Quelqu'un qui a des ennuis, dis-je après un silence.

— Et qui en apporte aux autres, j'ai l'impression.

Je ne répondis pas.

— Bon, il a fallu que je me décarcasse, je peux vous le dire. Les dossiers des services sociaux ne sont pas informatisés, vous vous rendez compte? Pas ceux qui datent de plus de douze ans, en tout cas. Ils ont dû m'envoyer ça par fax. Par fax, je vous demande un peu. J'ai dû fouiller partout pour en trouver un.

Entre autres compétences, Meredith était la seule personne de l'hôpital qui comprenne son système informatique.

— Voyons... L'assistante sociale qui s'occupait de lui à l'époque a pris sa retraite mais je l'ai retrouvée. Elle vit à Arbroath. Vous savez, c'est de là que viennent les bouffis. Ou le haddock? Peu importe. Nous avons bavardé. Joy Parkes, une femme charmante. Elle élève des teckels.

Je m'efforçais de rester calme et silencieux : c'était toujours une grave erreur de brusquer Meredith.

— Lisez vous-même, si vous voulez, proposa-t-elle en faisant glisser le classeur vers moi. Vous pouvez le garder, ce ne sont que des photocopies.

— Merci, mais vous pourriez me résumer l'essentiel?

— Il y a des tas de trucs, soupira-t-elle en soupesant le dossier. Ça remonte à son enfance. Par où voulez-vous que je commence?

— Par Liverpool. La bagarre dans le pub.

— J'espérais que vous répondriez ça. Quelle belle histoire! Je l'ai lue plusieurs fois.

Elle posa ses coudes sur la table et joignit les mains, de grosses mains rouges de blanchisseuse.

— Votre ami Carrick a agressé un nommé Dermot

O'Neale, un matelot au chômage, et a failli le tuer. Lésion cérébrale grave, perte d'un œil... Très vilain. Le jeune Carrick n'avait que quinze ans à l'époque, et il aurait dû être envoyé dans une prison pour mineurs, mais d'après ma nouvelle copine Joy Parkes, il a bénéficié de circonstances atténuantes.

— Ne me faites pas languir, Meredith.

— La mère de Carrick tapinait, O'Neale faisait partie de ses clients. Quelques années plus tôt, quand B. J. Carrick n'était qu'un gosse de onze ans, O'Neale a piqué une crise, il a roué la mère de coups et après, grand seigneur qu'il était, il s'est dit qu'il pouvait se faire aussi la fille pour le même prix. J'ai omis de mentionner la fille, une gamine de treize ans environ à l'époque, du nom de...

— Angie, dis-je, sentant un creux s'ouvrir dans mon estomac.

— Angela, c'est ça. Le jeune Carrick a voulu protéger sa sœur. Très courageux, il faut le reconnaître. Mais naturellement, cette brute d'O'Neale l'a démoli, le pauvre garçon. Quatre côtes cassées, poumon perforé, commotion cérébrale...

Elle tourna deux ou trois feuilles pour vérifier les faits.

— J'ai le rapport de police.

— Et ensuite?

— O'Neale s'en est tiré. On l'a retrouvé, mais il n'y avait personne pour témoigner contre lui. Le jeune Carrick a attendu quatre ans l'occasion de régler les comptes. Il a retrouvé la trace d'O'Neale à Liverpool, il l'a coincé dans un pub...

Meredith se frotta les mains avec satisfaction.

— Les assistantes sociales ont veillé à ce que les magistrats aient connaissance de toutes les données de l'affaire. C'est pourquoi le jeune Carrick n'a pas été bouclé pour voies de fait et qu'il n'a écopé que d'une peine de substitution.

— Une belle histoire, en effet.

— Ça donne un autre éclairage, hein? Quand on connaît tout le scénario?

Elle referma le dossier et me regarda, rayonnante, contente d'elle. Son expression s'assombrit cependant quand elle découvrit la mienne.

— Apparemment, ce n'est pas l'histoire que vous espériez entendre.

J'étais rentré chez moi depuis une heure et j'avais lu la majeure partie du dossier, assis dans mon bureau. Il n'était pas loin d'une heure et je songeai à aller jeter un coup d'œil aux informations dans la cuisine, quand le heurtoir en cuivre de la porte d'entrée résonna deux fois. Il n'y a pas trente-six façons de se servir d'un heurtoir, je suppose, mais elle avait peut-être une manière particulière de le faire et les circonstances de sa dernière visite l'avaient si fortement imprimée dans mon esprit que je ne pouvais m'y méprendre. Pour une raison ou pour une autre, je sus immédiatement que c'était Angie.

— Bonjour, Michael.

Elle se tenait sur le pas de la porte et sa peau luisait dans le jour hivernal.

— Vous allez me trouver idiote, dit-elle en se dandinant d'un pied sur l'autre.

— Vous pariez? Entrez.

Je remarquai qu'elle s'était acheté de nouveaux vêtements, un élégant manteau de laine noire sur un haut orange brûlée. Elle passa devant moi, descendit le couloir, s'arrêta dans la salle à manger et me regarda. Je vis qu'elle était nerveuse.

— Ça me fait drôle de revenir ici, dit-elle. Il ne s'est vraiment écoulé que quelques semaines ?

— A une année-lumière près.

Joignant les mains devant elle, elle annonça :

— J'ai retrouvé Chris Walker. Le camarade de Barney à l'armée.

— Ah.

— Je lui ai téléphoné. Il n'est plus soldat, il dirige une menuiserie, maintenant. Je dois le rencontrer mercredi prochain. A Kilburn — aucune idée d'où ça se trouve. Il n'arrête pas de répéter qu'il ne sait rien, mais je veux lui parler quand même.

— Et vous avez pensé que cela m'intéresserait.

— Je me trompe ?

Elle s'appuya à la table et, ce faisant, toucha le dossier vert. Même de l'endroit où je me tenais, je pouvais lire le nom de son frère sur la couverture.

— Qu'est-ce que c'est ?

Elle prit le dossier, le feuilleta, le reposa et me regarda, les yeux brillants.

— Pas de conclusions hâtives, l'avertis-je.

Mais elle continua à me regarder pensivement puis lâcha :

— Vous m'offrez un verre ?

Le bar était presque vide : un pub à l'ancienne miteux qui ne servait pas à déjeuner. Tandis que nous descendions Church Street, j'avais proposé un autre endroit — un café français plein d'animation, avec une banne rayée —, mais Angie avait insisté pour le pub. Peut-être pensait-elle que ce serait plus tranquille. J'allai lui chercher un verre de vin blanc et lorsque je revins à la table, elle avait enlevé son manteau neuf. Elle était assise près d'une

320

fenêtre en verre dépoli et son haut orange flamboyait à la lumière.

— Vous ne m'aviez pas parlé de ce type, O'Neale. De ce qui s'était vraiment passé.

— Non. Mais vous l'avez appris quand même.

— Pourquoi ne pas m'avoir épargné cette peine?

— Vous auriez pensé que je lui cherchais des excuses. En plus, je n'aime pas beaucoup parler de cette histoire.

— Je comprends.

Son regard se durcit.

— J'ai entendu les côtes de Barney craquer. Je les entends encore. Je ne pouvais rien faire, je ne pouvais pas lui venir en aide. C'est là que j'ai eu ça.

Elle écarta ses cheveux, effleura la marque en forme d'étoile sur sa tempe, la cicatrice que j'avais remarquée à notre première rencontre.

— Vous imaginez ce qu'on ressent quand on ne peut rien faire?

— Tout à fait.

Elle inclina la tête sur le côté.

— Vraiment?

— Je connais, dis-je.

Avant qu'elle puisse me poser une autre question, j'enchaînai :

— J'ai lu le dossier de votre frère, j'ai appris des choses auxquelles je ne m'attendais pas. Je le comprends un peu mieux, maintenant. Mais au bout du compte, ça ne change pas grand-chose.

— Il n'avait aucune raison de tuer Caitlin. Il l'aimait. Je ne cesse de vous le répéter.

— Ça ne s'est pas arrêté avec O'Neale. Votre frère a été renvoyé des paras. Qu'est-ce qu'il faut faire pour être viré des paras?

— Je ne sais pas. Vous non plus. Chris Walker le saura peut-être.

Elle but une gorgée de vin.

— Michael, je ne veux pas discuter avec vous aujourd'hui. Je n'en ai pas envie. Parlons d'autre chose. Tournons la page... Pourquoi vous souriez?

— Je pensais à l'oncle Stanley et à ses pages vierges.

Elle fit une grimace et imita le vieil homme en forçant sur son accent :

— « Personne commence dans la vie avec une page blanche, ma fille... »

— Je crois qu'il a raison.

— Oh ça, il a toujours raison, l'oncle Stanley, s'esclaffa-t-elle. Ce n'est pas vraiment mon oncle, vous savez. Mais il était gentil avec nous quand nous étions petits. Il avait pitié de nous, je suppose. Il nous a trouvés un jour près du canal, mon frère et moi. Barney s'apprêtait à chiper une barque.

— Pour aller où?

— Il avait tout prévu. Passer les écluses avec les péniches et descendre l'Aire jusqu'à la mer. Ensuite? Je ne sais pas. L'Afrique ou l'Australie, probablement. Il avait huit ans. Gagner l'Afrique à la rame n'est pas un problème quand on a huit ans. L'oncle Stanley nous a ramenés chez nous, mais lorsqu'il a vu comment c'était, je crois qu'il a regretté de ne pas nous avoir laissés aller en Afrique en barque. Après ça, il nous emmenait souvent nous balader sur la lande. Pour nous donner un avant-goût de la liberté dont nous étions privés.

Cela s'était passé une vingtaine d'années plus tôt et Stanley devait déjà avoir un âge avancé. C'était un homme qui approchait de la retraite, qui avait sans doute commencé à travailler en usine après avoir fait la guerre, un homme d'une autre époque. Je me demandai ce qu'il avait pensé de l'appartement sordide des Carrick, de la litière de seringues et de mouchoirs souillés, de la jeune femme ravagée aux bras et aux chevilles bleuis, des enfants à demi sauvages.

— Je suis content que quelqu'un vous ait donné de la tendresse, dis-je.

Elle me jeta un regard dubitatif puis se rendit compte que je parlais sérieusement et ne sut pas quoi répondre. Je rompis le silence :

— Je n'ai jamais vu la lande. Il paraît que c'est beau.

— La première fois que je suis montée là-haut, je me suis crue dans un conte de fées. Personne ne me criait dessus. Personne ne me frappait. Personne ne pleurait. Rien que cette lumière, cet air pur et l'odeur qu'a la terre après la pluie. Vous avez déjà entendu chanter une alouette ?

— Oui, je suppose. Je ne m'en souviens pas vraiment.

— Moi, je m'en souviens. Elles font ce petit bruit en l'air, elles chantent en volant. C'est l'oncle Stanley qui m'a dit que c'étaient des alouettes, sinon je ne l'aurais jamais su. Pour moi, tout ce qui n'était pas un moineau était un pigeon. Je le prenais pour une sorte de magicien. Il connaissait les noms de tous les oiseaux de la lande et il nous racontait des histoires incroyables sur eux, par exemple que tel oiseau était capable de repérer un campagnol du haut de la flèche d'une cathédrale, ou que tel autre construisait son nid si habilement dans les bruyères que vous pouviez passer à côté sans même le voir. Un jour, il m'en a montré un. Ces petits œufs parfaits. Je voulais les rapporter à la maison mais il ne m'a pas laissé faire, j'ai eu beau le supplier...

— Il vous accompagnait ?

Je dus faire un effort pour prononcer le nom :

— Barney ?

— Sur la lande? Oui, il est venu une ou deux fois.

— Qu'est-ce qu'il en a pensé?

— C'était un garçon. Quand il voyait un oiseau, il avait envie de tirer dessus.

Elle eut un petit rire, me regarda.

— Qu'est-ce qu'il y a?

— Rien. Je viens de me rappeler quelque chose.

Je voyais le coffret d'acajou rehaussé de cuivre, la doublure de velours rouge sur laquelle reposaient les pistolets de duel d'acier et de noyer, et la plaque de cuivre qui indiquait : *Wheelers, Londres, des armes à feu de qualité.* L'image de corbeaux explosant en gerbes de plumes noires, comme dans un dessin animé, se forma de nouveau dans mon esprit, ainsi que celle de la stupéfaction peinée et comique d'Anthony.

— Il m'arrive encore de rêver de la lande, dit Angie. J'y retourne de temps en temps, j'embarque l'oncle Stanley dans la voiture et on monte là-haut. Ça ne prend plus qu'une vingtaine de minutes, maintenant, il n'est plus nécessaire de changer deux fois de bus et de faire une heure de marche comme avant. Mais je n'arrive pas à retrouver tout à fait le même endroit. Le lieu magique où j'allais quand j'étais petite fille. Vous avez vous aussi votre jardin secret, Michael?

— Ithaque, répondis-je sans réfléchir.

— C'est en Grèce, je crois?

— Non. C'est dans un autre monde. Mon père avait promis de m'y emmener, mais il est mort avant de pouvoir le faire.

J'avais dû parler avec une émotion inhabituelle, car elle pencha de nouveau la tête sur le côté, comme si elle attendait une explication.

— La maison a pris feu, dis-je, sans savoir pourquoi je

lui racontais cette histoire. Quand j'étais enfant. Ils sont tous morts. Parents, frère et sœur.

Les coins de sa bouche s'abaissèrent.

— Personne n'a le monopole des histoires tristes.

— C'était il y a longtemps.

— Vous savez ce que je pense? Je pense que vous devriez y aller quand même.

— A Ithaque? fis-je en riant. Je ne suis pas sûr qu'on puisse revenir en arrière.

— Ce ne serait pas revenir si vous n'y êtes jamais allé, repartit-elle d'un ton espiègle.

Je la contemplai, brillante comme une flamme dans le jour pâle.

— Quoi? fit-elle.

— J'aimerais aller avec vous voir cet homme, Walker.

Elle poussa son verre sur le côté, posa son sac sur la table.

— Bien.

— Je ne vous promets rien, prévins-je. Quoi qu'il puisse dire.

— Je ne vous promets rien non plus.

Elle se leva et jeta son manteau sur ses épaules.

— Mais je cours le risque si vous le courez, ajouta-t-elle.

— Je passerai vous prendre mercredi. A quelle heure?

— Pas la peine, je serai chez vous à dix heures.

Elle se pencha par-dessus la table et me pressa le poignet.

— Merci pour le verre.

24

J'attendis qu'elle soit partie pour sortir à mon tour. N'ayant aucune envie de retourner dans une maison vide, je marchai au hasard des rues, entrai dans Kensington Gardens et me promenai une heure environ dans les allées sablonneuses. L'ombre des nuages pourchassait les feuilles mortes sur le gazon; des mouettes chevauchaient les courants ascendants au-dessus de la Serpentine. Il commençait à faire gris et froid quand je quittai le parc, mais mon esprit restait habité de brillants espaces.

Je poussai jusqu'à Vauxhall Bridge, demeurai un long moment appuyé au parapet du pont, contemplant l'eau, les péniches qui remontaient le courant, les bâtiments étincelants sur l'autre rive. Un peu plus loin, je voyais l'endroit même où Caitlin et moi nous étions tenus sous la pluie, devant la Tate Gallery. Je me souvins du moment où elle avait levé vers moi son visage de marbre dans le vent froid. Le vent était froid aussi, maintenant. Sur le ciel gris acier, les branches des lauriers se profilaient comme des craquelures dans la glace.

Je rentrai vers quatre heures, accrochai la chaîne de sûreté derrière moi et montai à la chambre. Pour une raison quelconque, je me sentais exténué. Je reléguai l'ours Radieux hors de vue sur un fauteuil pour éviter l'éclat de son œil borgne et lançai l'oreiller de Caitlin, montagne blanche déserte, sur le sol, là où je ne pourrais pas le voir. J'ouvris la fenêtre pour faire entrer l'air, m'étirai sur le lit et regardai passer les nuages.

La pièce devint froide et je ne sentis plus que par moments l'odeur fraîche et légèrement âpre de Caitlin. Accrochée au mur, l'image sépia de Lavinia, l'air mal assurée sur sa bicyclette, comme si c'était un poney plein de fougue qui allait s'élancer d'un instant à l'autre, me toisait d'un autre siècle. Ma fatigue fit s'estomper la chambre. Ma fatigue et le silence. Lavinia ressemble étonnamment à Caitlin, pensai-je, l'esprit à la dérive. Elle est exactement comme elle, en fait : gracieuse, passion-née, impossible à connaître, finalement.

Le téléphone sonna sur la table de chevet et je me réveillai comme si on m'avait aspergé d'eau glacée. Je cherchai l'appareil à tâtons, fis tomber un verre vide, jurai, décrochai et bredouillai :

— Cate ?

— Michael ? fit une voix ressemblant tellement à celle de Caitlin que mes cheveux se hérissèrent. C'est Margot.

Je me redressai, me frottai le visage, allumai la lampe. La lumière m'aveugla. Pendant un moment, je n'aurais su dire si c'était la nuit ou le jour. Clignant des yeux, je regardai le réveil, qui m'apprit qu'il était sept heures du soir.

— Edward a été emmené à l'hôpital, m'annonça-t-elle.

— Je suis désolé, Margot.

En prononçant ces mots, j'imaginai le corps dévasté du vieil homme et fus étonné de constater que j'étais sincère.

— J'ai pensé qu'il fallait que je vous prévienne. Je ne sais pas pourquoi.

— Je vous en suis reconnaissant. Comment est-ce arrivé ?

— Il a eu une autre attaque. Je ne crois pas qu'il s'en soit rendu compte, heureusement. Je doute qu'il se rende compte de quoi que ce soit, dorénavant. Il n'en a peut-être plus pour longtemps.

Je restai un moment sans rien dire et Margot, interprétant mal mon silence, reprit d'une voix plus dure :

— Bien sûr, je ne m'attends pas que vous soyez submergé de chagrin.

— Ce n'est pas ça, dis-je en me levant. Où est-il ? Où l'a-t-on emmené ?

— Dans un service spécialisé, à Guy.

— Il est à Londres ? m'étonnai-je.

— Oui, et moi aussi. Je suis dans un horrible bâtiment de verre et de marbre près de London Bridge...

Après une pause, elle poursuivit :

— Michael, cela m'embarrasse beaucoup de vous demander cela mais si vous pouviez trouver quelques minutes... Je suis à l'hôpital mais je peux retourner à l'hôtel et vous y attendre. Ça ne changera rien pour Edward si je le laisse un moment.

C'était la première fois que je l'entendais demander quoi que ce soit.

— Ne bougez pas, dis-je. Je vous retrouve à l'hôpital.

Margot se leva quand j'entrai dans la chambre. Elle portait une robe habillée en soie grise et était encore étonnamment élégante pour son âge. Cela faisait quelque temps qu'elle ne m'était pas apparue ainsi et sa posture, sa tenue me rappelèrent si vivement Caitlin que j'en eus mal.

Elle me tendit sa main fine et je la pressai.

— Merci d'être venu, Michael. Je n'avais pas vraiment envie de le laisser. Pas si tôt.

Edward Dacre avait l'air fragile comme du verre. Je pris son pouls, qui était anormalement fort. Je ne fus pas surpris. J'aurais parié qu'il ne renoncerait pas sans se battre, même s'il allait probablement perdre ce combat-là.

— Quand est-ce arrivé?

— Hier. Je n'ai pas réussi à le réveiller après le repas. Normalement, il fait la sieste dans la bibliothèque...

Elle s'interrompit, comme si elle craignait de m'infliger des détails domestiques, comme si elle craignait l'intimité que cela impliquait. Elle se laissa tomber dans un fauteuil de l'autre côté du lit et je m'assis moi aussi, de sorte que nous nous faisions face de part et d'autre de la forme immobile du vieillard, comme à une veillée funèbre. La chambre était paisible, faiblement éclairée. La fenêtre découpait un carré de ciel noir. J'entendais dans le couloir les bruits familiers du repas du soir à l'hôpital, le tintement des couverts et des chariots, des pas pressés, un éclat de rire. Un rire qui me parut inconvenant, et je fus content lorsqu'il cessa et que le couloir redevint silencieux.

— Il va mourir, dit Margot. Bien sûr, ils me tiennent des discours optimistes pour justifier leurs honoraires astronomiques, mais je sais qu'il va mourir, cette fois.

Je ne tentai pas de la démentir.

— C'est étrange, poursuivit-elle d'une voix parfaitement maîtrisée, mais quand je l'ai vu prostré sur son fauteuil, quand j'ai compris que cette fois c'était la fin, j'ai su que je devais vous appeler.

— Margot, s'il y a quoi que ce soit que je peux faire...

— Je ne vous demande rien, me coupa-t-elle avec une trace de son ancienne dureté. Je ne vous ai pas fait venir ici pour solliciter votre aide. C'est peut-être plutôt le contraire.

— Vraiment?

— Je tiens à ce que les choses soient claires. Plus claires, en tout cas. En ce qui concerne Edward, je veux dire. Nous savons tous deux qu'il était capable de se conduire en parfait salaud et qu'il l'a souvent fait. Mais je l'ai aimé, autrefois. Quoi qu'il soit arrivé ensuite, je l'ai aimé au début. Je ne le nierai pas alors qu'il gît sur ce lit.

Je ne répondis pas.

— Edward n'a pas toujours été comme vous l'avez connu, continua-t-elle. C'était un fringant jeune homme quand je l'ai rencontré. On ne dit plus aujourd'hui des femmes qu'elles tombent en pâmoison, je crois. Mais c'est ce qui s'est passé. J'ai été l'instrument enthousiaste de mon propre sort et lorsque je me suis rendu compte que ce sort ne me plaisait pas tant que ça, je n'ai pas fait assez d'efforts pour y changer quoi que ce soit. Je ne vais donc pas refuser maintenant de reconnaître ma part de responsabilité.

— Cela n'a pas dû être facile, commentai-je avec circonspection.

Je commençais à soupçonner qu'elle m'avait fait venir dans un but précis, et je me sentais mal à l'aise de ne pas pouvoir deviner lequel.

— Je l'ai quitté une fois, vous savez. Ne prenez pas cet air ébahi. Oh, je ne suis pas restée partie longtemps. Deux semaines, environ.

— C'était quand?

— Quand j'étais enceinte de Caitlin. Je voulais que vous le sachiez.

— Ah. Je vois.

— Ce bébé me hante, murmura-t-elle. Cette vie en elle en train de s'éteindre. L'idée que cette vie lui a sans doute survécu un moment. Etre si près de la lumière et ne jamais la voir.

Je gardai le silence.

— Mais je ne suis pas Caitlin, et Caitlin n'était pas moi. Il ne faut pas établir trop de parallèles. L'enfant que je portais était celui de mon mari. Je ne prétends pas connaître les motifs de Caitlin mais pour ce que cela vaut, voilà comment les choses se sont passées pour moi : j'avais un besoin irrépressible de tout quitter, de m'échapper. De revenir au point de départ. L'école de Brightwell, c'était le début pour moi. Le départ que je n'avais pas pris. Je suis allée là-bas.

— Vous parlez de votre poste d'enseignante?

— C'était insensé. J'avais trente-cinq ans, j'étais enceinte de Caitlin et on m'avait offert ce poste bien longtemps avant, quand j'avais dix-huit ans. A mon arrivée, j'ai découvert que l'école était fermée depuis des années. J'ai atterri dans un petit *bed and breakfast* où je me racontais que j'étais libre, alors que les nausées matinales me laissaient prostrée. Ce n'est pas un épisode très glorieux, j'en ai peur. Edward n'a pas tardé à me retrouver et j'en ai été soulagée.

Elle posa la main sur le drap qui couvrait le bras amaigri de son mari.

— Chose étonnante, il s'est montré très gentil.

Je me colletai un moment avec l'image d'un Edward Dacre très gentil puis déclarai :

— Au moins, vous aviez déployé vos ailes. Vous aviez essayé. N'est-ce pas l'essentiel?

— Seigneur, vous rendez les choses difficiles, soupira-t-elle.

— Ah?

— L'essentiel, ce n'est pas que j'aie agité mes pitoyables ailes, expliqua-t-elle patiemment. C'est que, malgré tous ses défauts, ma fugue n'avait rien à voir avec Edward. Rien n'était de sa faute. J'étais entièrement responsable. C'est ce que j'essaie de vous dire.

Elle releva le drap et prit la main inerte de son mari entre les siennes, la pressa contre sa joue en me lançant un regard de défi.

Lorsque je quittai Londres, le lendemain matin, le ciel était couleur de lin. La circulation bouchonnait sur la M20, mais vers onze heures je roulais en direction de Sevenoaks sur des routes du Kent flanquées de haies d'aubépine mouillées. Conduire me donnait l'illusion d'avancer, de progresser, et l'odeur de la terre lourde était agréable. Pendant un moment, je me sentis optimiste, comme un homme lancé sur une piste. Je me garai sur une petite aire de stationnement, en face de la place du village.

Brightwell possédait une église normande de pierre grise dont les dimensions laissaient supposer qu'il avait été autrefois un bourg plus important et plus prospère. C'était maintenant un village d'une plaisante banalité, le genre d'endroit avec une association traditionaliste active, une maison de retraite et, çà et là, une poignée de vieux cottages au toit de chaume restaurés par des gens de la ville. Il y avait un monument aux morts sur la place, quelques bancs autour d'un marronnier nu, de jeunes arbres protégés par des tubes de grillage. Sur l'un des côtés de l'espace découvert, une rangée de maisons en briques rouges accueillait un bureau de poste, un magasin et un pub. Derrière, les échafaudages d'une entreprise de rénovation escaladaient les murs d'une ancienne sécherie de houblon. Personne n'y travaillait. Il n'y avait personne en vue, en fait. De l'autre côté de la route, une vaste maison de style géorgien se dressait au bout d'une allée de gravier.

Il se mit à pleuvoir, de grosses gouttes qui s'écrasaient sur le toit et le pare-brise de l'Audi. J'écoutai un moment le bruit lugubre des essuie-glaces en me disant que c'était à cause de la pluie que je n'avais pas envie de descendre de voiture. Pour la dixième fois, je pris l'atlas routier posé sur le siège à côté de moi. Brightwell y apparaissait comme un point minuscule sur le trait jaune d'une route de campagne. La carte ne lui donnait pas plus d'importance que quelques milliers d'autres villages. Je commençai à perdre confiance. « Revenir au point de départ. » Elles avaient toutes deux dit ça, la mère et la fille. J'avais trouvé cette répétition des mêmes mots significative, mais je ne voyais plus du tout maintenant comment je m'en étais persuadé. Par cette matinée grise et froide, dans ce village morne qui n'était que trop réel sous la pluie, je me sentais embarrassé d'avoir parcouru une centaine de kilomètres à la suite d'une telle lubie. Cela m'effrayait un peu, même. Je passai la marche arrière, reculai pour faire demi-tour.

— Hé! protesta une voix d'homme.

Je freinai vivement. Je le voyais maintenant dans le rétroviseur : un anorak fluorescent, un vélo. Je baissai ma vitre. C'était un homme d'une quarantaine d'années, visage hâlé et rides souriantes.

— Faites gaffe, dit-il avec un accent australien. C'est un vélo de la Poste royale. Il aurait pu gravement endommager votre véhicule.

— Désolé. C'est de ma faute.

— Oh! ouais, je sais, approuva-t-il avec entrain.

De la tête, il indiqua l'atlas posé sur mes genoux.

— Vous êtes perdu?

— On peut le dire.

— Waouh! s'écria-t-il en levant un bras en l'air, ouvrant et refermant la main pour simuler un signal avertisseur.

Je ne pus m'empêcher de rire. Le facteur croisa les bras sur son guidon et me regarda.

— Vous cherchez quoi, mon pote?

— Une maison.

— J'espère que vous avez des masses de fric. Ça grouille de rupins, dans le coin.

— Non, je cherche *cette* maison, uniquement, le détrompai-je en lui tendant l'un des dessins de Caitlin que j'avais glissé avant de partir dans une pochette en plastique.

Il se pencha à travers la vitre, l'examina, secoua la tête.

— Je fais la plupart des baraques du coin et ça me dit rien. Mais y a que douze ans que je vis ici, et les talibans locaux vous rangent pas dans les résidents permanents avant vingt-cinq années pleines. Vous devriez essayer le vicaire. Il connaît tout le monde. C'est son boulot.

— Non, pas la peine. C'était une idée idiote.

Il ignora ma remarque.

— Y a un parking à horodateur derrière le presbytère. Il a que trois emplacements mais il fait la fierté du conseil municipal, alors garez votre engin là-bas. Lonsdale, il s'appelle, le vicaire. Le révérend Derek Lonsdale. Un type plutôt jeune, un look de pilote de chasse. Je sais qu'il est là, je viens de lui donner son courrier.

Avec une claque sur le toit de l'Audi, il conclut :

— Bonne chance, hein?

Je le regardai s'éloigner en pédalant dans la grisaille.

Je n'avais pas envie de rencontrer le vicaire. Je n'avais pas envie de poursuivre cette absurde recherche, mais je n'arrivais pas à me décider à repartir tout de suite après cet échange. Les lumières du pub étaient allumées et la perspective d'une tasse de café me remit en mouvement. Je fis le tour de la place, me garai et allai glisser quelques pièces dans la machine. Le temps que je revienne placer mon ticket derrière le pare-brise, un homme de haute taille apparut, à deux mètres de la grille de derrière du jardin du presbytère.

— C'est moi que vous cherchiez? me cria-t-il. Je suis le vicaire. Mais j'allais sortir.

S'il ne m'avait pas adressé la parole, je l'aurais salué d'un hochement de tête, sans plus, mais je me retrouvai en train de lui montrer le dessin de Caitlin.

— Je suis venu jusqu'ici pour voir cette maison.

— Ça, c'est original. La plupart des gens passent par une agence immobilière...

— Oui. Mais maintenant, je ne suis plus trop sûr de mon coup.

Il sourit.

— De plus en plus intéressant.

Le facteur avait raison : il ressemblait à un pilote de chasse, avec son air désinvolte, ses cheveux lui tombant dans la figure et sa veste de ski blanche branchée. Il ne lui manquait qu'une paire de lunettes de soleil relevées sur le front. Il se protégeait de la pluie avec un parapluie Cinzano tenu nonchalamment.

— Entrez donc un instant, suggéra-t-il en montrant la pochette en plastique.

Pas moyen de refuser. Je le suivis le long d'un sentier sinueux qui traversait le jardin, puis dans une véranda adossée au presbytère. D'une vétusté accueillante avec son établi en lattes de bois, elle sentait la terre à rempoter. La pluie dégouttait en musique dans un seau à partir d'une fente dans un des panneaux du toit.

— Je m'appelle Derek, à propos.

— Michael.

— Asseyez-vous, me dit-il en désignant un tabouret de bar proche de l'établi. Je ne peux malheureusement rien vous offrir, je m'apprêtais à sortir, je vous l'ai dit. Un enterrement.

Il n'avait pas l'air d'un homme sur le point d'officier à des funérailles, plutôt d'un membre des professions libérales — un architecte, peut-être — partant faire un parcours de golf.

— Je vous fais perdre votre temps, j'en ai peur, dis-je.

— Vous croyez?

Il prit la pochette en plastique sans me la demander, en tira adroitement le dessin de Caitlin, le tint à la lumière.

— Je n'ai jamais vu cette maison, je peux vous l'assurer, Michael. Pas à ma connaissance, en tout cas. Elle se trouve à Brightwell?

— Je m'en étais persuadé...

— De toute façon, si elle y était, je ne le saurais pas forcément. On ne peut jamais être sûr. Il y a des milliers de petits cottages semblables dans les environs. Le dessin est tout ce que vous avez comme indice?

— Je crois savoir qu'il y avait une école.

— Brightwell en avait une, autrefois. Le bâtiment existe encore, dans la rue qui court derrière le pub. C'est un salon de thé, maintenant. Avec une originalité renversante, on continue à l'appeler la Vieille Ecole. Mais ça ne ressemble pas du tout à votre maison. Désolé de vous décevoir.

— Ça ne fait rien, dis-je en récupérant le dessin C'était une idée un peu fumeuse, de toute façon.

Le vicaire m'observa un moment.

— Il est superbe, ce dessin.

— Il est de ma femme.

— Je vois.

336

Il prit une longue expiration, chassa l'air de ses poumons.

— Ça ne servira probablement à rien, vous savez.

— Qu'est-ce qui ne servira à rien?

— Revenir en arrière. C'est inutile, généralement.

Je ne répondis pas.

— Elle n'est plus auprès de vous, n'est-ce pas? D'une manière ou d'une autre.

Il avait une voix calme, dépourvue de toute sentimentalité. J'eus envie de répondre qu'il se trompait, de m'en tirer par une plaisanterie, mais je me révélai incapable de lui mentir en face.

— Elle est morte. Cela saute aux yeux, hein?

— Plutôt. Pardonnez-moi, mais chercher les symptômes est une sorte de déformation professionnelle. On en prend l'habitude.

Après une pause, il ajouta :

— Vous savez que vous pouvez vous lever et partir quand vous voulez, n'est-ce pas?

Comme je ne bougeais pas, il toucha de nouveau le dessin.

— Elle a grandi ici?

— Je croyais que oui, d'une certaine façon.

— Et maintenant, vous voulez savoir où tout a commencé. Vous pensez que ça finira autrement si vous vous repassez la bande? Qu'il y aura une fin heureuse, cette fois?

— J'ai renoncé aux fins heureuses.

— Qu'espérez-vous, alors?

— Je voudrais savoir qui elle était. Je me suis aperçu que je l'ignorais. Incroyable, non?

— Pas du tout. Moi, par exemple, je dois constamment parler avec conviction de gens que je n'ai jamais rencontrés, dont je ne sais rien.

— Ça ne doit pas être facile.

— C'est parfois un défi, convint le vicaire. Mais je m'entretiens auparavant avec des gens qui les ont connus, simples relations ou personnes ayant eu des rapports passionnés avec le défunt. Tous me disent des choses intéressantes : il avait un merveilleux sens de l'humour, il était généreux, il buvait un peu trop ou il adorait son jardin, etc. Mais ce qui me frappe, c'est qu'ils ont tous une vision différente de la personne et que les histoires qu'ils me racontent sont contradictoires.

— Je pensais connaître la vraie histoire.

— Mais vous la connaissiez. La vraie histoire, c'est celle que vous avez choisie.

Il se leva avant que j'aie eu le temps d'assimiler sa conclusion et je me levai à mon tour.

— Je dois absolument partir, maintenant, dit-il. Il faut toujours être à l'heure aux enterrements. On se demande pourquoi, d'ailleurs. Le mort ne risque pas de se sauver. Vous pouvez rester, bien sûr, mais je sais que vous ne le ferez pas.

— Non. Merci.

Je le précédai dans le jardin détrempé. Il avait cessé de pleuvoir. Une troupe de freux se balançait sur les branches dénudées des frênes près de l'église, poussant des cris grinçants comme des clous rouillés. Lonsdale ferma la porte à clé et nous remontâmes l'allée.

— On ne sait ce qu'on avait qu'après l'avoir perdu, non ? dit-il quand nous arrivâmes à la grille. Pas très original, je le crains, mais tristement vrai.

Il me tendit la main et je la serrai.

— Bonne chance pour votre voyage, Michael. Essayez de ne pas vous perdre.

Il s'engagea dans le cimetière, passa entre les tombes,

son gai parapluie roulé sur l'épaule, comme un long sucre d'orge.

J'allai jusqu'au salon de thé qui avait autrefois nourri les rêves de Margot. C'était une plaisante petite maison en grès du Weald, et comme l'avait dit le vicaire, elle ne ressemblait absolument pas au cottage du dessin de Caitlin. Le millésime *1857* était gravé au-dessus de la porte et dans la boîte aux lettres en fer forgé, sertie dans le mur extérieur, les initiales de la reine Victoria étaient encore visibles sous des couches de peinture rouge.

La femme qui tenait l'endroit m'en fit faire aimablement la visite. Elle portait une charlotte et un tablier à carreaux. Elle était l'épouse d'un cadre informaticien de Shell, m'apprit-elle, et ce salon de thé lui servait de passe-temps. Sa MGF jaune était garée dans la cour pavée. Elle me montra l'unique salle de classe, où Margot avait failli enseigner et qui était maintenant occupée par des tables rondes drapées de nappes en chintz. On avait longtemps entassé derrière beaucoup de vieux pupitres, précisa-t-elle, mais ils étaient très abîmés et elle avait dû les brûler.

25

L'ombre d'Angie assombrissait les carreaux de verre cathédrale de la porte de devant. Je la surpris en ouvrant avant qu'elle ait eu le temps de frapper.

— Vous avez dormi sur le paillasson ou quoi?

— Je savais que vous seriez à l'heure, c'est tout.

— Je suis tellement prévisible?

Elle gardait un ton détaché, mais aucun de nous n'était tout à fait dupe, et le savoir installait entre nous une légère tension. Elle avait sévèrement attaché ses cheveux en arrière, boulot-boulot, et dans son blouson de cuir noir elle me faisait penser à un flic de série télévisée. Le froid du matin faisait rayonner sa peau. Je refermai la porte derrière moi.

Nous montâmes dans sa Fiat Bravo garée dans une rue latérale et elle me passa le plan de Londres. L'adresse de Chris Walker était inscrite sur un morceau de papier agrafé à la couverture. La voiture était d'une propreté irréprochable. Angie l'engagea dans la circulation qui se dirigeait vers le centre puis coupa au nord en remontant Edgware Road. Le trajet ne nous prit pas longtemps.

L'atelier de Walker se trouvait dans une zone industrielle située derrière Kilburn, à moins d'une demi-heure de voiture. Je repérai d'abord sa camionnette, un LDV

blanc d'un modèle récent avec les mots CHRISTOPHER WAL-
KER, MENUISERIE peints sur le flanc en capitales sobres.
Elle était garée devant un garage en parpaings au rideau
de fer baissé, encadré par un atelier de réparation de
pneus et une entreprise de peinture.

Angie s'arrêta près de la camionnette, et nous mar-
châmes jusqu'au rideau de fer. Dans l'atelier voisin, une
radio vomissait du rock à plein volume et le vacarme était
ponctué par le claquement des démonte-pneus sur le sol
en béton, le sifflement et l'explosion des chambres à air.

— Chris?

Elle agita la poignée de la porte, donna un coup de
pied dans le métal.

— Chris Walker?

Le rideau se releva en grondant.

— La petite Angie...

Walker se tenait au centre de son atelier, la télécommande du rideau à la main. C'était un homme solide
de taille moyenne, les cheveux blonds, vêtu d'un pull kaki
des surplus de l'armée, un crayon de menuisier glissé
sous l'épaulette. Ses manches retroussées révélaient des
bras puissants et tatoués.

— Bon sang, ce que t'as changé! s'exclama-t-il en examinant Angie d'un œil approbateur.

— Salut, Chris.

Elle s'avança, l'embrassa sur la joue.

— Ça fait un bail, dit-elle.

— Un sacré bail, acquiesça-t-il en me regardant. Vous
êtes qui, vous?

— C'est Michael, répondit Angie pour moi. Un ami.

Sans cesser de m'observer, Walker demanda :

— Et qu'est-ce qu'il veut, Michael?

— Nous voulons tous les deux avoir des nouvelles de
Barney, dit Angie. C'est tout.

— Vous êtes de la flicaille? me lança-t-il. Ou de l'armée?

— Moi? J'en ai l'air?

— Oui.

— Il est réglo, assura Angie. Il veut juste avoir des nouvelles de Barney. Tout comme moi.

Dans l'atelier voisin, un pneu claqua de nouveau, plus fort cette fois.

— Foutu boucan, maugréa Walker en cessant enfin de me fixer. Au début, je plongeais sous l'établi à chaque fois.

Il appuya sur un bouton de sa télécommande, le rideau descendit et l'atelier devint plus calme. Un établi occupait le centre de l'espace, entouré de meubles à demi assemblés : des chaises, des tables, une commode. L'odeur d'un radiateur à huile installé dans un coin se mêlait à celle du vernis et du bois brut.

— Je peux pas te dire grand-chose, Angie, prévint Walker. J'ai pas eu de ses nouvelles depuis trois ans.

— Tout peut nous aider, argua-t-elle.

— Quoi, par exemple?

Avant qu'elle ait pu répondre, il poursuivit :

— Ça vous dérange si je bosse en même temps? Je pense mieux quand je bosse.

Il passa derrière l'établi, serra un pied de fauteuil dans l'étau et entreprit de le poncer.

— La police le cherche, fit Angie pour l'inciter à parler. Je te l'ai dit.

Soigneusement, tendrement, il caressa le bois de ses mains épaisses.

— Ouais, bon. Je sais pas où il est. Et je vais te dire une chose : la police ne le trouvera pas s'il ne veut pas qu'on le trouve.

— Peu importe. Ce que je veux que tu me dises — que

342

tu nous dises —, c'est quel homme il était. Ce qu'il était devenu. Je ne l'ai pas vu depuis des années. Et tu étais son meilleur copain.

Il se remit à poncer.

— Barney? J'ai jamais vu quelqu'un comme lui. Mais il s'est passé quelque chose. Pas entre nous. Il lui est arrivé quelque chose quand on était dans les paras et il a changé. J'ai essayé de garder le contact après qu'il eut quitté l'armée mais il ne m'a jamais répondu. Bien sûr, c'était pas facile, pour lui. Lire et écrire, c'était pas son fort.

Il passa le pouce sur le grain soyeux du bois.

— Ça l'a pas empêché de devenir sergent, deux fois. Moi, personne m'a jamais proposé pour ces galons, pas même une fois.

— C'est cette histoire en Afghanistan, n'est-ce pas? demandai-je.

Il m'examina de nouveau, lentement.

— Je sais qui vous êtes, maintenant. Vous êtes le mari.

— Exact.

— J'ai pas été marié longtemps, fit-il d'un air pensif, je peux pas imaginer un truc pareil...

Angie intervint précipitamment :

— Chris, je veux que Michael sache quel genre d'homme Barney était vraiment. Alors, il comprendra.

— C'est pour ça que vous êtes venus?

Il se frotta la mâchoire, se remit au travail avec sa ponceuse dont le sifflement emplissait l'atelier. Une volute de poussière odorante montait vers la lumière. Au bout d'un moment, il s'interrompit de nouveau.

— J'étais dans la patrouille de relève, dit-il sans lever les yeux. Je suis arrivé au point de contrôle deux minutes après, alors j'ai rien vu. Ça s'est passé dans une petite ville à la sortie de Kaboul, sur la route principale. Vers deux heures du matin. Vous regardez la télé? Les journalistes parlent des troubles qu'il y a là-bas comme s'ils étaient organisés, avec des camps et des règles, mais c'est pas comme ça. Tout le pays venait de s'effondrer. Des bandes de cinglés armés d'AK, de RPG et Dieu sait quoi, défoncés à l'opium pour la plupart. Rôdant comme des bandes de malfrats, comme des meutes de chiens enragés. Incontrôlables. Des chars! Certains avaient des putains de chars! Les tribus se battaient l'une contre l'autre, et quand leurs membres en avaient marre, ils se battaient entre eux. Pour changer, de temps en temps, ils se battaient contre nous.

Il posa sa ponceuse, poursuivit :

— Angie, Barney a logé une quarantaine de balles dans cette voiture. J'aimerais pouvoir te dire que c'est pas vrai mais il l'a fait. Une femme — une adolescente, en fait, à peine dix-sept ans — et deux gosses. La mère criait encore quand je suis arrivé, mais ça n'a pas duré longtemps. Ça valait mieux. Elle n'avait plus de mâchoire inférieure, la pauvre.

Je jetai un coup d'œil à Angie. Elle avait plaqué une main sur l'établi comme pour garder l'équilibre.

— Il devait y avoir une raison, dis-je.

— Oh, bien sûr. Deux dingues étaient montés de force dans la voiture de la fille. Ils fonçaient vers le point de contrôle en flinguant à tout va. Un de nos gars a joué au héros : malgré les instructions, il s'est mis au milieu de la route et il a riposté. Son arme s'enraye, il se retrouve planté là comme un con. Barney était le sous-off qui commandait le groupe. Il voit le gars en danger. Et l'arme de Barney ne s'enraye pas. C'est comme ça que ça se passe, ce genre de truc. Aussi vite.

— Mais il ne pouvait pas savoir, pour la femme et les enfants, dit Angie. Comment il l'aurait su?

344

— Bien sûr. On l'a su seulement quand on les a sortis de la voiture. Enfin, ce qui restait d'eux. Seule consolation, Barney avait aussi touché les deux abrutis qui s'étaient emparés de la caisse. L'un mort, l'autre blessé. Comme ça, il a pu au moins se justifier. Sinon, il aurait peut-être été inculpé de meurtre.

— Finalement, ce n'était qu'une erreur? dit Angie. Un horrible accident?

— Y a pas d'accident dans les paras, répondit Walker. Pas depuis le Bloody Sunday[1].

Il sortit le pied du fauteuil de l'étau, souffla sur la poussière qui le recouvrait, caressa de nouveau le bois, l'examina sur toute sa longueur en fermant un œil. La pièce paraissait remarquablement délicate dans ses grosses mains.

— Ce n'était pas la première fois qu'il avait des ennuis, rappelai-je.

Walker fit courir ses doigts sur l'arrondi lisse du bois.

— Non.

— Il avait perdu ses galons pour voies de fait.

Il reposa doucement le pied du fauteuil sur l'établi.

— C'était en Bosnie. Barney a pété la mâchoire d'un caporal qui avait tabassé une pute. Il supportait pas. Je lui ai pas demandé pourquoi, mais il était un peu vieux jeu, avec les femmes.

— Qu'est-ce qui s'est passé, après l'histoire de Kaboul? voulut savoir Angie.

— Barney n'était plus le même. Ça se comprend. Il refusait d'en parler, il s'est même pas défendu pendant

1. Le 30 janvier 1972 en Irlande du Nord, une manifestation pacifique pour l'égalité des droits entre catholiques et protestants tourne à l'émeute. Les paras britanniques abattent treize personnes. *(N.d.T.)*

l'enquête. Je crois que ça avait brisé quelque chose en lui. Peu de temps après, il a fait son sac et il est parti. Comme je vous l'ai dit, j'ai pas eu de nouvelles depuis. Je suis pas resté beaucoup plus longtemps moi-même.

— En fait, il n'a pas été renvoyé de l'armée ? demandai-je.

— Il devait rempiler pour trois ans, il l'a pas fait. Je crois que les gradés préféraient ça. Ils aimaient plus trop la tête qu'avait Barney depuis la fusillade. C'est dommage, quand même.

— Qu'est-ce que vous voulez dire ?

— Tous les gars admiraient Barney. C'était un chef-né. J'avais déjà tiré deux ans quand il est arrivé, mais j'ai vu tout de suite qu'il était spécial.

Walker eut un mouvement de tête dans ma direction.

— Vous savez ce que je veux dire, hein ? Vous êtes pas dans l'armée mais vous le savez.

— Oui, confirmai-je.

Je revis en pensée la photo de Carrick et me rappelai ma réaction immédiate : ce type m'aurait plu, j'aurais aimé l'avoir dans mon équipe.

— Oui, je sais de quoi vous parlez.

Walker délaissa son travail, contourna l'établi et vint se placer devant moi.

— Angie aimerait que je vous dise que Barney n'aurait jamais fait ça à votre femme. Je ne peux pas le jurer. Je ne la connaissais pas, je ne sais pas quels rapports il avait avec elle. Si vous poussez quelqu'un à bout, il est capable de toutes les réactions. Mais je peux vous dire une chose : vu l'état dans lequel Barney était à Kaboul, qu'il ait fait ça à votre femme est encore moins probable que de la neige au mois d'août.

346

Angie arrêta la Fiat dans la ruelle derrière la maison et coupa le contact, mais je sentis qu'elle n'avait pas envie de partir.

— Je vous offre un verre? proposai-je.

— Je n'ai pas envie d'un verre, mais je veux bien rester quelques minutes.

Je la fis entrer par-derrière, la suivis dans la maison. Pendant que je vérifiais si j'avais des messages sur mon répondeur, elle alla dans mon bureau et je la découvris, les mains sur l'appui de fenêtre, regardant le petit jardin triste. Une pluie fine avait recommencé à tomber.

— Je déteste cette période de l'année, dit-elle. On se sent si malheureux.

— Je pensais que vous seriez contente.

— Contente? fit-elle en se retournant.

— Vous avez obtenu le résultat que vous souhaitiez. Avec Walker. Il a dit ce qu'il fallait dire.

— Je ne l'ai pas influencé.

— Je n'ai jamais pensé ça.

— La police vous accuse vraiment de la mort de votre femme? me demanda-t-elle soudain, me prenant au dépourvu.

— C'est ce que Barrett appelle une petite spéculation personnelle. Je pense qu'il ne fait que secouer le cocotier.

— Le salaud.

Elle s'éloigna de la fenêtre et, les bras serrés autour d'elle, fit le tour de la pièce à pas lents. Il y avait quelque chose d'emprisonné en elle, une énergie contenue, et j'étais incapable de la quitter des yeux. Elle s'arrêta devant le bureau sur lequel — je m'en rendis compte — j'avais laissé les dessins du cottage. Elle me jeta un coup d'œil, les attira à elle.

— Ils sont plus beaux encore que dans mon souvenir. Votre femme avait beaucoup de talent.

— Vous les aviez déjà vus?

— La police m'en a montré des photocopies : « Est-ce que vous connaissez ce cottage ? » Etc.

— C'est le cas ?

— Oh ! non.

Elle caressa les feuilles d'un doigt respectueux, les fit glisser sur le bureau de manière que plusieurs dessins soient visibles en même temps. Je m'approchai d'elle, allumai la lampe, et les dessins nous jaillirent à la figure.

Angie s'attarda sur l'un d'eux et je savais pourquoi il l'attirait. Il m'attirait aussi chaque fois que je feuilletais le portfolio. Sur ce dessin, la porte d'entrée était grande ouverte et Caitlin, comme si elle se tenait sur le seuil, avait représenté divers détails d'une pièce, une pièce toute simple avec une carpette sur le plancher, la suggestion d'un papier à motifs sur les murs et une cheminée. Une étagère de livres, une paire de fauteuils, une embrasure menant à... à quoi ? Une chambre, une cuisine ? Un autre compartiment de la vie de Caitlin que je n'avais jamais vu. Je savais que les objets que je découvrais par cette porte ouverte existaient vraiment, qu'elle les avait touchés et soulevés. Meubles, tableaux, livres. Et quelque part, hors de vue, un édredon, des oreillers, un lit.

— C'était leur coin, dis-je. Celui de Caitlin et de Barney.

Pour la première fois, j'avais uni leurs noms à voix haute.

— Oui. Je le sens.

— Avoir un endroit à eux. Un autre foyer. C'est comme si elle avait eu un autre monde où elle pouvait vivre... un endroit qu'elle préférait à celui que nous avions bâti ensemble.

— Les gens font leur choix, murmura Angie. Quelquefois, ils ne se rendent pas compte des dégâts qu'ils causent.

En déplaçant le dessin, elle révéla la carte routière qui se trouvait dessous, avec le village de Brightwell entouré au feutre rouge. Elle l'examina comme une pièce à conviction au tribunal, haussa les sourcils.

— Je suis allé à la chasse aux fantômes, avouai-je. Je sais que c'est de la folie...

— Et vous en avez trouvé?

— Non. C'est comme ça, avec les fantômes : on ne les voit que lorsqu'ils en ont envie.

Elle ferma les yeux une seconde et soupira.

— Seigneur, nous faisons vraiment la paire.

— Oui, je suppose.

Elle se tenait devant moi, un doigt sur le bureau, entre les dessins, et je sentais son énergie, comme de l'électricité statique. L'instant d'après, je sentis la même énergie palpiter au creux de mon estomac.

— Vous voulez me punir? demanda-t-elle.

— Vous punir?

— Pour tout le mal que mon frère vous a fait?

— Non, pas du tout.

— Bien. Alors, dans ce cas...

Elle me passa les bras autour du cou, se pressa contre moi et demeura ainsi jusqu'à ce qu'à leur tour mes bras l'enlacent. Je fus envahi d'un sentiment de soulagement exquis et inattendu.

— C'est mieux, chuchota-t-elle à mon oreille. Oh, c'est tellement mieux.

Elle me caressa la nuque et se balança un moment contre moi. Je respirais la chaleur de sa peau et de ses cheveux. Elle était mince et ferme sous mes mains. Mon pouls s'accéléra. Je glissai une main sous le poids de sa chevelure et sa tête se renversa en arrière. Elle me sourit, toucha ma joue et se recula en laissant ses mains sur mes épaules.

— Je sais que vous n'êtes pas prêt pour ça, Michael. Et ça ne fait rien, mais...

Le cliquetis de la serrure de la porte de derrière résonna comme une détonation et nous sursautâmes tous les deux. Angie laissa ses bras retomber. J'entendis une voix de femme jurer, puis la porte s'ouvrit en tremblant sous l'effet d'un coup de pied et Stella entra à reculons, vacillant sous le poids d'une demi-douzaine de sacs de supermarché. Un iris en pot jaillit de l'un d'eux et frémit au-dessus de son épaule. Stella posa son fardeau par terre, regarda par la porte du bureau et nous découvrit.

— Oh! fit-elle. Je pensais que...

Sa voix mourut. Elle dévisagea Angie, et une lueur de compréhension éclaira ses yeux.

— Je ne savais pas que tu étais là, Michael. Je voulais te faire une surprise...

— C'est réussi.

— J'étais sur le point de m'en aller, dit hâtivement Angie.

Elle passa devant Stella, lui adressa un sourire crispé.

— Désolée de partir aussi précipitamment.

Elle enjamba les sacs et sortit. Il me fallut une seconde ou deux pour réagir.

— Hé, attends!

Angie ne s'arrêta pas. Je la suivis dans le petit jardin, la rattrapai au moment où elle soulevait le loquet de la grille. Elle se tourna vers moi.

— Ça va, Michael. Je connais le chemin.

— Angie...

— Ecoutez, dit-elle à voix basse, j'ai eu probablement une conduite déplacée, mais je n'ai jamais su jouer la comédie. Il faut toujours appeler un chat un chat, c'est du moins ce que prétend l'oncle Stanley. J'en ai assez, vous comprenez?

— Assez de quoi?

— Qu'un pas en avant pour moi soit un pas en arrière pour vous. Vous coulez, je nage, ou l'inverse.

J'avais la main sur le montant de la grille et elle posa la sienne dessus un instant.

— Ne vous en faites pas, Michael. Je ne vous téléphonerai pas, je ne ferai pas de bêtise de ce genre. Je ne vous embêterai pas. Essayons de nous faire l'un à l'autre le moins de mal possible.

Elle sortit, referma la grille derrière elle et j'écoutai sa petite Fiat s'éloigner avant de retourner dans la maison.

— Alors? fit Stella d'un ton malicieux.

— Alors, quoi?

— C'est qui, la préraphaélite caractérielle à l'accent du Nord qui ne veut pas être présentée?

Elle dut comprendre au moment même où elle prononçait ces mots.

— Michael, ne me dis pas que c'est qui je pense.

— O.K., je ne le dis pas.

Je traversai la pièce et portai secours à l'iris qui était tombé et répandait sa terre sur le sol. J'étais embarrassé, agacé de l'être.

— Michael, dis-moi que c'est pas vrai. Pas vraiment. Pas Angie Carrick.

— Je ne dis rien, répliquai-je. D'ailleurs, cela ne regarde que moi.

— Parce que ça ne me regarde pas? rétorqua-t-elle avec une férocité qui me surprit. Nous sommes censés être amis, non? Et au cas où tu l'aurais oublié, des amis qui partent ensemble pour l'étranger dans quelques semaines. Alors, ça me regarde aussi, tu ne crois pas?

— Si tu le dis.

Je ramassai les sacs, les portai à la cuisine.

— Michael, comment se fait-il que j'aie l'impression que quelqu'un d'autre a des projets pour toi?

— Ecoute, je ne m'occupe que de *mes* projets, O.K.? Je n'ai pas de place pour ceux de quelqu'un d'autre. Ni les siens. Ni les tiens. Ni ceux de personne.

— Tu veux que je sorte et que je revienne?

Je parvins à me maîtriser.

— Excuse-moi, Stella. Mais tu n'as pas à t'inquiéter. Point.

— Je le fais, pourtant. Je m'inquiète.

Elle s'assit à la table, alluma une cigarette. Peut-être un petit geste de rébellion qu'elle me défiait de réprimander, mais je n'avais pas le cœur à ça. Elle se détendit un peu et dit :

— Tu ne rends pas les choses faciles pour nous.

— Pour nous?

— Pour tes vrais amis. Anthony et moi.

— Anthony, grognai-je. J'aurais dû l'appeler.

— Ça oui. Je le tiens au courant, mais il a tellement d'affection pour toi, tu devrais lui téléphoner plus souvent.

Elle examina le bout de sa cigarette, poursuivit :

— Je n'ai jamais pensé avoir des choses en commun avec ce vieux schnock, mais je sais maintenant ce qu'il ressent.

— Qu'est-ce qu'il ressent?

— Il est malade d'inquiétude mais il ne sait pas s'il doit t'appeler, ou passer te voir, si ça ne ferait pas de lui un casse-pieds qui se mêle de tout.

— C'est ce que tu ressens aussi?

— Quelquefois. Comme il y a deux minutes.

— Je l'appellerai, promis-je. Tu as raison. Nous devrions tous nous retrouver comme avant.

Le visage de Stella s'éclaira.

— Il sera ravi. Retourner chez lui pour un de ses repas gargantuesques. Le laisser faire la cuisine. Se sentir utile.

— D'accord.

— Je crois qu'il aimerait que nous fassions tous, pendant un moment, comme si rien de tout ça n'était arrivé.

— Nous le souhaitons tous, non?

Je me surpris à espérer qu'elle change de sujet. J'avais honte de moi, mais je me sentais accablé à la seule idée des déjeuners lourds d'Anthony et de sa sollicitude, tout aussi pesante. Je savais que Stella essayait de m'aider, mais je lui en voulais quand même. Je ne voulais pas faire comme si le monde n'avait pas changé. Je n'arrivais pas à cerner ce que je voulais vraiment, à part qu'on me laisse tranquille.

— Je ne travaille pas, ce vendredi. Nous pourrions le faire ce jour-là.

— La police filme une reconstitution. Il faut que je sois là.

— Samedi, alors, insista-t-elle. Portobello Road est ouvert le samedi, non? Nous pourrions aller ensemble au marché aux puces. Je trouve ça chiant, mais ça plaira à Anthony.

— D'accord, Stella. D'accord.

— Bien, fit-elle d'un ton léger. Samedi. Je m'occupe de tout.

Elle me bouscula en passant, rangea les provisions qu'elle avait achetées, trouva une assiette pour l'iris en pot.

— En plus, ajouta-t-elle comme à la réflexion, il faut qu'on parle tous du Venezuela. De l'avenir. Tu vas tellement lui manquer.

26

Un agent en uniforme rapporta deux cappuccinos du café Stavros, au coin de la rue, m'en tendit un, donna l'autre à Emma Dickenson. Je reconnus le jeune policier qui avait anéanti la plante en pot de Caitlin des semaines plus tôt, pendant le premier interrogatoire. Je me rappelai son angoisse et lui adressai un sourire que j'espérai réconfortant. Il me le rendit avec nervosité et déguerpit du plus vite qu'il put. L'idée me traversa que s'il devenait un jour un commissaire grisonnant, il ressasserait encore la fois où il avait déconné, sur sa toute première scène de crime importante. Il n'oublierait rien de ce jour, le jour de la mort de Caitlin. Je me demandai si cela serait aussi le cas pour les centaines de personnes qui étaient passées devant la maison, ce matin comme les autres, sans aucune raison de soupçonner quoi que ce soit, sans rien d'inhabituel à voir.

La situation me semblait de plus en plus bizarre. La police avait barré la rue et un petit attroupement s'était formé derrière les barrières, à quelques mètres de l'endroit où Dickenson et moi étions assis. De notre côté de la rue, le minibus de l'équipe de tournage était garé le long du trottoir, devant trois ou quatre voitures de police. Dans mon fauteuil en toile, je me sentais comme un magnat du cinéma. Des types en anorak installaient une voie ferrée miniature près du trottoir et montaient une caméra sur un chariot. Je remarquai une perche pour le son, une petite batterie de projecteurs, un enchevêtrement de câbles en travers de la chaussée. Cela me paraissait tout à fait disproportionné pour simplement recréer un bref moment du passé.

— Vous pensez que cela servira vraiment à quelque chose?

— Vous seriez étonné de ce que les gens arrivent à se rappeler quand ils ont un événement spécifique sur lequel se concentrer, répondit l'inspectrice.

Elle souffla sur son café, croisa pudiquement les jambes sous sa jupe en laine stricte. Elle faisait de son mieux pour avoir l'air confiante.

— Cela peut faire resurgir toutes sortes de choses qui ne leur avaient pas paru importantes sur le moment. Il s'agit de légitimer les gens, de leur faire sentir qu'ils ont le droit de se mettre en avant, qu'ils ne paraîtront pas ridicules.

Je n'étais pas convaincu, je la soupçonnais de m'avoir servi une réponse soigneusement répétée. Je ne m'y attendais pas, mais toute cette affaire me rendait nerveux. Je frissonnai. Il faisait très froid, quelques flocons flottaient dans l'air. Je voulais en finir avec cette comédie, retourner dans la maison et leur fermer la porte au nez à tous.

Le metteur en scène, barbe de deux jours et veste en mouton retourné, s'égosillait de l'autre côté de la rue :

— Un peu de silence, s'il vous plaît!

Il claqua des mains pour attirer l'attention.

— Nous allons répéter une fois, mais en tâchant que ça fasse aussi vrai que possible, d'accord?

— Ils tournent un film, alors? fit une femme âgée derrière moi, de l'autre côté de la barrière.

Elle avait des cheveux gris sous un bonnet en plastique.
Le jeune agent lui demanda de parler moins fort.

— C'est quoi, comme film? insista-t-elle. C'est qui, la
vedette?

— Silence, s'il vous plaît! rugit le metteur en scène.

— Si on peut même plus demander... marmonna la
femme.

L'actrice était déjà entrée dans le champ, marchant
avec rythme sur le trottoir d'en face en direction de la
maison. Je n'avais jamais vu la rue aussi déserte et ses pas
résonnaient dans le silence comme s'ils égrenaient un
compte à rebours avant une explosion. Je me surpris à me
poser la même question que la femme au bonnet en plastique : Qui est la vedette? Une fille anonyme d'une
agence d'acteurs, quelqu'un qui avait toujours voulu
jouer Ophélie, peut-être, et qui se retrouvait affublée
d'une perruque blonde pour incarner une morte? Encore
une qui s'en souviendrait. Si elle devenait célèbre un
jour, elle raconterait cette histoire dans une émission de
télévision et rirait en expliquant qu'elle avait été Caitlin
pendant un quart d'heure.

Emma Dickenson se pencha vers moi et murmura :

— Si quelque chose vous semble incongru, dites-le-
nous, que nous puissions rectifier. Le plus petit détail
peut avoir son importance.

J'observais l'actrice, fasciné. Elle portait la veste
chinoise noire ornée de dragons rouges de Cate et son
écharpe de soie rouge assortie. Elle avait les cheveux
courts de Cate, la même taille et la même silhouette. Elle
avait même quelque chose de sa démarche de manne-
quin. Elle monta au petit trot les marches du perron,
ouvrit son sac pour prendre ses clés. Je tâchai de me

concentrer. Est-ce que quelque chose me paraissait faux ? Elle avait maintenant ses clés en main et en glissait une dans la serrure. J'eus envie de me lever d'un bond et de lui demander de quel droit elle entrait chez moi en se faisant passer pour ma femme morte.

— Très bien ! lui cria le metteur en scène. Dans deux minutes, on le fait pour de bon !

Elle se retourna, redescendit les marches en souriant et alla reprendre sa position de départ derrière le minibus. L'équipe se remit à travailler sur le chariot de la caméra. Un technicien déplia un écran réflecteur, un autre déroula un câble de plus. Les projecteurs s'illuminèrent dans le matin gris, transformant la rue en plateau couleur ambre. Quelqu'un procéda à un essai de son à voix basse.

— Elle est pas dans *Neighbours*, cette blonde ? lança la femme au policier. Hé, m'sieur l'agent, faites-lui signer mon ticket du Tesco...

— Je ne peux pas, madame.

— Prenez pas ce ton-là avec moi, repartit-elle. Vous êtes pas un vrai flic, c'est qu'un film, bon sang !

Je remuai sur mon siège. J'avais envie de me lever pour faire quelques pas, mais je ne voulais pas rendre ma nervosité encore plus évidente.

— Peut-être que personne n'a vu quoi que ce soit, suggérai-je.

Dickenson me toucha le bras.

— Essayez de vous détendre, Michael. Ça s'est passé un vendredi en milieu de matinée, dans une rue animée de Londres. Il y a forcément un témoin. Un chauffeur de taxi, un conducteur de bus, un facteur ou un gosse sur sa planche à roulettes. Quelqu'un l'a vue entrer. Et si quelqu'un l'a vue entrer, il a très probablement vu le meurtrier aussi. C'est tout l'intérêt de la reconstitution.

Je coulai un regard à Barrett qui, de l'autre côté de la

chaussée, rôdait entre les véhicules, regardait la rue dans un sens puis dans l'autre, cherchait les postes d'observation possibles. Il procédait méthodiquement, inspectant les fenêtres des étages supérieurs.

— Digby est un bon policier, déclara Emma Dickenson, bien qu'aucun de nous n'eût prononcé son nom. Mais il a un penchant pour le grand guignol. A votre place, je ne m'inquiéterais pas trop.

— Je ne m'inquiète pas, répondis-je aussitôt.

Je pris conscience au même moment qu'elle avait raison : je sentais grandir en moi la peur irraisonnée que, sur les deux ou trois millions de personnes qui regarderaient ce clip à la télévision dans les prochains jours, il y en ait effectivement qui avaient vu Caitlin franchir la porte, peut-être d'autres qui m'avaient remarqué, mais que, pour une raison ou une autre, personne n'ait vu Carrick. La police ne parvenait pas à le trouver maintenant, et ne le trouverait pas non plus en mettant ce fragment du passé sous microscope. D'une façon ou d'une autre, il échapperait à tout le monde, comme une force obscure, un gaz mortel...

— Attention, tenez-vous prêts! réclama le metteur en scène. Silence, s'il vous plaît!

La rue redevint silencieuse.

— On tourne. Moteur.

La réincarnation de Caitlin descendit de nouveau la rue en faisant claquer ses talons, joyeuse, insouciante, le sac rebondissant contre sa hanche. Elle posa une main sur la rampe, un pied sur la marche du bas.

— Michael! Michael Severin!

Le cri provenait du dernier rang de la petite foule, derrière moi.

— Laissez-moi passer! Laissez-moi passer!

Un moment, je ne reconnus pas la voix. Dickenson et

moi nous retournâmes en même temps. Il y eut une bousculade, des protestations. La femme au bonnet répéta :

— C'est qu'un film, bon sang!

Du perron, l'actrice se tourna vers l'endroit d'où provenait le tapage.

— C'est pas vrai, soupira le metteur en scène d'une voix lasse. Coupez!

Derrière nous, un petit homme récriminait contre le jeune policier et tentait de se faufiler dans la foule comme un fox-terrier.

— J'habite ici! Vous m'entendez? J'habite ici et je dois parler au docteur Severin *immédiatement*!

Je m'approchai de la barrière.

— Henry, je suis là. Je suis là.

Henry Kendrick se tenait de l'autre côté, dans son blazer bleu aux boutons RAF, nœud de cravate légèrement de côté, chemise à carreaux entrebâillée, caricature de l'indignation et du désarroi. Il m'entendit, leva les yeux vers moi. Il avait le visage crispé d'angoisse.

— Michael, ce n'est pas vrai, ce qu'ils disent, hein? Sur Caitlin?

— Depuis combien de temps vous êtes rentré?

— Je descends du taxi, bon Dieu. A l'instant. J'ai laissé mes bagages là-bas, quelque part...

Il regarda machinalement derrière lui, revint à moi.

— Et j'apprends ça. Dites-moi que ce n'est pas vrai, Michael...

Il avait l'air bouleversé. Je ne savais quoi lui répondre : je ne le connaissais que vaguement et le caractère excessif de sa réaction me surprenait.

— J'aimerais pouvoir vous le dire.

Il jeta autour de lui des regards affolés.

— Mais quand? C'est arrivé quand?

— Pendant que vous étiez en voyage. Vous n'auriez rien pu faire, Henry.

— Non, non, non, fit-il, l'air de plus en plus horrifié. Vous ne comprenez pas. J'ai un pressentiment, un épouvantable pressentiment...

Il déglutit, se ressaisit un peu.

— Dites-moi que ce n'est pas arrivé le 15. Pas le 15 octobre...

Je fus incapable de répondre. Dickenson se leva et dit :

— Nous ferions bien d'aller tous chez vous, je crois.

Dans la cuisine, je servis un cognac à Henry et le lui apportai. Il était assis près de la fenêtre, livide, respirant rapidement, la cravate desserrée.

— Excusez-moi, bredouilla-t-il. On ne s'attend pas à ce genre de chose. C'est affreux. Affreux...

Il prit le verre, but une gorgée avec reconnaissance, parut un peu réconforté. C'était un petit homme mince aux cheveux couleur sable, approchant les soixante-dix ans. Il se secoua. Quand il se secouait, c'était littéralement, et cela le faisait ressembler plus encore à un fox-terrier. Il respira profondément deux ou trois fois, comme un moniteur de gymnastique devant une classe.

— Il faut que vous soyez sûr des dates, souligna l'inspectrice, le contraignant à concentrer son attention sur elle. Absolument sûr.

— C'était le 15, j'en suis sûr. Je ne risque pas de l'oublier.

Je m'assis, m'efforçai de ne pas tenter de deviner ce qu'il allait dire ensuite, de refouler toute attente. Je n'aimais pas le cognac, mais je commençais à regretter de ne pas m'en être servi un aussi.

— Il y avait eu un problème avec les vols, expliqua-t-il en faisant de gros efforts pour parler calmement. J'avais pris un billet Auckland-Boston via l'Amérique du Sud, mais ces connards d'Air New Zealand m'ont fait passer par Londres à la place, avec une escale de vingt-quatre heures. Ils m'avaient réservé une chambre au Hilton de Heathrow, et je me suis dit que je pouvais aussi bien dormir dans mon propre lit. Je suis donc revenu ici pour la nuit. Le soir du 14. C'est pour ça que j'étais chez moi le lendemain matin.

— Et vous avez vu Catey, dis-je.

— Je l'ai vue, oui.

Il baissa les yeux, l'air quasi coupable, comme si l'avoir vue le rendait en quelque sorte responsable.

— Je l'ai vue rentrer.

— Pouvez-vous nous décrire sa tenue? demanda Dickenson.

— Je n'ai aucun problème aux yeux, se hérissa-t-il aussitôt. J'ai des yeux d'observateur de l'armée de l'air. Des yeux de faucon. Et je peux vous dire qu'elle n'était pas attifée comme la jeune femme de tout à l'heure. Elle n'avait pas cette veste ni cette écharpe, pour commencer. Oh! non. Ecoutez-moi...

— Vous en êtes certain? le coupa Dickenson. Elle les porte pourtant sur la vidéo de la caméra de surveillance...

— Qu'est-ce que j'y peux? répliqua-t-il. Il faisait très chaud ce jour-là, elle les avait peut-être mis dans un de ses sacs... Des sacs Marks & Spencer, à propos, pas Selfridge comme ceux de la fille. Mais vous ne comprenez pas ce que je...

— Et vous êtes sûr de l'heure? insista Dickenson. Réfléchissez. C'est très important.

— Je n'ai pas besoin de réfléchir, chère madame. J'étais debout depuis deux heures, je me préparais à partir pour l'aéroport et j'ai vu la pauvre Caitlin revenir avec ses courses. Je l'ai vue de ma fenêtre. Il était onze heures huit...

— Qu'est-ce que nous ne comprenons pas, Henry? intervins-je.

— C'est sur le jeune type que vous devriez m'interroger! Celui qui est arrivé juste après le retour de Caitlin. Grand, brun, tenue de moto...

Une heure plus tard, ils étaient tous partis. Henry était allé faire sa déposition officielle. L'équipe de tournage avait remballé son matériel, les badauds s'étaient dispersés et la rue, de nouveau ouverte, était redevenue une simple rue de Londres par un gris après-midi d'hiver.

Je rentrai, fermai la porte derrière moi. Je m'attendais à éprouver du soulagement mais je me sentais agité, je n'arrivais pas à trouver la paix dans la maison. Le récit de Henry m'obsédait. Dans ma tête, je voyais sans cesse la silhouette sombre sur le perron, le visage de Caitlin quand elle lui ouvrait la porte. Les mots de Henry rendaient leurs rapports plus réels que jamais pour moi. Au bout de quelques minutes, je sortis l'Audi du garage et partis.

Le marché de Brixton Street se désintégrait sous le crachin. L'après-midi lugubre résonnait du claquement des barres métalliques des étals démontés et des cris des quelques commerçants proposant encore des CD, des bagages bon marché ou des gravures mal encadrées. La chaussée était envahie de camionnettes aux portes arrière ouvertes pour accueillir des portants chargés de vêtements, des caisses de fruits et de livres. Je descendis une allée, gagnai la rue qui courait derrière, passai devant le magasin asiatique. Il était cette fois ouvert et bondé. Un moment, l'odeur d'épices et la foule qui se bousculait donnèrent à la rue triste un air exotique. Dans l'officine de paris, à côté, des hommes appuyés à des comptoirs fixaient des écrans de télévision avec fascination, tels des dévots devant un vitrail. Le sol était jonché de tickets qui témoignaient des multiples fois où ils avaient perdu la grâce. Le flot de paroles de plus en plus rapide du commentateur de la course me poursuivit jusqu'au parking de l'immeuble et dans la cage d'escalier odorante.

Angie m'ouvrit. Je ne me souvenais pas d'avoir frappé à la porte et peut-être ne l'avais-je pas fait. Elle portait un pull à motif en zigzag coloré et avait attaché ses cheveux noirs sur le côté, ce qui, à première vue, la rajeunissait. Mais ses yeux n'avaient pas rajeuni : ils étaient graves et ne montraient aucune surprise.

— Ils l'ont retrouvé, c'est ça ? dit-elle.

— Non. Pas encore.

— Alors, quoi ?

— Ils ont un témoin.

Elle cligna des yeux.

— Il doit y avoir une erreur...

— Il n'y a pas d'erreur. Un voisin a vu Barney entrer chez moi.

— Et ce voisin se manifeste maintenant seulement ?

— Il était à l'étranger. Mais il était chez lui quand c'est arrivé. Et il a vu Barney.

Réduite au silence, Angie se mordillait la lèvre.

— Je peux entrer ? demandai-je.

Elle s'écarta et je passai devant elle. Assis à la table dans un halo de fumée bleue, l'oncle Stanley lisait un journal plié en un carré de trente centimètres de côté.

— Tiens, voilà-t-y-pas le jeune docteur Seven. Y a du thé dans la théière.

— Je ne reste pas.

Le vieil homme haussa les sourcils, revint à son journal.

— Homme de peu de foi, fit-il entre ses dents, apparemment pour lui-même.

— Je me fiche de ce que vous pouvez dire, il doit y avoir erreur sur la personne, affirma Angie. Ça arrive tout le temps.

Elle ferma la porte, me suivit dans la pièce.

— Mon voisin s'appelle Henry Kendrick, il a été observateur dans la RAF. Il a une vue excellente. De sa fenêtre, on voit parfaitement le perron de ma maison, il est à moins de quinze mètres.

— Ce n'était pas Barney.

— Henry l'a décrit, Angie.

— Il l'a décrit comment?

— Grand, brun, beau garçon, vingt-cinq ans environ, tenue de moto.

— Ça réduit le nombre de suspects à un million, alors.

— Il l'a ensuite identifié d'après photo.

Elle me faisait face, les mâchoires crispées. Je voyais qu'elle repassait désespérément l'information dans l'ordinateur de son esprit pour obtenir une réponse différente.

— Bon, fit l'oncle à l'arrière-plan, je suis sûr que vous avez des tas de choses à vous dire, les jeunes.

Il se mit à rassembler ostensiblement son matériel de fumeur de pipe.

— Quand? me jeta Angie à la figure. Il est censé être venu quand?

— Caitlin est rentrée vers onze heures. Votre frère est arrivé presque derrière elle et il est reparti huit minutes après. En toute hâte, d'après Henry. L'air agité. Cela correspond, Angie.

— Huit minutes? me renvoya-t-elle en s'efforçant de prendre un ton sarcastique. Pas sept minutes et quarante-deux secondes? Il ne pourrait pas être un peu plus précis, votre Henry?

— Il est comme ça. Quand il est chez lui, il surveille la rue avec des jumelles et un chronomètre. Il en veut aux gens qui se garent dans la ruelle. Il n'a rien d'autre à faire. En plus, il avait un avion à prendre, il surveillait l'heure.

L'oncle Stanley alla à la fenêtre d'un pas traînant, observa le ciel d'un gris acier.

— Comment le temps va tourner, d'après vous? On a eu pas mal de pluie, ces derniers jours.

Il enfila son long manteau brun.

— Admettons qu'il soit venu, reprit Angie en me défiant du regard. Ils étaient amants, non? Il est venu la voir. Ça ne vous plaît peut-être pas beaucoup, mais ce n'est pas interdit par la loi...

— Je sors, annonça Stanley du pas de la porte en mettant sa casquette. Je serai peut-être parti un bout de temps.

Ni Angie ni moi ne lui accordâmes un regard. La porte s'ouvrit, se referma; j'entendis les pas du vieil homme sur les marches en bois, puis le petit appartement redevint silencieux. Angie avait l'air désemparé d'un animal pourchassé qui ne trouve plus d'endroits où se cacher.

— Je suis désolé, murmurai-je. Sincèrement.

— Désolé, rétorqua-t-elle, amère. Au moins, la police ne vous soupçonnera plus. Vous devriez être content.

— Je ne le suis pas. C'est exactement comme vous l'avez dit : quand vous faites un pas en avant, je dois en faire un en arrière, et *vice versa*. Ça ne devrait pas se passer comme ça. Nous ne le voulons ni l'un ni l'autre.

Le reste de son agressivité la quitta. Elle porta une main à son visage, se frotta le front, prit une longue inspiration.

— Quel gâchis, Michael. Pourquoi faut-il que ce soit toujours à nous de régler les problèmes? Il y a un système, non? Des gens qui savent ce qu'ils font, qui sont censés prendre les choses en main. Finalement, il n'y a que vous et moi pour essayer de comprendre cette histoire.

Elle tordit la bouche, alla à la fenêtre et contempla les interminables alignements de brique et de béton de la ville.

— Seigneur, quel endroit solitaire!

Je m'approchai par-derrière, posai les mains sur ses épaules. Au lieu de se dégager, elle ferma les yeux, pressa sa joue contre ma main. Je sentais ses clavicules sous le pull. Au bout d'un moment, elle se retourna et me regarda dans les yeux.

— Je n'en peux plus.

Elle m'enlaça, se laissa aller contre moi et je dus me camper solidement sur mes pieds pour soutenir son poids. Elle me parut soudain toute petite, accrochée à moi, sa tête brune sur ma poitrine. Je soulevai sa lourde chevelure et la caressai. Elle me laissa faire, se pressa plus encore contre moi.

Je l'embrassai. Ses bras entourèrent mon cou et je sentis tout son corps contre le mien. Elle se renversa en arrière, posa une main sur ma joue, soutint longuement mon regard. Puis elle s'écarta et, sans un mot, me conduisit à la chambre et poussa la porte derrière nous.

Elle s'assit au bord du lit, me regarda. Elle ne souriait pas. Détournant la tête, elle ôta son grand pull, la lumière nacrée du ciel tomba sur elle, joua sur sa peau pâle et ses cheveux sombres. Elle avait un tatouage, de gracieuses vrilles de vigne qui, partant de sa taille, s'incurvaient dans le sillon de son dos. Je m'assis sur le lit derrière elle, l'entourai de mes bras et pris ses petits seins dans mes mains. Elle se laissa aller contre moi.

Je me réveillai en milieu de soirée. Je savais qu'Angie, étendue près de moi, ne dormait pas, bien qu'elle n'eût fait aucun bruit hormis l'infime changement de rythme de sa respiration. Il faisait sombre dans la pièce mais elle n'avait pas fermé les rideaux, et les lumières de la ville, reflétées par les nuages, éclairaient la chambre d'une lueur saumon.

Une porte claqua bruyamment à l'étage au-dessus, des jeunes gens s'interpellèrent avec excitation en dévalant l'escalier, probablement en route pour le pub ou le cinéma. Il était encore tôt et ils ne prenaient pas la peine de baisser la voix. Ils riaient, échangeaient des cris et des plaisanteries. Ils martelèrent du poing une autre porte, un ami qu'ils passaient prendre, sans doute, et sortirent enfin.

C'était étrange de se réveiller à cette heure-là, imprégné de la lassitude discrète du petit matin, alors que d'autres sortaient, pleins d'énergie, pour entamer leur soirée. J'étais épuisé et les muscles de mes reins me faisaient un peu mal. Je me demandai combien de temps encore nous pourrions rester là tranquillement. Longtemps, espérai-je. Je ne voulais pas penser à demain.

— Qu'est-ce que tu as trouvé, quand tu es allé dans ce village ? dit-elle à voix basse dans l'obscurité. L'endroit marqué sur la carte ?

— Rien. Une bribe du passé de quelqu'un d'autre.

— Tu cherchais le cottage. Leur cottage.

— Oui.

— Pourquoi ?

— Je pensais que cela m'aiderait à comprendre. A trouver Caitlin.

Angie soupira.

— Quoi? fis-je.

— Michael, c'est leur coin, ce cottage, tu l'as dit toi-même. Il appartient à un autre temps, comme Barney et Caitlin. Pourquoi ne pas le leur laisser? Ils n'ont plus rien d'autre, maintenant.

M'attirant contre elle, elle poursuivit :

— Il l'aimait vraiment. Je veux que tu ouvres ton esprit à cette réalité. Pas tout grand tout de suite. L'entrebâiller suffira pour le moment. Mais il l'aimait.

Je ne répondis pas.

— Tu es un peu comme lui, tu sais, dit-elle dans le silence.

Je repensai aux photos de Barney et à la sympathie inattendue que j'avais éprouvée pour lui avant même de pouvoir m'en défendre. Je songeai à la façon dont elles m'avaient rappelé mon père. Je me demandai ce que Caitlin voyait quand elle regardait ce jeune homme, qui elle voyait quand elle le regardait.

— Tu lui ressembles même un peu, ajouta-t-elle. Vous avez peut-être d'autres points communs. Il l'aimait peut-être de la même façon que toi.

Je me redressai. La fenêtre était une plaque d'ébène. Il pleuvait plus fort, à présent, et j'entendais le vent presser les carreaux.

— Cette Stella, fit soudain Angie. La rousse...

— Oui?

— Vous êtes amants?

— Non.

— Est-ce que... est-ce que vous aviez une sorte d'arrangement, quand tu étais avec elle à l'étranger? La baise entre amis, quelque chose comme ça?

Mon cœur se mit à me marteler les côtes.

— Non. C'est important?

— Il n'y a eu personne dans ta vie depuis Caitlin? insista-t-elle. Absolument personne?

— Non. Personne.

— Mais tu penses quand même que tu l'as trahie, n'est-ce pas?

Elle s'assit dans le lit derrière moi, posa sa main à plat sur mon dos nu.

— Tu penses que tu l'as délaissée. Que tout est de ta faute. Non?

— Tu m'as déjà dit quelque chose de ce genre.

— J'en sais davantage, maintenant.

— Qu'est-ce que tu sais? On couche ensemble une fois et tu as toutes les réponses?

— Je sais une chose : malgré toutes les erreurs que tu as pu commettre, c'est Caitlin qui a trahi ta confiance, pas l'inverse. Tu devrais peut-être y penser de temps en temps. Juste pour équilibrer les comptes.

Elle se pressa contre moi et je sentis ses seins s'aplatir contre mon dos.

— Tu ne peux plus l'aider, maintenant, Michael. Tu ne peux même plus réparer. Si tant est qu'il y ait quoi que ce soit à réparer.

Ses cheveux étaient frais sur ma peau. Je me levai brusquement, allai à la fenêtre, appuyai le front contre le verre, savourai son baiser froid.

— Je ne l'ai pas aidée, ce jour-là. Quand je l'ai trouvée dans l'escalier.

— On ne pouvait plus rien pour elle.

— Mon métier consiste à porter secours aux gens. Si je ne suis pas capable de le faire, autant tout arrêter.

Dehors, le profil des immeubles constellé de points lumineux scintillait sous la pluie.

— Je lui ai téléphoné du Venezuela. Je voulais qu'on prenne un nouveau départ, tous les deux. C'est ce qu'elle voulait aussi. Mais c'était trop tard. J'avais trop attendu pour le lui dire.

— Et alors? Il y a des choses qu'elle n'a pas dites, elle non plus.

— Quoi, par exemple?

— Qu'elle était enceinte d'un autre homme, pour commencer.

— Comment aurait-elle pu me dire ça?

— Pourquoi pas? Elle n'était pas la première femme à qui cela arrivait. Et si elle t'en avait parlé, le résultat n'aurait pas pu être pire, de toute façon. Au moins, vous auriez pu en discuter. Mais elle ne t'a pas donné cette chance. Elle ne s'est pas donné cette chance.

Elle se coula hors du lit, s'approcha de moi sans me toucher.

— Michael, tu as peut-être royalement foiré comme mari — la plupart des autres hommes aussi, d'une manière ou d'une autre —, mais ce n'est pas un crime passible de la pendaison. Ce n'est pas de ta faute si elle est morte.

— J'aurais dû savoir. Si ça allait aussi mal...

— On ne peut pas te demander de lire dans les pensées. Ni de ressusciter les morts.

— Bon Dieu, Angie...

— Michael, si tu veux te flageller, je ne peux pas t'en empêcher.

— Tu ne comprends rien!

— Ah bon? Et ça? dit-elle en soulevant la clé de bronze. C'est pour te rappeler d'autres personnes que tu n'as pas pu sauver?

Elle la laissa retomber sur ma poitrine et ajouta :

— A un moment ou à un autre, nous devons tous trouver le temps de nous sauver nous-mêmes.

Je la fixai durement. Je lui en voulais tout autant de ce

qu'elle comprenait que de ce qu'elle ne comprenait pas. Pourtant, nous aurions peut-être encore pu nous sortir de cette épreuve si l'on nous avait accordé un peu plus de temps. Nous aurions pu trouver un moyen de faire un pas en avant. Mais à cet instant le loquet de la porte d'entrée cliqueta et, à ce bruit prosaïque, toute la magie trembla et s'envola comme de la fumée, nous laissant comme pris dans le faisceau d'un projecteur, deux personnes dans une petite chambre miteuse qui se demandaient comment elles en étaient arrivées là.

Nous entendîmes le vieil homme refermer la porte derrière lui dans un effort de discrétion grotesque, traverser la pièce principale, se cogner à la table dans le noir, marmonner un juron et entrer dans l'autre chambre. Les ressorts de son lit vibrèrent quand il s'assit dessus. Il s'efforçait de ne pas faire de bruit, mais il haletait un peu d'avoir monté l'escalier, et le bruit de sa respiration sifflante nous parvenait à travers la cloison de Placoplâtre. Je regardai Angie et le vis aussi sur son visage : c'était comme si cette gêne triviale nous avait annoncé ce qui allait suivre, l'enchevêtrement de toute cette histoire, les loyautés dévoyées, les compromis sans fin.

— Il ne pouvait rester dehors toute la nuit, le pauvre vieux bougre, plaida Angie.

— Non, bien sûr, acquiesçai-je.

Ne sachant que faire, je commençai à ramasser mes affaires.

— Non, bien sûr, répétai-je.

Angie s'écarta de moi, s'enveloppa dans le drap.

— Je suis désolée, Michael. C'était une erreur.

— Angie...

Elle secoua la tête violemment pour me faire taire. Quand elle fut sûre de m'avoir réduit au silence, elle reprit :

— Je te souhaite bonne chance. Je nous souhaite bonne chance à tous les deux, mais il faut que tu partes, maintenant, et tu le sais.

Je m'habillai rapidement dans l'obscurité, passai devant elle sans la regarder, sans dire un mot. J'enfilais encore ma veste quand je sortis dans la nuit en bas de l'escalier.

Je rentrai par le West End, content des embouteillages du vendredi soir, des lumières et des coups sourds de la musique s'échappant des boîtes et des bars. Les fêtards avaient envahi les trottoirs et débordaient parfois sur la chaussée, braillant bras dessus bras dessous. La vie chaotique de la ville me distrayait de la tristesse qui était en moi. La circulation me ralentissait et j'avais envie d'être retardé. Je songeai à ne pas rentrer du tout. Je n'avais pas envie de me retrouver seul avec les affaires de Caitlin dans la maison de Caitlin, pas ce soir. Je songeai un moment à m'enfuir, à sortir de cette prison scintillante et à rouler à toute allure dans la nuit vers quelque lieu paisible, quelque part où personne ne me connaissait. Mais mon esprit rationnel me souffla qu'il n'y aurait de paix nulle part pour moi ce soir-là, aussi loin que je fuie.

Il était dix heures passées quand je rentrai. Le faisceau de mes phares éclaira une voiture garée au bout de la ruelle, une BMW vert foncé. Un pied sur le pare-chocs, Barrett était penché en avant pour astiquer une chaussure noire avec un chiffon jaune. Il se redressa à mon approche, souffla un panache de vapeur dans l'air froid. Je descendis de voiture, fermai les portières, lui fis face et attendis. Il portait une veste sport en pied-de-poule, aux motifs si contrastés à la lumière des réverbères qu'il était difficile de le regarder directement.

— Salut, doc, me lança-t-il d'une voix sonore avec un

large sourire. On a essayé la porte de devant, Baz et moi. Comme vous étiez pas là, on s'est dit qu'on allait attendre un peu ici, au cas où vous rentreriez.

Ellis passa la tête par la fenêtre du chauffeur, décolla un doigt du volant en guise de bonsoir. Le clou d'or de son oreille clignotait à la lumière.

— Qu'est-ce que vous voulez? demandai-je.

— Et vous voilà, poursuivit Barrett d'un ton jovial, comme si je n'avais rien dit. Grandeur nature. Baz? Bouge-toi, feignant, viens me donner un coup de main.

Je ne voulais pas de Barrett chez moi. Je ne supportais pas l'idée d'un autre interrogatoire tendu, mais, épuisé comme je l'étais, l'esprit engourdi, je ne trouvai pas l'énergie de résister à ce qu'il avait mis en branle. Je n'arrivais pas à réfléchir assez vite pour l'enrayer. Ellis ouvrit le coffre de l'intérieur, descendit, fit à contrecœur le tour de la voiture. Je remarquai qu'il soignait son apparence, impeccable dans son pantalon de toile beige et sa veste sur mesure, avec peut-être un peu trop de bijoux en or.

— Prends-le à l'autre bout, lui enjoignit Barrett en soulevant du coffre un gros sac-poubelle. Doc, si vous pouviez nous tenir la grille...

Résigné, je m'exécutai. Les deux hommes portèrent le sac dans le jardin, le laissèrent tomber sur les briques mouillées de l'allée. Ellis se recula, épousseta son pantalon et se frotta les mains.

— Putain, sergent, fit-il avec une moue de dégoût, comment je vais faire partir c'te odeur?

— Crottin de cheval de la police métropolitaine, annonça fièrement Barrett sans s'occuper de lui. Et comme vous le savez peut-être, doc, c'est pas la merde qui manque dans la police. Y en a surtout aux étages supérieurs, là où sont les huiles, ce qui est curieux quand on pense qu'on arrive pas à faire entrer les dadas dans l'ascenseur. Ça m'a toujours étonné.

Je fixais le sac sans rien dire.

— De rien, doc, fit-il, comme si je venais de le remercier. Si vous en répandez un peu autour de vos roses — pas trop, hein, je vous le répète —, elles vous offriront un spectacle magnifique en juin. Vous vous croirez aux Floralies de Chelsea. Ça marche toujours.

En équilibre sur une jambe, Ellis examinait la semelle de son autre pied avec de petits claquements de langue. Il sautilla jusqu'à la grille, remonta dans la BMW et mit la radio en marche. Barrett me regardait sans rien dire.

— Je n'ai pas envie de parler maintenant, déclarai-je.

— Ça se comprend, doc. Mais je suis pas là pour parler, je suis même pas là pour livrer le crottin, à dire vrai.

— Pour quoi, alors?

Il écarta les mains avec humilité.

— Pour m'excuser. Je me suis gouré. Complètement. Voilà, je l'ai dit. Mais vous comprendrez qu'on a parfois besoin de lancer un ballon d'essai. Rien de personnel làdedans.

Je m'étais préparé à discuter avec lui, à me défendre, et je ne savais plus quelle attitude adopter, maintenant. Je ne savais pas s'il parlait sincèrement, du reste je m'en moquais. J'étais soulagé mais, en même temps, je voulais qu'il disparaisse et je cherchais la réponse la plus susceptible de le faire partir.

— Vous ne faisiez que votre travail.

— C'est vrai, convint-il, mais quand même.

Il claqua des mains.

— Bon, de toute façon, c'est derrière nous, tout ça, hein? Votre M. Kendrick a clairement amené Carrick dans notre collimateur. C'est tout juste si ce vieux Henry n'avait pas une vidéo qui le montrait quittant la maison...

— Henry est très fier de ses dons d'observation. Il a été dans la RAF, il vous l'a peut-être dit.

— Pas plus d'une quarantaine de fois. Enfin, c'est grâce à lui qu'on sait ce qui s'est passé. On a encore que des présomptions, bien sûr, mais sacrément fortes, pour le coup.

L'inspecteur éprouva la solidité du sac de la pointe de sa chaussure, tira sur le pli de son pantalon et s'accroupit, prit un peu de terre entre le pouce et l'index et l'émietta, me sourit. Il avait l'air satisfait de lui.

— Pourquoi êtes-vous venu ici, réellement?

— Caresser des chiens amène des puces, doc.

— Quoi?

— Vous avez vu la jeune Angie. Vous avez fait plus que la voir, même.

J'ouvris la grille du jardin.

— Merci pour la merde.

Barrett se releva, ignora la grille ouverte et s'approcha de moi en laissant son sourire s'effacer.

— Votre femme a été assassinée et vous couchez avec la sœur du principal suspect. Vous trouvez ça intelligent?

Je me refusais à le reconnaître, mais sa présence physique m'intimidait. Il s'en aperçut et, sa démonstration faite, se détendit et recula un peu.

— Vous connaissez pas ces gens-là comme moi, doc. Angie et sa racaille de frère. Ils sont pas comme vous et moi. Ils vivent en meute. Ils se serrent les coudes, quoi qu'il arrive.

— C'est ce que vous êtes venu me dire?

— Tout le reste passe après, pour eux. Le bien et le mal, ce que les autres méritent. La loi? Ils y pensent même pas. Croyez-moi, cette petite fouine fera n'importe quoi pour aider son frère. N'importe quoi.

— Vous la surveillez, dis-je, comprenant soudain.

J'imaginai un homme en imperméable miteux observant les fenêtres d'Angie du trottoir d'en face, la fenêtre de la chambre zébrée de pluie contre laquelle je m'étais appuyé. Je présumai qu'on avait pu me voir à travers le carreau et qu'il y avait peut-être même des photos dans un dossier, quelque part.

Devant l'expression de dégoût inscrite sur mon visage, Barrett m'assena :

— Redescendez sur terre. Je suis officier de police.

— Alors, elle est coupable parce que son frère l'est? Il y a un gène du mal, maintenant?

— Eh ben, dit-il en riant. Elle vous a déjà pris en main, hein?

Il ne montrait toujours aucune intention de partir et me regardait d'un air songeur en se frottant les doigts pour en faire tomber la terre. Je me rendis compte que l'absence de Dickenson me mettait mal à l'aise, ce qui était curieux car sa présence m'avait toujours mis mal à l'aise aussi. Seul avec Barrett, je sus qu'il m'avait de nouveau tendu une embuscade et cela m'agaçait de penser que je n'y étais absolument pas préparé.

— Vous vous trompez, me défendis-je maladroitement.

— Tiens?

Son ton incrédule m'ulcéra, mais en même temps j'eus honte de nier Angie aussi vite et je me redressai.

— Non, vous ne vous trompez pas. Mais c'est fini, maintenant. C'était une erreur, ça appartient déjà au passé.

Il me lorgna comme s'il se demandait s'il pouvait me croire.

— Doc, je suis content de vous l'entendre dire. Et si j'étais vous, je continuerais comme ça.

Il s'adressa un petit hochement de tête à lui-même et se dirigea enfin vers la grille.

— Parce que la pomme tombe jamais loin de l'arbre, ajouta-t-il en me regardant par-dessus son épaule. Je vous dis ça comme ça, bien sûr.

27

J'attendis dans le noir que sa voiture s'éloigne, puis je rentrai dans la maison.

A contrecœur. Elle n'était plus accueillante. J'avais l'impression de sentir le poids des pièces vides autour et au-dessus de moi. Je n'avais pas envie de voir les espaces familiers où Caitlin et moi avions évolué ensemble, ri ensemble. Je ne voulais pas y imaginer Carrick, maintenant que sa présence avait été confirmée. En même temps, je ressentais la honte de ma propre infidélité et l'humiliation d'avoir été découvert. Peu importait que ces sentiments fussent tous irrationnels. Dans l'obscurité de la cuisine, je me servis un verre que j'emportai aussitôt en haut.

Je pris une longue douche et revins dans la chambre en m'essuyant le corps avec une serviette. Un moment, je parvins à me convaincre que je me sentais mieux après cette douche, mais ensuite je parcourus la chambre des yeux. L'ours Radieux sur le lit, la photo de la grand-mère Lavinia accrochée au mur, les vêtements de Caitlin dans la penderie : je n'arrivais pas à saisir ce que ces choses familières avaient de changé mais j'avais conscience d'une sorte de réfraction, d'une modification de perspective. C'était comme si tout dans cette chambre s'était éloigné de moi, avait commencé à entrer dans une autre dimension. Dans le passé.

Je m'assis sur le lit. Je ne voulais pas les sentir me quitter, Radieux et Lavinia, Caitlin elle-même. J'entendais leurs voix s'estomper, lourdes de tristesse et de reproches. Je fixai un moment le sol entre mes pieds nus puis fermai les yeux pour implorer Cate en pensée, faire surgir son visage. Mais son image devint floue puis se désintégra. Malgré mes efforts, ses traits ne se reconstituaient pas. Pris de panique, j'ouvris les yeux. L'oreiller de Caitlin était resté par terre, à moitié sous le lit, là où je l'avais jeté pour éviter des souvenirs douloureux. Maintenant, je voulais me souvenir. Je le voulais désespérément. Je saisis l'oreiller, le remis à sa place sur le lit et y enfonçai mon visage, inspirant à fond pour retenir les dernières traces de l'odeur de ma femme. Son image ne revenait toujours pas. C'était cruel de sa part de ne pas me revenir alors que j'avais tellement besoin d'elle. Jamais Cate n'avait été cruelle, auparavant. Je glissai mes mains sous l'oreiller, le rabattis sur mes oreilles pour tenter d'étouffer les bruits étranglés qui sortaient de moi et que je ne parvenais plus à retenir.

C'était presque l'aube quand je me réveillai. J'avais froid, recroquevillé inconfortablement sur les draps. Je roulai sur le dos. Dehors, une lueur métallique effleurait les tuiles des toits. Je me levai avec raideur, allai à la fenêtre et l'ouvris. L'air eut l'effet d'une eau glacée sur ma peau nue. On était samedi mais, entre les maisons, je voyais déjà les feux des premières voitures. La matinée était polaire et une pellicule de givre brillait sur les trottoirs. Je me calmai un peu.

Après m'être habillé, je descendis, et le téléphone sonna au moment où j'entrais dans la cuisine. Curieusement, son bourdonnement dans la semi-clarté de l'aube ne me fit pas sursauter et ne m'emplit pas de terreur, comme il l'avait fait ces dernières semaines.

— Tu as dormi? me demanda Angie.

— Je suppose que oui.

— Bien. C'est bien, dit-elle d'une voix tendue. Moi, je n'ai pas pu. Oh, mon Dieu, je ne m'étais pas rendu compte qu'il était si tôt...

— Ça ne fait rien.

Après un silence, elle reprit :

— Tu sais, j'avais pensé... j'avais pensé que nous pourrions nous réconforter. Un moment.

— Nous l'avons fait. Un moment.

— Je ne voulais surtout pas que ce soit pire encore après.

Le combiné à la main, je regardais le jardin sous une lumière froide et je revis dans ma tête Digby Barrett s'attardant près de la grille pour me gratifier d'un sermon dédaigneux.

— Il n'y a pas de place pour toi et moi dans cette histoire, Angie. Nous l'avons oublié un moment, voilà tout.

— Je suis désolée.

— Moi pas.

Sans attendre qu'elle ajoute quoi que ce soit — ce qu'elle pouvait dire maintenant n'avait plus d'importance —, je reposai doucement l'appareil sur son socle et je sortis.

Je ne pensais pas qu'elle rappellerait mais je ne voulais pas courir le risque d'être à la maison au cas où elle le ferait. Je marchai donc une heure ou deux dans les petites rues de West London, respirant l'air froid, regardant la ville s'éveiller. Les lumières s'allumaient dans les maisons et les appartements. De temps en temps, je sentais une odeur de café et de croissants. Finalement, je m'arrêtai à une baraque de hot dogs, bus un thé couleur acajou et mangeai un sandwich au bacon dans la rue. Je n'avais pas mangé de sandwich au bacon depuis des années. Le thé et l'animation naissante de la journée me revigorèrent.

Un peu après neuf heures, je retournai à la maison, où les pièces étaient maintenant éclairées par un jour hivernal. Un petit soleil intermittent tombait même en barres dorées par les fenêtres de la salle à manger. Lourde et chaude en moi, la nourriture me rendait somnolent. Je m'allongeai sur la banquette à l'autre bout de la pièce et contemplai les espaces violemment éclairés en laissant mon cerveau partir à la dérive. Ouvre ton esprit, m'avait dit Angie. Pas trop. Juste assez pour laisser entrer la lumière. Je me demandai s'il y aurait un jour assez de lumière pour me montrer ce qui était arrivé ce jour-là, dans cette maison. Si j'étais rentré quelques minutes plus tôt, je l'aurais peut-être vu moi-même, et ces quelques minutes signifiaient obscurité et confusion. Je tentai de me représenter la scène. Caitlin en haut de l'étroit escalier, ses bagages à ses pieds, en larmes peut-être, ou criant. Carrick, une ou deux marches plus bas, grand et sombre dans sa tenue de motard en cuir, protestant ou plaidant sa cause, ou la suppliant simplement de se taire.

Je me demandai ce qui avait déclenché la dispute. Il n'était peut-être pas censé venir mais, n'arrivant pas à se convaincre qu'il avait gagné, qu'elle me quittait vraiment pour lui, il n'avait pas pu s'en empêcher. Etait-ce ce manque de confiance en elle qui avait causé ce déchaînement de violence? Alors qu'ils étaient tous deux tendus à l'extrême? Il avait frappé : un réflexe. A cause de l'entraînement des paras, peut-être. Cela arrive, je le savais maintenant. Cela arrive même à ceux qui n'ont pas suivi l'entraînement des paras. Caitlin avait basculé par-dessus les valises en étreignant ce buste en marbre ridicule qu'elle avait fait tomber sur elle. Avait-il tenté de la rattraper? Avait-il pour une fois réagi trop lentement?

Cela s'était peut-être passé de cette façon. Barrett m'avait dit qu'il pouvait accepter un accident. Moi aussi, peut-être. Je me mis debout, m'étirai. Après tout, c'était peut-être sans importance car ce que je ne pouvais accepter — j'en avais conscience maintenant —, c'était de savoir que tout ce qu'elle avait voulu garder de notre vie ensemble se réduisait à un tas de vêtements, de chaussures, d'articles de toilette, rien qui ne puisse trouver place dans un sac et une valise bon marché.

La Golf de Stella s'arrêta avec une embardée de l'autre côté de la fenêtre et mes pensées s'éparpillèrent comme des gouttes de mercure. J'allai à la porte, l'ouvris et regardai Stella avec un curieux mélange d'amusement et d'exaspération tandis que, comme à son habitude, elle se garait n'importe comment, la voiture débordant sur la chaussée. Elle descendit, ferma la portière, ne me vit pas tout de suite. Sous son manteau, elle portait une veste qui semblait un peu habillée pour une visite à l'improviste. Cette veste provoqua le déclic, et un souvenir jusqu'alors endormi commença à remuer dans ma tête.

— Bonjour, Stella, dis-je d'un ton circonspect.

Surprise, elle s'immobilisa sur la dernière marche du perron.

— Michael? Comment ça va?

— On maintient le cap.

Elle m'examina d'un œil critique.

— Tu n'as pas l'air d'aller si mal, je dois dire.

— Je suis content de te voir.

Sa bouche se durcit et elle posa les mains sur ses hanches.

— Michael, espèce de salaud, tu as oublié, hein?

— Oublié?

— Anthony? Le marché aux puces? Le déjeuner chez lui?

— Bon Dieu, Stella. Je suis désolé...

Elle monta les marches d'un air menaçant.

— Il vaudrait mieux pour toi que tu n'aies rien prévu d'autre... Parce que je te donne cinq minutes exactement pour ramener tes fesses!

Lorsque nous descendîmes de la voiture pour nous diriger vers le marché aux puces, il était dix heures passées. C'était le premier samedi de décembre et il régnait déjà une atmosphère de Noël dans la rue, une animation digne de Dickens. La chaussée était envahie d'étals où s'entassaient verrerie et porcelaine, fripes, vieilleries en tous genres que les chineurs soulevaient et examinaient dans un brouhaha de cris, de rires et de marchandages.

Anthony, qui nous attendait dans un café de Bayswater Road, se leva et m'agrippa la main.

— Michael, je suis si content que tu aies pu venir, mon vieux!

— Salut, Anthony.

Je fus étonné d'être moi aussi content de voir son visage anxieux et triste, sa silhouette de pingouin grassouillet aux chaussures étincelantes. Il était là devant moi, souriant pudiquement parce qu'il se savait incapable de cacher le plaisir qu'il éprouvait à me voir. Sa pochette était en soie jaune à pois cette fois, le nœud papillon assorti et la veste en tweed à renforts de cuir aux coudes, concession à la liberté vestimentaire du week-end. Je pris alors conscience qu'il y avait en lui quelque chose d'immuable, que cela avait toujours été très important pour moi, et capital maintenant. Il m'agaçait parfois, et il m'arrivait de trouver sa sollicitude pesante, mais il serait toujours là pour me défendre. Un instant, j'eus envie de le prendre dans mes bras, là, entre les tables, et je l'aurais peut-être fait si je n'avais su dans quels abîmes de gêne ce geste l'aurait plongé.

Peut-être devina-t-il ce qui se passait dans ma tête car il s'écria :

— De l'action ! De l'action résolue, voilà ce qu'il faut par une journée pareille !

Il s'affaira pour récupérer son manteau et ses gants de filoselle. Anthony était la seule personne en vingt ans que j'avais vue porter des gants de filoselle.

— Sus à l'ennemi, en avant les petits gars et ainsi de suite ! claironna-t-il.

Nous passâmes une heure à déambuler sur le marché. Comme toujours, Anthony était salué à chaque coin de rue par des marchands et des chineurs, des gens qu'il rencontrait depuis des années dans les brocantes et les ventes aux enchères.

— C'est du zinc, monsieur Gilchrist. On en voit plus beaucoup, hein ?...

— On se voit lundi à Bignor Manor, monsieur Gilchrist ? Il y aura de la belle porcelaine, à ce qu'on m'a dit...

— Une copie signée, monsieur Gilchrist. Elle est impeccable...

Il s'arrêtait, manipulait un bibelot, un livre ou une miniature, émettait un claquement de langue approbateur, échangeait un mot avec le vendeur puis reposait l'objet. C'était une sorte de rituel. Tout le monde savait qu'il n'achetait jamais rien aux tables.

Je voyais bien que tout cela ennuyait Stella et qu'elle était peut-être encore fâchée contre moi, mais je m'en fichais. Je me sentais léger, loin de tout. Je savourais la familiarité du lieu, la chaleur du plaisir d'Anthony, le sentiment que l'on n'exigeait pas grand-chose de moi à part être là. Une ou deux heures aux puces, puis direction Barnes, pour un des légendaires rôtis d'hiver d'Anthony. Je pouvais supporter ça aujourd'hui. C'était peut-être même tout ce que je pouvais supporter.

— Tiens, monsieur Gilchrist!

Harry Judah.

Il se frayait un chemin dans la foule, à moitié caché derrière une caisse en carton pleine de mécanismes d'horlogerie qui tintaient à chacun de ses pas. Il avait peine à voir où il mettait les pieds, entre le haut de la caisse et son chapeau mou qui oscillait comiquement sur sa tête.

— Comme ça, vous seriez venu sans nous rendre visite, aujourd'hui?

L'ombre qui passa sur le visage d'Anthony me surprit. Son irritation était si marquée que mon humeur paisible s'évanouit dans l'instant.

— Et le jeune M. Michael est là aussi, poursuivit Harry d'un ton innocent. Ça faisait une éternité qu'on vous avait pas vu sur le marché...

— Bonjour, Harry. Content de vous revoir, assurai-je.

Il posa sa caisse sur le sol et me serra la main avec un large sourire. Il devait avoir dans les cinquante-cinq ans, maintenant, cette espèce de gnome tout ridé. Je scrutai son visage en lui serrant la main mais ne pus deviner à son expression s'il était au courant pour Caitlin. Apparemment pas. Il se tourna vers Anthony.

— On vous a pas vu beaucoup à la foire d'Amsterdam, monsieur Gilchrist, dit-il, l'œil pétillant. Vous avez eu une meilleure offre?

— Mais bien sûr que si, vous m'avez vu, repartit Anthony. Au moins une demi-douzaine de fois. Ne dites pas n'importe quoi.

— Je vous ai cherché, monsieur Gilchrist, insista

Harry en m'adressant un clin d'œil entendu. Mais vous aviez sûrement trouvé de la belle marchandise ailleurs, voilà ce que j'ai pensé.

— Pensez ce que vous voulez! répliqua Anthony avec une véhémence qui fit sursauter Harry Judah. Seigneur Dieu, ajouta-t-il, un peu embarrassé, il y avait au moins un millier de personnes, là-bas.

Harry s'empressa de corriger le tir :

— Vous avez raison, monsieur Gilchrist. Je me trompe.

Il reprit sa caisse et, derrière le carton, m'adressa une grimace de clown censée provoquer les rires mais qui révélait en fait à quel point il était blessé.

— A un de ces jours, Michael. Madame...

Il eut un hochement de tête pour saluer Stella et s'éloigna.

— Qu'est-ce qui se passe? demandai-je.

— L'odieux petit bonhomme, grommela Anthony. Et il se croit drôle...

La virulence de son ton me troubla. Après un moment de gêne, il claqua l'une contre l'autre ses mains gantées.

— N'en parlons plus! En avant! tonna-t-il.

Mais il y avait quelque chose de faux dans son enjouement.

Nous le suivîmes. L'incident continuait cependant à me perturber, et je restai quelques pas en arrière, à y réfléchir. Comme nous traversions High Street, j'aperçus de nouveau Harry Judah, à une centaine de mètres sur la droite, qui chargeait ses trésors à l'arrière d'une camionnette.

— Je vous retrouve à la voiture! lançai-je aux deux autres. Je vais acheter le journal!

Harry avait refermé les portières de sa camionnette quand je le rejoignis.

— Le jeune M. Michael! Deux fois dans la matinée. Ça fait plaisir.

Je sentis à son ton qu'il était encore mal à l'aise.

— Qu'est-ce qu'il y a, Harry?

— De quoi vous parlez?

— C'est la première fois que je vous vois vous disputer, Anthony et vous.

Ma franchise fit s'effondrer sa résistance.

— Ah! J'aurais pas dû le taquiner comme ça, devant vous et la dame...

Je fronçai les sourcils pour l'inviter à poursuivre.

— Vous tracassez pas, monsieur Michael. Il s'en remettra, cette vieille andouille. Il était mal luné, sûrement.

— Pardon?

— Ben, pour tout vous dire, il était avec une de ces petites mignonnettes indonésiennes qu'on trouve à Amsterdam. Tout le monde le sait, bien sûr, mais on fait semblant de pas être au courant. C'est idiot, non? A notre époque. Bon, j'ai gaffé, je suppose, en le charriant devant vous...

— Anthony? Vous parlez d'Anthony Gilchrist?

— Je me raccommoderai avec ce vieux saligaud, vous en faites pas.

Il secoua la tête, sidéré par l'absurdité des conduites humaines, et se tourna pour s'éloigner.

— Harry, attendez. Vous voulez dire qu'il était avec une prostituée?

— Sûrement pas, monsieur Michael. Bien sûr que non! Pas avec une *fille*!

Voyant mon expression, il se tut, repoussa son chapeau sur l'arrière de son crâne.

— Dites... vous êtes au courant, quand même?

— Non, Harry.

— Allez. Un monsieur comme lui? Il n'y a pas de femme dans sa vie. Allez.

— Je ne m'en doutais absolument pas.

— Oh, nom de Dieu, fit-il, soudain atterré par sa bourde. Plus gentil que lui, on peut pas trouver, poursuivit-il d'un débit rapide, comme s'il pouvait encore réparer son faux pas. Mais il a ce petit penchant, M. Gilchrist, c'est tout. Seulement de temps en temps, quand il est à l'étranger. Quand ça peut offenser personne. Y a rien de mal à ça, hein, monsieur Michael?

— Rien du tout, Harry. Mais je l'ignorais. Vous devez me prendre pour un bel imbécile...

— Sûrement pas, monsieur Michael. Sûrement pas, fit-il avec une indulgence qui montrait que c'était exactement ce qu'il pensait. Qu'est-ce que ça peut faire, de toute façon? Surtout, lui dites pas que j'ai encore trop ouvert ma grande gueule, hein?

— Ne vous inquiétez pas, Harry. Il n'en saura rien.

Je le laissai devant sa vieille camionnette déglinguée, tandis qu'il me suivait des yeux d'un air malheureux.

Je fis un détour pour revenir à la voiture dans l'espoir qu'un peu de temps me permettrait de me ressaisir, mais j'avais beau retourner dans ma tête ce que je venais d'apprendre, je n'arrivais pas à m'y faire. J'avais toujours vu en Anthony un de ces célibataires de la vieille école, excentrique, un peu solitaire mais en paix avec lui-même. Je n'avais jamais attribué une dimension sexuelle quelconque à sa vie et je trouvais grotesque de l'imaginer avec un jeune prostitué dans une chambre d'hôtel d'Amsterdam. Mais surtout j'étais triste pour lui, désolé qu'il ait dû garder secrète une partie aussi importante de lui-même pendant des années. Et je me sentais égoïste de ne pas l'avoir découvert tout seul bien plus tôt.

— Bon Dieu, Michael, tu te presses? ronchonna Stella

de l'autre côté de la rue. Je me les gèle, ici. Et où il est, ce journal ?

Nous arrivâmes en début d'après-midi chez Anthony, où un soleil froid pénétrait en rayons obliques par les fenêtres de derrière et éclairait l'intérieur sombre de la maison, créant des barres de lumière où la poussière pouvait danser. Anthony nous fit entrer dans le hall, prit nos manteaux et annonça en levant un doigt :

— Pour commencer, action résolue dans la cuisine !

Ses appareils ménagers — grille-pain, mixeur, robot — dataient des années cinquante, lourds objets de chrome et d'émail aux bords arrondis comme des ailes de Cadillac. J'avais vu des imitations de ces modèles redevenir en vogue mais ceux d'Anthony étaient des articles authentiques dénichés dans les salles de ventes au cours des années et restaurés avec amour. La cuisine embaumait la viande rôtie et les herbes. Par les portes-fenêtres, je vis qu'il avait débarrassé son jardin d'hiver de ses boîtes à musique et de ses horloges à moitié réparées et qu'il y avait dressé la table. Manifestement, il avait tout préparé pendant des heures.

— Pas assez de place pour trois ici, nous dit-il. Michael, tu veux bien allumer le feu dans le bureau ? Je te rejoins tout de suite.

Je jetai un coup d'œil à Stella, qui me regarda avec une expression résignée. Nous savions tous deux qu'Anthony allait lui assigner une corvée quelconque à la cuisine — une tâche désespérément en dehors de ses compétences — et trouver une excuse pour passer quelques minutes en tête à tête avec moi.

J'entrai dans le bureau obscur. Le feu avait été préparé, il n'y avait plus qu'à l'allumer. J'y ajoutai quelques bûches, approchai une allumette du papier journal et m'assis dans l'un des immenses fauteuils marron pour attendre Anthony. Le bois était très sec, il s'enflamma aussitôt, craqua, cracha, envoyant des gerbes d'étincelles vers la cheminée. Je contemplai le feu, le laissai réchauffer mon visage et mes mains.

Tout cela me semblait péniblement familier et cependant, ici aussi, la perspective avait changé. Ici aussi quelque chose s'éloignait de moi. Ma conversation avec Harry Judah donnait une dimension nouvelle à la pièce. Avoir ignoré une telle chose sur Anthony m'incitait à me demander si d'autres messages m'avaient échappé, si certains d'entre eux n'étaient pas cachés dans ce bureau, s'ils n'y avaient pas toujours été cachés. Je promenai les yeux sur les horloges anciennes qui ne donnaient qu'une heure approximative et sonnaient à des moments imprévisibles, sur les sabres de cavalerie croisés au-dessus de la cheminée, sur le caïman empaillé posé sur son manteau. Ce n'était certes pas une exposition ordonnée de goût et de style. C'était une boutique de curiosités, comme si le contenu de l'esprit d'Anthony s'était matérialisé par magie, emplissant la pièce d'objets d'un autre âge, bizarres, farfelus mais imprégnés d'une continuité, et, sous le bric-à-brac, de valeurs solides et immuables. Notamment une, qui enjoignait à un homme de garder pour lui ses faiblesses intimes, quel que soit le tourment de solitude que cela devait lui infliger.

— Bizet, tu ne crois pas? lança Anthony d'un ton jovial en entrant dans la pièce.

— Anthony, je...

— C'est un jour à Bizet.

Il alla à sa coûteuse chaîne stéréo, escamota le napperon, tripota les boutons et, l'instant d'après, la musique passionnée et sensuelle résonnait dans la pièce. Les yeux clos, Anthony dirigea un moment l'orchestre en silence puis s'assit en face de moi, à l'aise dans sa tenue de chineur, sa veste à renforts de cuir, son nœud papillon jaune sable et son pantalon de velours marron.

— Je crois que nous avons probablement le temps de nous accorder un petit reconstituant avant le repas, tu ne penses pas ?

Comme si ma réponse allait de soi, il alla à sa cave à liqueurs, s'y activa un moment et m'apporta un énorme scotch. Je vis qu'il s'était servi un cognac soda tout aussi tassé, et quelque chose me dit qu'en dépit de sa bonhomie il était nerveux. Je me demandai s'il n'avait pas perçu mon propre trouble, s'il n'avait pas deviné que j'étais retourné parler à Harry Judah.

— A ta santé, vieux, me dit-il d'un air déterminé.

Il choqua son verre contre le mien et but, reposa son cognac sur la table ronde près de son fauteuil.

Je me sentais plein d'affection pour lui à cet instant, plein de remords et de compassion. J'aurais voulu qu'il sache que j'avais compris, qu'il n'avait plus besoin de se cacher, de se tracasser pour ma réaction. Je pensais que ce serait un précieux cadeau à lui faire et une sorte de récompense pour les sacrifices consentis pendant toutes ces années. Mais ce fut précisément à ce moment-là, quand le verre d'Anthony toucha l'acajou de la table, que tout se mit à aller de travers.

— Bien, dit-il en se frottant les mains. J'ai préparé diverses choses dont tu auras besoin.

— Besoin ? Pour quoi ?

— Je les ai ici quelque part...

Il se leva de nouveau, parcourut ostensiblement la pièce des yeux comme s'il avait égaré quelque chose, trouva finalement une caisse en carton près de la fenêtre, la posa par terre entre nous deux. Elle était pleine de

cartes, de livres, certains neufs, d'autres clairement gla-
nés sur les tables des puces, le tout coiffé d'un casque
colonial.

— Voilà une pièce de choix! s'esclaffa-t-il en posant le
casque sur sa tête, ce qui lui donna l'air d'un général victorien d'opérette. Splendide, non? Cela dit, je ne te vois
pas trop le porter en salle d'opération...

— De quoi tu parles?

Il me considéra avec des yeux ronds.

— Du Venezuela, mon cher garçon. De ton voyage.

Comme je ne répondais pas, il poursuivit :

— Regarde-moi ça. Un Baedeker de 1910 sur l'Amérique latine. Bon, le coin a dû un peu changer depuis,
mais cela te fournira au moins une lecture distrayante
dans l'avion. Le reste sera sans doute plus pratique. C'est
ce que j'ai pu trouver de mieux, en tout cas.

— Anthony...

— Maintenant, la maison. De toute évidence, ce sera
une décision difficile pour toi. Mon avis personnel?
Mets-la en vente, vieux. Je te le conseille. J'ai bien
conscience que ce sera un crève-cœur, mais il faut que tu
me laisses une procuration et je m'occuperai de tout,
naturellement. On pourrait donner les affaires de cette
chère Caitlin à une bonne œuvre, peut-être, ou en faire ce
que tu voudras. Ou les garder jusqu'à ce que tu te sentes
capable de t'en occuper toi-même. Sache que nous ferons
tous le maximum pour te faciliter les choses.

— Je ne vais pas au Venezuela, Anthony.

Je fus stupéfait de m'entendre prononcer ces mots
puisque je n'avais pas encore pris de décision, et maintenant qu'ils étaient sortis de ma bouche, je pus sentir le
monde glisser autour de moi, puis s'immobiliser, comme
un gros rocher dévale une pente et trouve une position
stable. Le feu crépitait et crachait dans le silence.

— Balivernes, dit Anthony.

— Désolé. Je ne suis pas prêt.

— Mais Stella? Ses projets? Les tiens?

— Je lui parlerai.

Il se racla la gorge.

— Je vois.

— Je ne voulais pas aborder la question maintenant.

Joignant puis écartant les mains, il argua :

— Il faut continuer à se battre, Michael. Quoi qu'il arrive. Sinon, tu les laisses gagner, tu comprends? Ces gens mauvais, qui nous ont accablés de cette tragédie. Il ne faut à aucun prix les laisser gagner.

— Je n'atteindrai pas cet objectif en allant au Venezuela. Je dois d'abord mettre de l'ordre dans ma tête. Et dans ma vie. Ici.

Il me regarda fixement et les côtés de son cou blanchirent. Je n'avais pas vu cela depuis mes années de collège, un soir dans cette même pièce. Je ne me rappelais pas quel écart de conduite de ma part avait provoqué cette réaction, mais je me souvenais que ses colères étaient si rares que j'en avais été effrayé. Même maintenant, je ne pouvais tout à fait me défendre de ressentir un écho de cette peur ancienne.

— Balivernes, répéta-t-il sans hausser le ton. Tu es médecin, tu as une mission dans la vie. Tu ne dois jamais l'oublier.

— Je sais que tu veux m'aider mais je n'ai pas besoin que quelqu'un prenne des décisions à ma place. Vraiment pas. Ni toi. Ni Stella. Je regrette d'avoir mis aussi longtemps à le comprendre.

— C'est à cause de cette fille, hein? fit-il soudain. Carrick?

— Ne nous engageons pas sur cette voie, Anthony.

— Je n'y croyais pas quand Stella m'a appris que tu la voyais.

— De quel droit elle t'en a parlé?

— Nous ne nous sommes jamais fait de cachotteries, Michael. Mais je vois pourquoi tu voulais garder ça pour toi.

Il cherchait à me piquer de son ton sarcastique, mais je parvins à garder mon calme.

— Il n'y a pas de cachotteries. C'est ma vie, pas celle d'un autre. Et je te signale qu'Angie Carrick n'a rien fait de mal. Je suis fatigué d'avoir à le rappeler.

— Rien de mal? Pour l'amour de Dieu, tu as oublié ce que son frère t'a fait? Ce qu'il nous a fait à tous? Et elle le défend! Ils sont ignobles, ces deux-là!

Il plaqua tout à coup une main sur sa bouche et se tut, horrifié par sa sortie.

— Je m'excuse, je m'excuse, fit sa voix étouffée par ses doigts.

Il finit par baisser le bras, et les marques blanches que la pression de sa main avait laissées sur son visage rougeaud mirent un moment à disparaître.

— Je suis impardonnable. Impardonnable.

La souffrance se lisait clairement sur son visage et cela me faisait mal de la voir. Je me rendis compte que la barbarie de cette histoire le blessait, que son monde distingué avait sombré dans le chaos. Mon monde n'avait jamais été distingué. C'était au moins une illusion que je ne risquais pas de perdre.

— Tu n'es pas impardonnable, Anthony, mais je prendrai mes décisions moi-même. Pour ce problème comme pour tout le reste. Et je ne suis pas encore prêt à partir. Il reste trop de questions sans réponse.

Il se leva, fit un ou deux pas sans but en me tournant le dos.

— Michael, Michael. Je suis peut-être allé trop loin...

Je crus que sa rage s'était consumée, mais, quand il se tourna vers moi, son expression, d'abord affligée, se durcit de nouveau peu à peu.

— Tu ne sembles pas avoir conscience de l'importance de ta mission. Ce qui s'est passé à St Ruth n'était qu'un accident de parcours.

— Anthony, fis-je, plus fermement, c'est à moi de prendre une décision. Nous pouvons parler d'autre chose, maintenant?

Il me dévisagea comme s'il n'était pas sûr d'avoir bien entendu.

— Ce n'est pas une question de choix. Dieu t'a fait un don. Ton devoir est de t'en servir. Tu crois que ton père aurait hésité un seul instant?

— Je t'en prie, plus de sermon sur mon père.

— Il n'aurait jamais renoncé à sa vocation, malgré les tragédies personnelles qu'il aurait pu connaître. Tu ne peux pas y renoncer non plus, tu le sais bien. Après tout ce qu'on a fait pour toi, tous ces sacrifices. Que tu puisses ne serait-ce que songer à fuir le combat!

Il criait à présent, je m'en rendis compte avec un sentiment d'irréalité. Je ne me souvenais pas de l'avoir jamais entendu crier et cela m'angoissa. Je me levai à mon tour et lui fis face.

— Anthony, je ne peux plus vivre entouré de zones interdites qui me cernent comme des champs de mines. Il faut que je fasse la lumière, sinon rien n'aura plus jamais de sens pour moi.

Je posai une main sur son bras, mais il se dégagea violemment.

— Jamais je n'aurais cru que le jour viendrait où le fils de Duncan tournerait le dos au grand défi de sa vie, dit-il d'une voix morte.

Je fis un pas en arrière, comme s'il m'avait frappé. Un moment, je crus que je ne supporterais pas son mépris. Je ne l'avais jamais ressenti et sa morsure, à cet instant précis, dissipa le brouillard qui enveloppait mon esprit, un brouillard dont je n'avais même pas conscience jusqu'à ce moment. Je vacillai, me retins au manteau de la cheminée. La photo était là, à une dizaine de centimètres de mon visage, la photo préférée d'Anthony : mon père dans sa chemise en toile de jean, appuyé à une Land Rover sur un fond de palmiers, une ombre d'un noir d'encre à ses pieds, riant, beau, sardonique.

Anthony suivit mon regard.

— Michael... fit-il.

Sa voix retomba comme le cri d'un oiseau de nuit.

Je pris la photo encadrée et la tins de façon à placer Anthony et mon père côte à côte dans mon champ de vision, tournés l'un vers l'autre par-dessus le gouffre du temps qui les séparait. Je vis le visage d'Anthony, accablé, dévasté, et je compris.

— Vous étiez amants, n'est-ce pas ?

Il ferma les yeux.

— Ah, Michael, Michael.

— Ce n'est pas la peine de jouer la comédie, Anthony. Plus maintenant.

Il tituba et je crus un instant qu'il allait s'effondrer, que je devrais le rattraper, mais avant que je puisse réagir, il murmura :

— Il a tellement lutté pour faire son devoir. Envers Patricia, envers toi et les autres enfants. Nous avons lutté, tous les deux. Tu dois le croire.

Je reposai la photo sur la cheminée, cherchai quelque chose à dire, ne trouvai rien et la fixai en silence.

— Pas la peine de me sortir une quelconque platitude compréhensive, dit-il, se ressaisissant un peu. Je sais que l'amour n'est pas un crime. Je n'en ai pas honte. J'en suis fier, même. Mais la trahison... Ça, c'est un crime.

— La trahison? Quelle trahison?

— Duncan avait une femme et trois beaux enfants. Il les a trahis. Nous les avons trahis, lui et moi. Mais il a tellement lutté pour ne pas succomber. Et j'ai fait de mon mieux pour l'aider. J'étais prêt à tout accepter sauf de ne plus le voir, et lui-même ne l'aurait pas permis. Il ne voulait pas causer de souffrance. Finalement, nous étions un problème qu'il ne pouvait pas affronter.

— Tous ces voyages, fis-je. Toutes ces missions à l'étranger...

— Je le traitais de pleutre, je l'accusais de fuir. Mais il ne pouvait rien faire d'autre, tu comprends? plaida-t-il. Il croyait ainsi échapper au filet, à l'horrible nasse.

Sa lèvre inférieure se mit à trembler.

— D'une certaine façon, il a réussi, ajouta-t-il. A rester libre.

— Tu as gardé ce secret pendant toutes ces années?

— Michael, qu'est-ce que je pouvais faire d'autre pour lui à part te le cacher? C'était la promesse que je lui faisais chaque fois qu'il partait : veiller sur toi. Te protéger. De tout.

Il me sourit mais ses yeux étaient noyés d'une profonde tristesse.

— Je l'aimais tellement.

Je me passai une main dans les cheveux. A travers ma confusion, une pensée tranchante émergeait dans mon esprit et Anthony le lut peut-être dans mon regard car il enchaîna aussitôt :

— Ne sois pas trop dur pour lui. Essaie de comprendre.

A sa façon de parler, je devinai qu'il s'était répété ces mots des milliers de fois. Je l'imaginai dans sa chambre

sombre, assis devant la coiffeuse dont le miroir impla-
cable ne lui renvoyait que son pâle reflet.

— Elle a coûté cher, n'est-ce pas? La liberté de mon
père.

— Il y a toujours un prix à payer, Michael. Je m'en
suis volontiers acquitté.

Je montrai la photo.

— Tu n'étais pas le seul. Tu sais pour quelle raison je
croyais qu'il partait si souvent? Pour quelle raison je
croyais qu'il m'envoyait chaque année dans cette horrible
pension que je détestais?

Un grand calme l'enveloppa.

— Michael, tu n'as pas pu douter une seconde de
l'amour de ton père. Ce serait trop affreux. Après toutes
ces souffrances. Trop affreux.

J'entendis des pas dans le couloir et Stella poussa la
porte du bureau si brusquement qu'elle rebondit contre
le mur.

— Bon, dit-elle, les mains sur les hanches, j'en ai assez
de vos cachotteries...

En voyant nos expressions, elle laissa ses bras retomber, son regard faisant la navette entre nous.

— Qu'est-ce qui se passe?

Anthony me regardait en clignant des yeux et je ne
pouvais détacher les miens de son visage.

— Nous en reparlerons calmement très bientôt,
promis-je.

Sur une impulsion, je posai la main sur le tweed
rugueux de sa manche, lui pressai le bras. Je lui laissai le
temps de répondre mais il ne rompit pas le silence et je
sortis, passai devant Stella, récupérai mon manteau dans
le hall, franchis la porte d'entrée et la refermai derrière
moi. Je tournai à gauche dans la courte allée, m'engageai

dans la rue grise. Je ne savais pas où j'allais et je m'en fichais.

J'entendis la porte s'ouvrir et Stella appeler :

— Michael?

Je continuai à marcher, descendis la colline, tournai un coin de rue au hasard.

— Attends! cria-t-elle.

Elle courut derrière moi en faisant claquer ses talons sur le trottoir et me rejoignit, leva les yeux vers moi en s'efforçant de rester à mon niveau et d'enfiler en même temps son manteau.

— Marche moins vite, pour l'amour du ciel. Qu'est-ce qui s'est passé?

Je continuai à avancer dans l'espoir qu'elle me laisserait tranquille, tournai un autre coin de rue.

— C'est cette histoire de Venezuela? Michael, tu le connais. Il essaie seulement de t'aider.

Je la regardai.

— Je ne peux pas aller au Venezuela. Désolé, je viens seulement de m'en rendre compte.

Je la vis tressaillir.

— O.K., dit-elle en se reprenant. C'est beaucoup trop tôt, je le comprends. Je n'aurais pas dû te bousculer.

— Oui, c'est trop tôt. Mais il n'y a pas que ça.

Elle finit par gagner la bataille avec son manteau, le serra autour d'elle et déclara :

— Tu sais bien que je ne partirai pas sans toi.

— Je suis navré, Stella, mais ce n'est pas de ma faute. Si je l'avais su plus tôt, je te l'aurais dit plus tôt. Mais je ne suis pas responsable de tes décisions, ni toi des miennes. Nous ne sommes pas collés l'un à l'autre comme des siamois.

Je regardai autour de moi pour me repérer. Je ne

connaissais pas cette rue, bien qu'elle fût située à quelques centaines de mètres seulement de celle d'Anthony. C'était une avenue de banlieue bordée de fausses maisons Tudor, de jardins bien entretenus mis en sommeil pour l'hiver. Quelques résidents hardis lavaient leur Ford ou leur Vauxhall dans leur allée, selon une tradition dominicale consacrée, avec des seaux d'eau savonneuse fumante. Il y avait un marchand de vin de l'autre côté de la rue, et un arrêt d'autobus à quelques pas de l'endroit où nous nous trouvions.

— Attends ici, je vais chercher la voiture, dit enfin Stella. Nous irons parler de tout ça quelque part.

— Je n'ai pas envie de parler. Ça ne nous avancera à rien.

— Je vais quand même chercher la voiture. On ne va pas passer la journée ici.

Elle ne bougea pas, cependant. Peut-être attendait-elle une permission de ma part qui ne vint pas. Nous restâmes plantés l'un devant l'autre en silence. Un autobus rouge à impériale s'arrêta, une femme corpulente emmitouflée de beige s'efforça d'en descendre avec une douzaine de sacs en plastique et une poussette dans laquelle vagissaient des jumeaux. Le bus demeurait le long du trottoir, le moteur ronronnant, tandis que la femme haletait et jurait, que les enfants braillaient.

— Michael, qu'est-ce que tu es en train de nous faire?

La femme en beige avait coincé une roue de la poussette dans la porte de l'autobus et tirait, le visage écarlate, cependant que les autres passagers s'énervaient et que le chauffeur beuglait des conseils. Je passai devant Stella, dégageai la poussette en la soulevant et la reposai sur le trottoir, les deux enfants fixant mon visage proche du leur. Je sentis leur haleine chaude contre ma joue.

— Ne me tourne pas le dos comme ça, protesta Stella.

Mais je ne me sentais pas le courage de l'affronter et je montai dans le bus.

— Michael? appela-t-elle derrière moi.

Il y avait plus que de l'anxiété dans sa voix, à présent : quelque chose qui ressemblait à de la peur.

La porte se referma en sifflant, et, tandis que l'autobus s'éloignait, je vis Stella sur le trottoir gris, le visage tordu de souffrance.

28

Pendant une semaine ou plus, le monde autour de moi devint étonnamment silencieux.

J'en étais content. Je laissai passer sur moi des jours d'hiver informes, me déplaçant dans la maison sans faire de bruit, sortant le moins possible. Je dormais à des heures incongrues, allais prendre le courrier chaque matin sur le paillasson et le posais sans l'ouvrir sur une étagère de la bibliothèque. Je lisais beaucoup. J'écoutais la radio tard dans la nuit. Je ne pensais à rien, à personne. Par la fenêtre de la chambre, un matin, je vis Henry Kendrick approcher et frapper à la porte de devant puis faire le tour de la maison et essayer celle de derrière. Je n'avais pas envie de lui parler. J'attendis qu'il s'en aille. Il répéta la manœuvre trois jours de suite et finit lui aussi par renoncer. Le téléphone sonnait, je l'ignorais. Après les premiers jours, je laissai sur le répondeur un message qui informait mes correspondants que j'étais parti pour quelque temps. En un sens, c'était vrai.

Ce séjour dans les limbes m'apporta la paix et c'est peut-être pourquoi, au fil des jours, je pris conscience de la voix basse qui parlait dans ma tête. Elle me parlait peut-être depuis un moment, mais ma vie avait été trop pleine de bruit pour que je l'entende. Elle me disait, avec douceur mais insistance, que je négligeais quelque chose. Que si je voulais avancer, il y avait un pèlerinage que je ne devais plus reporter. Et quand l'injonction se fit suffisamment claire, j'obtempérai.

Je roulai une heure dans la banlieue sud de Londres et il commençait à faire sombre quand je m'arrêtai. Je n'étais jamais retourné dans ce quartier, pas une seule fois pendant toutes ces années, et j'eus un peu de mal au début à reconnaître l'endroit.

La rue, quand je la retrouvai, se révéla plus étroite que dans mon souvenir, les érables et les frênes des jardins de devant plus hauts. Il me fallut un moment pour identifier la maison, mais on pouvait encore voir la ligne de maçonnerie plus récente s'abouter au mur du bâtiment voisin.

Je descendis de voiture et me tins sur le trottoir, de l'autre côté de la chaussée. Le quartier avait grimpé dans l'échelle immobilière, depuis l'époque de mes parents. De jeunes couples de cadres s'y étaient installés, attirés par la proximité de Londres et par le manque de cachet du coin, qui avait maintenu les prix à leur portée. Cela au moins n'avait pas changé. Pour moi, c'était toujours une rue morne et sans âme dans une banlieue-dortoir, des rangées de maisons jumelées anonymes construites entre les deux guerres. Je glissai une main sous mon blouson, sentis le froid de la clé accrochée à mon cou et en traçai les contours sur ma peau.

La maison était éclairée. Une jeune femme se tenait dans le carré jaune de la fenêtre de la cuisine et se pencha pour parler à un enfant trop petit pour que je puisse le voir. Des décorations de Noël accrochées dans la pièce scintillaient à la lumière. Nous n'avions pas vécu assez longtemps dans cette maison pour fêter Noël et la cuisine n'était pas à la même place : la nôtre donnait sur l'arrière, avec une porte en verre et cette serrure chromée dont je ne me souvenais que trop.

Je n'aurais sans doute pas reconnu grand-chose à l'intérieur si j'avais frappé à la porte et persuadé cette jeune femme de me laisser entrer. Je me demandai si elle savait ce qui était arrivé ici à une autre famille, vingt-six ans plus tôt, une famille peut-être pas si différente de la sienne, mais je doutais que cette tragédie l'eût intéressée plus que ça, de toute façon. C'était de l'histoire ancienne. Un malheur arrivé à des gens dont elle ne savait rien, dans une époque indistincte, avant sa naissance. Quelle ombre l'événement aurait-il pu jeter sur sa vie ?

Il faisait tout à fait sombre, à présent. Les réverbères au sodium étaient allumés sur toute la longueur de la rue et l'un d'eux fonctionnait mal : il clignotait, bourdonnait. De temps à autre, une voiture ralentissait pour chercher un endroit où se garer ou s'engager dans une allée de ciment. Des gens rentraient à pied de la gare ou de l'arrêt d'autobus, des hommes et des femmes en manteau, tête baissée, pressant le pas dans le vent d'hiver qui fouettait la rue. Quelques-uns me lancèrent un regard curieux et je fus étonné qu'ils pussent me voir.

Vingt-six ans plus tôt, je m'étais senti aussi comme un esprit désincarné, courant dans les rues obscures en pull et pantalon de flanelle du collège, avec la neige fondue qui me cinglait le visage. Comme il faisait froid cette nuit-là, malgré les flammes qui bondissaient de la maison en feu ! L'haleine des policiers formait des panaches blancs dans le noir. Un tuyau de pompier crachait des glaçons qui tintaient comme des billes de verre sur les pavés. Anthony m'avait tenu contre lui et avait tenté de me protéger, en vain, bien sûr. Je ne pouvais être protégé. Aucun de nous ne pouvait l'être, au bout du compte. Pas une fois que le feu avait pris. Ce n'était la faute de personne.

Quand je rentrai chez moi, il tombait un fin crachin de décembre. Je me garai dans la ruelle, franchis la grille du jardin et me dirigeai vers la porte de derrière.

Je gravis le perron, cherchai mes clés et, dans ce moment d'hésitation, j'entendis la fenêtre à guillotine de Henry coulisser et je compris qu'il m'avait attendu.

— Michael, mon vieux? appela-t-il. Z'êtes là, en bas?

Cette habitude d'abréger ainsi ses phrases constituait l'une de ses affectations pseudo-militaires les plus irritantes. Je n'avais aucune envie de lui parler et je fus tenté de l'ignorer cette fois encore.

— Michael? répéta-t-il d'un ton plaintif.

— Oui, Henry, fis-je d'une voix lasse.

— Je ne veux pas vous déranger, mais j'aimerais vraiment vous dire un mot.

Il montrait rarement autant d'humilité.

— Je passe vous voir? proposai-je.

— Une toute petite seconde, mon vieux. Je descends vous ouvrir.

La fenêtre se referma avec un claquement. Aussitôt la lumière du jardin de derrière s'alluma et, le temps que j'arrive à sa porte, il la déverrouillait et l'ouvrait.

— Sincèrement, j'apprécie, Michael. Horreur de m'imposer. Je sais que vous devez en avoir votre claque de tous ces gens qui essaient de... de vous aider, quoi. Montez, je vous en prie.

Je suivis son invitation, passai devant lui et il se mit à trottiner derrière moi comme un jeune chiot.

— Horrible, cette histoire. Absolument horrible. N'arrive pas encore à y croire.

Henry possédait toute la maison mais n'occupait que le

premier étage. Astronome amateur passionné, il passait ses soirées à examiner le ciel de sa fenêtre de derrière avec un télescope. Il prétendait qu'il avait une excellente vue du ciel de là-haut, mais selon moi il avait encore une meilleure vue des salles de bains des voisins. Le foyer d'infirmières tout proche expliquait, je le soupçonnais, une bonne partie des observations célestes de Henry. C'était un passe-temps assez inoffensif pour un homme solitaire, et je me sentais moins enclin que naguère à le condamner. La pièce était bien rangée et triste, décorée de gravures d'avions militaires traversant des cieux azur. Je reconnus un bombardier Canberra à la place d'honneur sur la cheminée et me rappelai que c'était dans ce type d'appareil que Henry avait été observateur durant ses années à la RAF.

— Un verre? suggéra-t-il.

Me voyant hésiter, il ajouta sur un ton assez pathétique :

— Je vous en prie, dites oui.

— Certainement, Henry. Merci.

— A cette heure-ci, je prends généralement un gin tonic, mais j'ai...

— Un gin tonic, ce sera très bien.

— Parfait. Parfait.

Il détala en direction de la cuisine et je fis lentement le tour de la pièce. Canapé et fauteuils assortis, d'une hideuse couleur caramel. Coupes en argent gagnées au billard et aux fléchettes. Photos encadrées montrant un jeune Henry qui serrait la main du prince Charles, adossé négligemment au nez d'un avion recouvert de peinture camouflage, en compagnie d'officiers supérieurs en uniforme bleu de la Royal Air Force. Je m'approchai de la fenêtre de derrière et me tins un moment près de son télescope.

— Je sais que la police a beaucoup apprécié votre témoignage, Henry ! criai-je en direction de la cuisine dans l'espoir de le mettre à l'aise.

— Un plaisir, je vous assure ! répondit-il sur le même ton. Si on peut parler de plaisir dans une histoire aussi pénible... Tout ce que je peux pour que ce salaud soit arrêté et mis à l'ombre !

Il trancha quelque chose avec sauvagerie sur une planche à découper invisible.

— Ce genre d'histoire vous fait regretter la peine de mort ! Et ce serait encore trop bon pour ce type !

Il revint avec deux verres en cristal de la dimension de pots de fleurs, chacun agrémenté d'un quartier de citron. Il m'en tendit un, et avant même de l'avoir porté à mes lèvres je sentis la force du gin qu'il contenait.

— Vous êtes apparemment la seule personne du coin qui garde les yeux ouverts, lui dis-je, sachant que cela lui plairait.

— La seule chose qui ne cloche pas chez moi : des yeux de faucon pèlerin, Michael, même à mon âge. En fait, si j'avais été à moitié aveugle, j'aurais fort bien pu le rater, ce porc...

Pendant un instant, le silence fut tel que j'entendis les bulles pétiller dans nos verres.

— A vrai dire... commença-t-il.

Il grimaça, regarda le plafond.

— Henry, dites-moi ce qui ne va pas.

— Eh bien, voyez-vous... Pour ne rien vous cacher...

Il se redressa, comme pour se mettre au garde-à-vous.

— N'arrive pas à dormir. N'arrête pas de penser que je n'ai pas été à la hauteur. Pas du tout.

A mon étonnement, ses yeux s'embuèrent.

— Henry, nous avons tous cette impression. Nous

nous sentons tous impuissants. Moi plus que quiconque. Qu'est-ce que vous auriez pu faire de plus ?

— J'ai vu ce saligaud entrer. J'ai entendu comme une dispute. Un bruit de verre cassé, quelque chose comme ça. Les murs sont épais, mais quand même.

Il m'adressa un regard implorant.

— Michael, je crois que j'ai peut-être entendu cette chose affreuse arriver. Je l'ai dit dans ma déposition, bien sûr, mais je n'arrive pas à me sortir cette idée de la tête. Je ne me le pardonnerai jamais.

— Vous n'avez rien à vous reprocher, Henry. Qu'est-ce que vous étiez censé faire ?

— Michael, je veux que vous sachiez que j'étais sur le point d'aller jeter un coup d'œil, pour m'assurer que Caitlin n'avait rien, après tout ce vacarme. Mais quand j'ai vu votre voiture garée dans la ruelle, j'ai pensé que vous étiez chez vous. Je n'ai pas voulu intervenir. Une petite scène de ménage, je me suis dit. Quelque chose comme ça.

— Je ne vous suis plus, Henry. Vous avez vu ma voiture ?

Il posa son verre, s'humecta nerveusement les lèvres.

— Bien sûr, je sais maintenant que ça ne pouvait pas être la vôtre. Et que vous n'étiez pas dans la maison. Mais sur le coup...

Sa voix mourut et il me regarda avec des yeux d'épagneul.

Mon expression abasourdie le relança :

— Essayez de vous mettre à ma place, plaida-t-il comme s'il quémandait une sorte d'absolution. D'abord, je vois Caitlin rentrer. Une minute plus tard, elle ouvre à ce jeune type. Il fait le clown avec des fleurs qu'il a prises dans le bac, près de votre porte. Il joue au Roméo. De toute évidence, ils se connaissent, pour ne pas dire plus.

Ça ne me plaît pas, l'idée qu'il se passe quelque chose dans votre dos, alors je jette un œil dans la ruelle pour voir si votre voiture y est. Pour savoir si vous êtes à la maison...

— Ma voiture est restée dans le garage pendant toute mon absence...

— Je le sais, *maintenant*. Mais ce jour-là, tout ce que j'ai vu, c'est une rangée de voitures garées le long de la clôture. Et il y en avait une rouge sombre, comme la vôtre. D'ici, on ne voit que le toit, je n'ai pas pu vraiment l'identifier, mais comme elle était juste devant votre porte de derrière, j'ai supposé que vous étiez chez vous. Et je n'y ai plus pensé.

Il leva de nouveau vers moi des yeux suppliants.

— Ça devait être la voiture de quelqu'un qui faisait des courses dans le quartier. Si elle n'avait pas tant ressemblé à la vôtre, je serais allé jeter un coup d'œil. J'aurais téléphoné. Comme je vous croyais chez vous, je n'ai rien fait. Je ne me le pardonnerai jamais.

La souffrance inutile que je lisais dans son regard m'éclaira sur l'équilibre fragile de nos vies, sur la vanité de s'interroger sur ce qui aurait pu être.

— Je vais vous dire une chose, Henry...

Je posai mon verre et pris ses épaules entre mes mains pour le forcer à me regarder.

— Si vous aviez appelé la police au moment même où Carrick est entré dans la maison, elle ne serait pas arrivée à temps pour sauver Caitlin. Personne n'aurait pu la sauver. Je n'y suis pas parvenu. Vous vous reprochez sa mort parce qu'une personne venue faire des courses dans le quartier a garé une voiture rouge dans la ruelle? C'est totalement absurde.

Il resta un moment silencieux, se tordant de nouveau la

bouche, puis marmonna : « Dieu vous bénisse, Michael »,
et retourna à la fenêtre de derrière.

Je sus que je l'avais soulagé d'un poids et j'en fus heureux, mais je sentais en même temps que quelque part en
moi un fardeau plus lourd et plus ancien que je n'arrivais
pas à identifier avait commencé à bouger. J'attendis un
moment, au cas où Henry voudrait ajouter quelque
chose, mais il demeurait à la fenêtre, le dos tourné et les
mains jointes, se roulant rapidement les pouces. Je quittai
la pièce en silence.

De retour chez moi, je restai quelques secondes dans la
cuisine obscure avant de tendre la main vers l'interrupteur. Au moment où je l'abaissais, le téléphone mural
émit sa sonnerie stridente, quasiment dans mon oreille, et
je fus tellement surpris que, sans réfléchir, je décrochai
avant que l'appel ne passe par le répondeur.

— Pourquoi tu me fais ça? dit une voix étranglée de
rage et de détresse.

— Angie? fis-je, la reconnaissant à peine. Qu'est-ce
qu'il y a? Qu'est-ce qui se passe?

— On avait un marché, Michael. Chacun laisse l'autre
tranquille. On était d'accord...

— Angie, je ne comprends rien à ce que tu dis.

Elle prit sa respiration.

— Ecoute-moi bien. Tu envoies encore cette garce
d'Ecossaise m'espionner et je te jure que je balance une
brique dans son pare-brise et que je la traîne dans la rue
par les cheveux!

— Stella? Tu veux parler de Stella?

— Tu croyais que je ne la repérerais pas? Elle et sa
vieille caisse pourrie?

— Angie, ça ne tient pas debout...

— Une Volkswagen marron.

410

Elle me récita des chiffres et des lettres, me lança d'un ton de défi :

— C'est bien son immatriculation, non?

C'était bien ça. J'étais incapable de parler.

— Trois fois la semaine dernière! accusa Angie, criant maintenant. Qu'est-ce que tu cherches? Tu veux m'envoyer un message que tu n'as pas les couilles de porter toi-même?

Je m'appuyai au comptoir de la cuisine et gardai si longtemps le silence qu'Angie lâcha :

— Michael?

— Je m'en occupe, déclarai-je avant de raccrocher.

29

Je demandai au taxi de me laisser dans Queensway puis je traversai la place à pied et m'arrêtai sur le trottoir, devant l'appartement en sous-sol de Stella, les mains sur le fer froid des rampes. Une partie de moi avait espéré qu'elle ne serait pas chez elle, que je pourrais éviter la confrontation, mais de la lumière brillait derrière le verre dépoli de la porte d'entrée et je vis sa silhouette passer et repasser derrière les stores baissés. J'attendis encore un peu cependant.

Stella louait l'appartement. Elle prétendait qu'elle menait une vie de nomade et qu'elle était incapable de s'installer où que ce soit de façon permanente mais, en réalité, elle vivait là depuis des années, depuis que je la connaissais. Je n'aurais pu compter le nombre de fois où j'y étais venu pour une fiesta ou un dîner, pour parler de notre prochain voyage ou faire l'autopsie du dernier. C'était là qu'on m'avait conduit le jour où Caitlin était morte. L'endroit ne semblait pas avoir changé depuis, vu de l'extérieur : les marches de ciment taché menant aux poubelles, le géranium solitaire devant la porte. Je pris une inspiration, lâchai les rampes.

Stella dut m'entendre dans l'escalier car elle ouvrit la porte avant que je ne frappe. Elle portait un joyeux tablier

412

décoré d'une plage dessinée par un enfant, soleil souriant et mer bleue. Mais Stella, les mains sur les hanches, ne souriait pas. J'eus la nette impression qu'elle s'attendait à ma visite.

— Salut, Michael. Alors, elle a fini par me repérer?

— Bon Dieu, qu'est-ce que tu as fabriqué?

— Epargne ta salive. Si c'est des excuses que tu cherches, tu n'en obtiendras pas de moi.

— Je ne pensais pas à des excuses, mais une explication sur ce qui se passe serait la bienvenue.

Elle renversa la tête en arrière et s'écarta de moi, descendit le couloir. Je la suivis, me frayant un passage entre une pile chancelante de revues médicales, un vieil ordinateur, des caisses de livres et des sacs-poubelle portant une étiquette les destinant à Oxfam. Dans le séjour, je remarquai deux gros sacs de voyage en toile, un sac à dos et six grandes caisses en contreplaqué. Stella avait ôté les posters du mur, laissant des rectangles plus clairs sur le plâtre et de petites marques graisseuses à l'endroit du Blu-Tack.

Dans la cuisine, elle se retourna pour me faire face.

— Il faut qu'on parle, déclarai-je.

— Ça fait un moment que j'essaie de t'en persuader.

— Stella, ce n'est pas la façon...

— Tu veux manger quelque chose? proposa-t-elle soudain. Il me reste des pâtes d'hier soir. Ça ne te dérange pas qu'elles soient un peu grillées?

Je me demandai où tout cela nous menait et je fis légèrement marche arrière :

— Stella, même toi tu ne brûlerais pas des pâtes...

— Elles ne sont pas vraiment brûlées. Juste roussies. Je viens d'y ajouter de la viande. J'attends qu'elle prenne la même couleur.

C'était le genre de plaisanteries que nous avions toujours échangées, et cependant on eût dit des répliques récitées par des inconnus. Elle se tenait sur le seuil de la cuisine, dans son tablier aux couleurs vives, me défiant du regard.

— Tu peux m'expliquer ce qui se passe? demandai-je.

— Dans un instant, repartit-elle. Mais d'abord, on prend un verre, bon Dieu. Ça ne nous fera pas de mal.

Elle tira d'une des caisses une bouteille et deux verres, les remplit, m'en tendit un et trinqua avec une telle vigueur que je crus qu'elle l'avait fêlé.

— Santé.

— Stella, écoute...

— Oui, avoua-t-elle. Oui, je suis allée à Brixton deux ou trois fois pour jeter un coup d'œil à ta nouvelle copine. C'est ce que tu voulais entendre?

Elle but une gorgée et me regarda en haussant les sourcils. Je m'assis sur le bras du sofa.

— Pourquoi?

— Essentiellement pour satisfaire ma curiosité. Voir ce qu'elle avait de plus que moi.

— J'ai commis une erreur. Elle aussi.

— Qu'est-ce que ça change? Elle a sifflé, tu as sauté dans le cerceau. J'ai voulu voir pourquoi.

Je fixai le fond de mon verre.

— Je suis désolé que cela ait pu te blesser. Ce n'était pas mon intention.

— Oh, te tracasse pas. Je vois ce qui t'a attiré en elle. Elle a quelque chose, c'est sûr. Pas aussi belle que Caitlin, mais mieux que moi, évidemment. Malgré tout. Malgré tout ce que nous avons traversé ensemble. Mais quelques années d'amitié et d'épreuves partagées ne comptent pas beaucoup, finalement, je suppose.

— C'est injuste, Stella.

414

— Ah bon? Tu devrais essayer de voir les choses de l'endroit où je me trouve.

Son visage ne trahissait aucune émotion, mais je devinais sa souffrance. Elle posa son verre sur une caisse et reprit, d'un ton cassant :

— Je voulais me rendre compte par moi-même, c'est tout. Je l'ai fait. Dans quelques jours, je ne serai plus là pour t'embêter, de toute façon. Je n'embêterai plus personne.

Je promenai les yeux sur la pièce encombrée.

— Tu acceptes ce boulot au Venezuela, finalement?

— Nous ne sommes pas collés l'un à l'autre comme des siamois, tu l'as dit toi-même.

— Tu pars quand?

— Après-demain.

— Tu ne perds pas de temps.

— Plus maintenant.

Elle leva son verre en direction des caisses et poursuivit :

— J'ai donné ma démission de St Ruth, j'ai résilié le bail de l'appartement. J'ai même vendu la voiture.

Elle fournit ce dernier détail avec une certaine agressivité, sachant qu'il lèverait tout doute éventuel sur ses intentions. Elle possédait cette Golf depuis toujours, je ne pouvais imaginer Stella sans elle, ni quelqu'un d'autre la conduisant.

— Tu n'étais pas obligée de démissionner. Curtiz t'aurait gardé ton poste pendant un an.

— Inutile. Je ne reviendrai pas.

Elle inclina son verre dans ma direction.

— *Salud, dinero.* Et qui sait? Peut-être même *amor.*

Je me levai, fis le tour de la pièce, soulevai et reposai des objets, évitant le regard de Stella.

— Tu m'as dis un jour que nous faisions la paire, toi et moi, lui rappelai-je.

— J'ai dit ça? Très futé de ma part.

— Tu avais raison.

L'alarme d'incendie se mit à mugir. Je vis de la fumée sortir par la porte de la cuisine et j'entendis un crépitement de nourriture brûlée dans une poêle.

— De toute façon, tu n'avais pas tellement faim, hein? me lança Stella avant de se précipiter dans la cuisine.

Je trouvai le système d'alarme au-dessus de la porte, le coupai. J'ouvris les portes-fenêtres et la fenêtre de devant de la chambre pour évacuer la fumée, pris les verres et les emportai. D'abord, je vis à peine Stella puis je l'entendis tousser et faire du bruit en s'affairant au-dessus de la cuisinière. La pièce était encore pleine de fumée, mais elle avait ouvert la porte de derrière et jeté la poêle parmi les poubelles. Les volutes grises s'échappaient dans la nuit froide et bientôt l'air fut de nouveau respirable. Je posai les verres sur la table de la cuisine, les remplis.

— Voilà au moins une poêle que je n'aurai pas à emballer, grogna Stella.

Ses yeux larmoyaient, peut-être à cause de la fumée. Elle les ferma, se les frotta puis alla prendre son verre sur la table et but une gorgée avec une moue satisfaite.

— C'est pas si mauvais que ça, finalement. Grand-père Macaulay disait toujours qu'on doit pouvoir sentir le goût de la fumée dans le whisky.

Je tirai une chaise à moi et m'assis, remarquai une enveloppe de papier kraft sur la table. Stella m'observait attentivement.

— On est toujours amis, Michael?

— Bien sûr.

— Alors je vais te parler franchement. Parce que je ne crois pas que j'en aurai encore l'occasion.

Elle s'assit elle aussi, fit rouler pensivement son verre entre ses paumes. La porte de derrière claquait dans le vent et il commençait à faire froid dans la pièce. Stella se pencha en arrière pour la fermer puis elle poussa l'enveloppe vers moi.

— Qu'est-ce que c'est?

— Appelons ça une dernière tentative. Pas très digne, mais il faut bien que j'essaie.

J'ouvris l'enveloppe, fis glisser le billet sur la table entre nous.

— Un aller open pour Caracas, expliqua-t-elle. Tu n'es pas obligé de t'en servir tout de suite. Ni de t'en servir tout court. Mais ça te permettrait de filer d'ici.

— Stella...

— Prends-le. Fais au moins ça pour moi.

Elle se pencha par-dessus la table, ouvrit mon blouson et fourra le billet et l'enveloppe dans ma poche intérieure.

— Je sais que tu ne me crois pas, mais tout risque d'aller mal ici pour toi. J'en ai peur.

Elle parlait avec une telle conviction que je sentis des picotements sur la peau de ma nuque. J'eus l'étrange impression que, jusqu'ici, nous avions lu nos textes dans le même scénario mais que, sans prévenir, elle était passée à un autre. Je n'avais aucune idée de ce qui allait suivre. Elle tendit les bras, me prit les mains.

— Ne te fais pas d'illusion, Michael. Il est trop tard pour changer. Toi et moi, nous ne sommes pas bâtis pour une vie rangée. Assiettes en porcelaine sur les murs et toutes ces conneries. Caitlin a eu tort de t'épouser, si elle pensait te faire rentrer dans le rang. Moi, je n'aurais jamais essayé de te changer. Le père Rafael avait raison. Les gens comme nous ne connaissent pas le repos. Nous voyons le monde tel qu'il est — une maison de fous —, mais nous sommes condamnés à tenter quand même de le rendre meilleur. Nous faisons vraiment la paire.

— J'ai d'autres problèmes à régler. J'aurais dû le faire depuis longtemps.

— Comme trouver Caitlin?

Je ne répondis pas.

— Si tu n'as pas réussi à la trouver de son vivant, tu comptes faire comment, maintenant?

Je voulus libérer mes mains, mais elle les tenait serrées.

— Pourquoi tu as choisi Caitlin? Tu pensais qu'elle avait plus besoin de toi que moi? Tu avais peut-être raison. Tu sais, je ne l'ai jamais beaucoup aimée, avec son accent de verre taillé et ses manières bizarres. Je ne suis pas fière de l'avouer, mais quand j'ai appris sa mort, je m'en suis réjouie un court instant.

— Je t'en prie, Stella.

— Oh, c'est dur à reconnaître. Mais c'est si injuste que la faiblesse ait quelque chose d'attirant. Moi, je pense que je devrais être récompensée parce que je suis forte. Ce n'est pas le cas. Ce n'est généralement pas le cas pour les femmes. Cela nous pénalise, au contraire.

Son regard semblait me traverser.

— Ou alors, c'est juste à cause de toi? Tu ne peux pas t'en empêcher, je le sais. Il faut que tu sauves les gens. Mais c'est parce que tu es fort ou parce que tu te *sens* fort en les sauvant?

— J'aimais Caitlin, déclarai-je. Totalement. Je l'aime encore.

— Dans les relations amoureuses, ce n'est jamais fifty-fifty, je le comprends parfaitement. Mais ça ne peut pas être non plus cent pour cent d'un côté et rien de l'autre.

— Tu as raison pour beaucoup de choses, mais là tu te trompes. Caitlin m'apportait beaucoup.

— Oh, elle avait au moins une chose pour elle. Elle

418

avait grand besoin que tu voles à son secours. Moi je n'en ai eu besoin qu'une seule fois, cette nuit-là au Venezuela. Et qu'est-ce que tu as fait? Tu as tourné ton cheval dans la direction opposée et tu as disparu dans un nuage de poussière.

Elle me regarda dans les yeux.

— Je ne suis peut-être pas la princesse enfermée dans son château, mais je peux te dire une chose : Angie Carrick non plus. Elle n'a pas besoin d'être sauvée. C'est toi qu'il faudrait sauver d'elle.

Cette fois, je dégageai mes mains.

— N'ajoute rien, l'avertis-je.

— Elle te fait marcher depuis le début. Elle sait parfaitement où est son frère. N'importe qui de moins vulnérable et crédible que toi l'aurait vu.

— Arrête, Stella, répliquai-je. Qu'est-ce que tu crois qu'elle fait? Qu'elle détourne mon attention pendant qu'elle cache Barney Carrick dans le placard à balais? Réfléchis un peu.

— Elle sait où il est, Michael.

— Ne dis pas de conneries. Elle n'en a pas la moindre idée.

— Si elle ne le savait pas avant, elle le sait maintenant.

Soudain saisi par le souvenir de la voix étranglée d'Angie au téléphone, je demandai :

— Qu'est-ce que tu veux dire?

— Elle sort seule. Elle prend le métro pour Londres et reste partie six ou sept heures chaque fois. Pourquoi? Elle n'emmène jamais le vieux avec elle, elle ne revient jamais avec des courses, des vêtements ou de la nourriture. Deux fois la semaine dernière, elle n'est pas rentrée de la nuit.

— Elle a peut-être rencontré quelqu'un...

— Bien essayé. Mais je l'ai suivie.

— Tu l'as *suivie*?

— Oui. J'avais l'intention de la pousser sous une rame pour éviter des tas d'ennuis à tout le monde.

Elle avait un ton si impassible qu'il était difficile d'être absolument sûr qu'elle plaisantait.

— Ne prends pas cet air indigné, Michael! Il faut bien que quelqu'un veille sur toi puisque tu n'en es pas capable. Je l'ai suivie à travers Londres. Ça n'a pas été facile. Elle a changé trois ou quatre fois de métro, elle a pris le bus. Elle ne savait pas que j'étais derrière elle, mais elle se méfiait. Pourquoi elle aurait fait ça si elle n'avait rien à cacher?

— D'après toi?

— Elle pensait que la police la filait peut-être, bien sûr. C'est pour cette raison qu'elle ne prend jamais la voiture. Elle sait que les flics y ont sûrement mis un mouchard.

— Tu deviens un peu parano, là, non?

Stella ne prit pas la peine de répondre et attendit. Elle savait que je finirais par poser la question.

— Où elle est allée?

— A la gare de London Bridge. Elle a fait tout le tour des maisons pour y arriver, mais c'est là que je l'ai vue pour la dernière fois. Sur le pont, en direction des lignes allant vers l'est.

— Ça ne prouve rien.

— Oh! Bien sûr. C'est ignoble d'accuser comme ça la gentille petite Angie.

Je me levai.

— Tu as raison de partir, dis-je en enfilant mon manteau. Je suis désolé qu'on en soit arrivés là, mais tu as raison de partir.

J'allai à la porte de la cuisine, m'arrêtai, me retournai pour regarder Stella une dernière fois, assise seule à la

420

table dans son gai tablier, devant la bouteille et les deux verres. Elle leva les yeux vers moi et m'adressa l'ombre d'un sourire.

— Médecin, soigne-toi toi-même.

Il était presque onze heures ce soir-là quand Angie rentra. De la ruelle longeant l'officine de paris, je la vis marcher d'un pas rapide de l'autre côté de la chaussée luisante. Elle avait les cheveux sévèrement tirés en arrière et son blouson de cuir brillait sous la pluie. Elle passa devant moi, s'engagea dans le parking situé derrière le magasin asiatique.

Je m'écartai du mur. J'avais froid, j'étais mouillé, engourdi. J'étais resté trop longtemps sans bouger et, dans un premier temps, les muscles de mes jambes ne réagirent pas correctement. Le temps que je la rattrape, elle était déjà à la porte de la cage d'escalier, penchée sur son trousseau de clés.

— Bonsoir, Angie.

Elle sursauta au son de ma voix, se retourna pour me faire face, les yeux flamboyants.

— Tu rentres tard, fis-je observer.

— Ça te regarde ? rétorqua-t-elle d'une voix rauque, étrangère.

— A toi de me le dire.

La pluie collait ses cheveux sur son front et elle me parut soudain vulnérable, comme la première fois que je l'avais vue.

— Montons chez toi pour régler cette histoire.

— Laisse-moi tranquille !

Elle repoussa ma main tendue, avala sa salive et reprit, un ton plus bas :

— Ne nous force pas à jouer cette scène.

— Il ne s'agit plus de toi et moi, Angie.

— De quoi, alors?

— Tu sais où il est, n'est-ce pas?

— Non, répondit-elle, respirant rapidement. Va-t'en, Michael. Je t'en prie.

— La machine est en marche, on ne peut plus l'arrêter. Si tu essaies de te mettre sur son chemin, elle t'écrasera. Je ne veux pas te voir souffrir.

Elle ferma les yeux et murmura d'une voix lasse :

— A quoi bon? Tu crois que nous avons le choix?

Elle se tourna vers la porte pour glisser sa clé dans la serrure et son visage était dans l'ombre quand elle ajouta :

— Il faut que tu partes, maintenant.

— Je peux croire à un accident, dis-je, conscient de répéter les propos de Barrett.

Le tintement de ses clés cessa instantanément.

— A un acte incontrôlé, poursuivis-je. Oui, ça, je peux essayer de l'admettre, de le comprendre.

Elle me fit lentement face.

— Barney ne l'a pas tuée. C'est la seule chose que tu aies à comprendre.

Elle était toujours là, dans sa voix et dans son regard, cette certitude absolue, et je ne savais pas, je n'avais jamais su comment l'ébranler.

— Cela m'est égal, maintenant, que la police le trouve ou pas. Il y a même des jours où j'espère qu'elle ne le trouvera pas, pour que je n'aie pas à revivre encore cette histoire dans une salle de tribunal sordide. Sa condamnation ne changerait rien. Mais je veux savoir ce qui s'est passé dans cette maison, ce qui a conduit Caitlin à cette situation. Et Barney est le seul qui puisse l'expliquer.

Les épaules d'Angie se soulevèrent et s'abaissèrent, mais elle resta silencieuse et je compris qu'elle ne dirait plus rien. J'attendis quand même un instant puis commençai à m'éloigner.

— Michael...

Sa voix se brisa. Je me retournai. Elle me fixait, la bouche entrouverte, le visage mouillé, et je me rendis compte qu'elle pleurait. Elle recula dans l'obscurité.

30

Je me levai le lendemain matin à sept heures et descendis au bureau. Je remis la photo de Caitlin à sa place habituelle, sous la lampe, pour qu'elle sourie à la pièce, et j'attendis l'aube hivernale.

Je n'étais pas pressé. Une certitude s'était faite en moi : mes recherches prendraient fin ce jour même, et je n'avais pas besoin de hâter les choses. Un peu avant huit heures, je me douchai, enfilai un jean et un pull, pris mon temps pour déjeuner. Un moment, j'eus presque l'impression que c'était un matin ordinaire, un matin d'avant, informations à la radio, odeur de café dans l'air. Quand le plus gros de l'heure de pointe fut passé, je sortis l'Audi du garage et pris la direction de l'est.

Il me fallut plus d'une heure pour traverser au pas la banlieue sud-est embouteillée mais, vers le milieu de la matinée, je roulais rapidement dans la campagne, laissant Londres derrière moi. Je quittai l'autoroute pour l'A20. Peu de temps après, je tournai de nouveau, cette fois sur une route secondaire, et progressai à allure réduite en direction de Sevenoaks, à travers cette campagne verte et grasse que je me rappelais de mon dernier voyage, un pays de fermes et de magnifiques demeures qui appartenaient aux riches Londoniens.

Il y avait beaucoup moins de circulation, maintenant, et je prenais plaisir à rouler. Bien calé dans mon siège, je laissais mon esprit revenir aux événements des dernières vingt-quatre heures. J'imaginai Angie telle que Stella avait dû la voir, semblable à une héroïne de la Résistance, se hâtant vers London Bridge East, consciente du risque d'être suivie. Les trains partant de London Bridge East traversaient le nord du Kent. Il ne m'avait pas fallu long-temps pour faire le rapprochement. Ils ne desservaient pas seulement les zones industrielles qui bordaient la Tamise, mais aussi les petites villes et villages de la cam-pagne profonde.

Dans les taillis du bord de route, les chênes et les hêtres étaient autant de squelettes aux branches supé-rieures noyées dans la brume. Les champs étaient nus. Çà et là, le sol était gras et luisant aux endroits où un fer-mier avait labouré, et les nouveaux sillons étaient ponc-tués des taches blanches de mouettes pilleuses venues de l'estuaire.

Ce devait être une belle région au printemps et en été, le Kent des cartes postales, fertile, somnolent. Le Jardin de l'Angleterre. Ils avaient peut-être quitté Londres sur la moto de Barney. J'imaginais le gros engin grondant sur ces mêmes routes de campagne un jour de printemps, la fumée lourde du tuyau d'échappement secouant les feuilles du cerfeuil sauvage. Je voyais Caitlin, les mains sur la taille du conducteur, oscillant dans les virages. Cai-tlin sur une moto. Je me demandai où j'étais quand cette aventure avait commencé, non seulement dans quel pays je travaillais mais dans quel autre univers je vivais.

Comme la première fois, je faillis manquer le panneau *Brightwell* enfoui dans la haie et je tournai trop tard, fai-sant craquer les branches nues d'un buisson d'aubépine contre la carrosserie de la voiture. Presque aussitôt, je fus arrivé. La place du village, avec ses bancs en fer forgé et ses jeunes marronniers protégés par du grillage, la rangée de cottages victoriens, le pub, le presbytère à colombage. Je fis le tour de la place pour aller me garer au parking à horodateur. En prenant mon ticket, je regardai le jardin du presbytère et vis la véranda où j'avais parlé à Derek Lonsdale, le vicaire aux allures de pilote de chasse. Si j'y avais décelé un signe de vie, j'aurais frappé au carreau, bien que ce ne fût pas Lonsdale que je voulais voir. Mais l'endroit paraissait désert et je refis à pied le chemin menant à la place du village, traversai la pelouse humide qui mouilla le bas de mon jean et pris position sur l'un des bancs. Le fer forgé était si froid que je sentis sa morsure à travers mes vêtements.

J'attendis une heure. Il y avait peu de gens dehors, par ce matin gris et froid. Une vieille dame passa en promenant un petit chien vêtu d'un manteau écossais. Elle me sourit. Un camion de livraison de bière déchargea devant le pub, en les faisant tinter sur le trottoir, ses tonneaux en aluminium. Une camionnette d'entrepreneur en maçonnerie s'engagea dans une allée. Deux femmes élégantes échangèrent des commérages à voix haute pendant dix minutes devant la supérette. Finalement, l'une d'elles grimpa dans une Range Rover neuve et s'éloigna avec un coup de Klaxon.

Je le découvris enfin, pédalant sur son vélo de la Poste royale dans son anorak fluo. Il me repéra presque au même moment, descendit de sa bicyclette sur l'aire de stationnement où je l'avais vu pour la première fois et la fit rouler vers moi à travers la pelouse. Il l'appuya contre un arbre à quelques mètres de mon banc.

— Bonjour, facteur ! lui lançai-je. Vous vous souvenez de moi ?

— J'ai une bonne mémoire, dit-il en s'asseyant près de moi.

— Sans blague?

Il soupira, sourit, tira de son anorak une boîte en fer et un paquet de feuilles, entreprit de se rouler une cigarette d'une seule main. Je n'avais pas vu faire ça depuis des années, et sa dextérité me détourna un instant de mes préoccupations. Il craqua une allumette, se renversa en arrière et souffla vers le ciel un jet de fumée grasse.

— Je vous avais pris pour un mari jaloux, voyez.

— Vous ne vous trompiez pas.

— J'ai eu quelques problèmes, avec des maris jaloux.

— Vous les connaissiez, Cate et Barney Carrick? Vous aviez de la sympathie pour eux?

— Je les ai jamais vus, ni l'un ni l'autre. Personne du village non plus, je crois. Je connaissais même pas leurs noms.

Il fit tomber la cendre de sa cigarette noueuse.

— Je voulais simplement pas être celui qui cafarderait.

— Qui cafarderait?

— Le vieux cottage est loué en douce par un jeune couple que personne voit jamais. Ça saute aux yeux qu'ils veulent être tranquilles. J'ai pensé qu'ils devaient avoir une raison. Je suis une sorte de romantique...

— Je me doutais de quelque chose comme ça.

— Alors, je vous ai branché sur Lonsdale. Un bon gars. Mais il est nouveau, ici. J'ai pensé qu'il connaîtrait probablement pas le cottage, de toute façon.

Il jeta le mégot de sa cigarette dans l'herbe haute, où elle fuma comme une fusée de détresse jusqu'à ce que la rosée l'éteigne.

— Y avait autre chose, aussi.

— Oui?

Il se tourna vers moi.

— J'aimais pas trop votre tête. J'étais pas sûr de ce que vous feriez si je vous disais où était le cottage et si vous débarquiez là-bas.

— J'ai toujours la même tête ?

Il m'examina un moment.

— Non, répondit-il enfin en se levant. Je me suis peut-être trompé. On peut jamais être sûr, hein ?

Il remonta la fermeture Eclair de son anorak, retourna à son vélo, le fit rouler et s'arrêta devant moi.

— La ferme de Brightwell Leas, juste après le carrefour. Le cottage est sur leurs terres, à un kilomètre et demi dans les bois. Y a un sentier qui part du derrière de la ferme mais pas de route.

Il scruta le ciel comme s'il évaluait les risques de pluie.

— Elle voulait pas qu'on la trouve, hein, votre femme ?

— Oui et non, répondis-je.

Il hocha la tête d'un air pensif, me salua de la main et traversa de nouveau la pelouse avec son vélo, en laissant des marques sombres dans l'herbe argentée.

Je récupérai la voiture, passai devant l'église, sortis du village par la route sinueuse bordée de haies d'aubépine et de ronces qui cachaient le paysage au-delà. Le ciel était lourd, la terre silencieuse sous son poids. J'avais l'impression que l'Audi était l'unique objet en mouvement à des kilomètres à la ronde. La grille était en retrait de la route, enfoncée dans la haie et surmontée d'une flèche indiquant la ferme. Un chemin traversant des prés conduisait à un bungalow moderne hideux entouré de dépendances en tôle. La voiture cahota sur les ornières, les pneus projetant des jets d'eau boueuse.

Comme je me dirigeais vers les bâtiments, une femme coiffée d'un foulard vert émergea d'une des granges et me regarda, la tête renversée en arrière. Vêtue d'une veste

Barbour élégamment élimée, elle portait un seau d'une main et une fourche de l'autre. Elle les posa contre le mur et claqua des mains tandis que j'approchais. Un grand labrador noir courut vers elle en bondissant, glissa un peu dans la boue de la cour, dressa les oreilles quand il me vit. Je remarquai que sous la boue les bottes en caoutchouc de la femme étaient du même vert que le foulard. Je fis descendre ma vitre. Le chien sauta, plaça ses pattes crottées sur le bord de ma fenêtre, projeta sur mon visage son souffle haletant en signe de bienvenue.

— James, bon sang!

L'animal grondé laissa retomber ses pattes et s'assit, levant vers moi un regard empreint d'adoration.

— Il est mal élevé, ce chien, dit la femme.

Elle posa sur moi un regard dur.

— Vous voulez quelque chose?

— Il y a un cottage, quelque part derrière la ferme. Comment on y accède?

Ma franchise lui fit écarquiller les yeux.

— Vous voulez parler de la maison de l'ancien régisseur?

— Comment on y accède?

— C'est une propriété privée, vous savez, dit-elle en se raidissant visiblement. Vous ne pouvez pas y aller comme ça.

Je descendis de voiture. Le labrador battit le sol de sa queue.

— Hé, vous ne pouvez pas laisser votre véhicule au beau milieu de la route, protesta la femme.

— Les clés sont dessus.

Je fis quelques pas vers la barrière. Je voyais le chemin, maintenant, un sentier boueux qui partait de la ferme et traversait des prés jusqu'à la lisière des arbres. La femme me suivit d'un air agité.

— Je ne sais pas qui vous êtes...

— Vous les avez vus? la coupai-je.

Désarçonnée par la question, elle s'immobilisa.

— Qui ça?

— Les locataires. Vous les avez vus?

— Non, en fait, non.

Elle avait tenté de mettre dans son ton de l'impatience et de l'irritation, mais je sentais qu'elle commençait à avoir peur de moi.

— Nous ne vivons pas ici, poursuivit-elle. Maintenant, si ça ne vous fait rien...

— C'est par là? Par ce sentier?

— Oui, mais...

— Merci.

J'enjambai la barrière et m'éloignai à grands pas dans la prairie bosselée. Le labrador se mit à bondir près de moi en exhalant de grands panaches de vapeur blanche.

— James!

J'entendis la femme se gifler la cuisse pour rappeler son chien, de plus en plus furieusement devant son manque d'obéissance.

— James!

Le sentier traversait un ancien verger de pommiers et de pruniers dont les troncs, à présent noirs comme du fer, étaient séparés par une herbe épaisse et mouillée. Après le mur du fond, le terrain devenait plus pentu, couvert d'aulnes et de bouleaux, d'une litière de feuilles, molle sous les pieds. Il faisait de plus en plus sombre tandis que je descendais la pente, glissant de temps en temps sur le sol. Le sentier épousait le flanc d'une petite vallée escarpée. Il régnait un silence de cathédrale parmi les arbres dégouttants d'eau et j'avançais sans faire de bruit pour répondre au calme du bois. Au bout d'un moment, je remarquai que le chien avait disparu et que j'étais seul.

Le sentier serpentait et à aucun moment je ne vis plus loin qu'à quelques mètres devant moi, mais j'entendais le doux bruissement d'un ruisseau quelque part sur ma droite. Je me demandai si Caitlin était passée par là, les brindilles égratignant son blouson de moto emprunté, si elle avait enjambé ces racines, posé doucement le pied sur ces feuilles mortes. Et si Carrick, la précédant, retenait les branches pour qu'elle puisse passer.

Le sentier continua à tourner puis m'amena soudain devant un arbre abattu, une colonne de bois pourrissant recouverte de champignons. Il barrait la route à hauteur de poitrine et je m'arrêtai derrière, touchai son écorce spongieuse. De l'endroit où je me tenais, je voyais la pente boisée continuer vers le fond de la vallée.

Tout à coup, il était là, de l'autre côté du ruisseau, à un jet de pierre. Un cottage en brique délabré, à demi couvert de lierre, un tonneau à eau près de la porte, une fenêtre aux carreaux fendillés. Un appentis avec une porte de guingois, une vieille herse rouillant dans l'herbe. Les fenêtres étaient des carrés noirs. De chaque côté, des arbres étendaient leur feuillage au-dessus du bâtiment. J'entendis le cri discordant d'un freux, quelque part dans les branches les plus hautes. La vallée semblait sur ses gardes.

J'attendis un moment pour me concentrer puis contournai l'arbre abattu, descendis la colline et traversai le ruisseau.

La porte du cottage était entrouverte et elle s'écarta avec un infime grincement quand je la poussai. Le linteau bas m'obligea à baisser la tête pour pénétrer immédiatement dans une pièce carrée où un unique tapis bleu et or occupait le centre du plancher. Quelques feuilles mortes s'étaient glissées à l'intérieur, poussées par le vent. La lumière pénétrant par les deux fenêtres du mur du fond faisait luire les couleurs du tapis.

Il faisait froid dans le cottage et l'air me picota le nez comme si l'endroit était resté longtemps fermé. Je reconnus aussitôt l'étroite cheminée, les fleurs du papier mural. Les dessins de Caitlin m'avaient rendu ces détails si familiers que, pendant une seconde, il me fut impossible de croire que je n'avais jamais été dans cet endroit, qu'il ne m'appartenait pas d'une certaine façon. Pourtant, je sus au même moment que ce cottage n'était pas du tout comme je l'avais imaginé et que rien n'y était à moi.

La pièce était modeste et confortable : une table basse avec une lampe bon marché, deux fauteuils en rotin et une étagère légèrement inclinée supportant une vingtaine de livres. J'y jetai un coup d'œil. Quelques recueils de poésie contemporaine. Plusieurs livres d'art et deux catalogues d'exposition, Cézanne et Turner. Quelques biographies et un peu d'histoire. Les livres de Caitlin. Sous la fenêtre, une chaîne stéréo et une pile de CD. Stravinsky. Bartók. Caitlin avait essayé de me faire connaître ces compositeurs, mais je les avais trouvés difficiles et ils ne m'avaient jamais vraiment plu. Elle était là maintenant, la musique qu'elle aimait, dans un monde qu'elle avait partagé avec quelqu'un d'autre.

A gauche de la cheminée, une arcade basse conduisait à une petite cuisine. Un poêle à bois. Une étagère de boîtes à thé et à café. Des assiettes lavées sur l'égouttoir. Un réfrigérateur miniature avec des Post-it collés sur la porte : l'écriture fluide de Cate. De petites notes adressées à elle-même, qu'elle n'était jamais revenue lire. Ne pas oublier d'acheter le vin qu'ils auraient dégusté ensemble, d'apporter d'autres bûches pour le feu qui les aurait réchauffés.

Je retournai dans la pièce principale, me dirigeai vers la porte de la chambre, située dans le coin opposé. Je m'arrêtai sur le seuil, la main sur le mur, regardai. La chambre avait un plafond en pente et une seule fenêtre étroite. Dehors, des branches agitées par le vent frappaient au carreau d'une façon qui me rappelait l'enfance, jeux d'ombres sur un mur, sorcières et dragons, chaleur, sécurité et grand lit. Le grand lit était bien là, il occupait presque tout l'espace. Je fis un pas dans la petite pièce, touchai la courtepointe démodée, le drap, frais sous mes doigts.

Le tiroir de la table de chevet était ouvert d'un millimètre et je le fis coulisser. Il contenait un peigne, l'un des peignes en écaille de tortue de Caitlin. Je m'assis sur le lit, entendis le grincement agréable de ses ressorts. Je détachai du peigne un cheveu de Cate, l'enroulai autour de mon doigt. Chaque cellule contient le code d'un être humain, affirment les hommes de science. L'être humain. Qui oserait prétendre savoir ce que c'est? Dehors, les feuilles des arbres tremblaient et bruissaient dans le vent. J'entendis le ruisseau gargouiller sur ses pierres polies.

Je ne découvris le portfolio qu'au bout d'un moment, appuyé contre le lit. Il était identique à celui de la maison : en cuir noir, avec de gros fermoirs d'acier. Je le posai sur la courtepointe et l'ouvris.

Sur le dessin de Caitlin, Barney Carrick était étendu sur un lit, sur ce lit, les mains jointes derrière la tête. Il venait de se réveiller. Le drap chiffonné autour de lui, les épaules nues, une jambe tendue, l'air vulnérable. Elle avait rendu avec netteté les lignes fortes de son corps, sans doute assise sur cette chaise, dans un silence troublé uniquement par le crissement de son crayon sur le papier rugueux et le tapotement des branches contre le verre.

Je déroulai le cheveu de Caitlin, qui traça un cercle

d'or dans la lumière. Il me sembla entendre ce crissement et ce tapotement ; il me sembla aussi sentir quelque chose dans l'air frais : un parfum, une odeur pure, un peu âpre. La lumière diaprée tombait sur la chaise comme elle était tombée sur une autre chaise d'un autre lieu secret, des années plus tôt, un autre lieu où Cate avait été — rien qu'un temps — heureuse et en sécurité. Et pendant un moment elle fut là pour moi, dans ma chemise froissée trop grande pour elle, le front plissé de concentration, la pointe de la langue dépassant, rose, entre ses dents. Ce n'était plus des années plus tôt, c'était ici et maintenant, et pour toujours. Caitlin leva alors les yeux vers moi par-dessus le lit, par-dessus le temps, et me sourit. Je fermai les yeux et elle était toujours là, me souriant.

La porte d'entrée grinça.

J'ouvris les yeux. J'attendis, mais il n'y eut pas d'autre bruit. Je refermai le portfolio, le remis à sa place, me levai lentement du lit en fixant le rectangle de la porte ouverte. Je voyais un pan du mur du fond de la grande pièce, un coin de l'étagère chargée de livres, l'un des fauteuils en rotin.

Mon ouïe et ma vue avaient pris une acuité anormale. Rien ne bougeait. Pas un tremblement d'ombre. Pas un bruit, excepté le murmure du bois. Je sortis de la chambre. J'eus le temps de voir que la porte d'entrée était ouverte avant que le labrador ne me fasse chanceler en se jetant dans mes jambes, cabriolant et aboyant, ravi de nos retrouvailles. Je me baissai pour lui parler et le caresser, le calmer, me calmer. Il frémit d'excitation, montrant un long pénis rose raidi, et me regarda avec amour en fouettant le plancher de sa queue. Je lui tapotai le flanc et il leva la tête de plaisir, puis ses yeux marron s'élargirent, ses oreilles se dressèrent, et je me rendis compte qu'il ne me regardait plus.

— Vous avez intérêt à pas faire de mouvement brusque, dit Barney Carrick derrière moi.

Je me redressai lentement.

— Tournez-vous, m'ordonna-t-il.

Il avait une barbe de trois jours qui le vieillissait. Hâlé, des rides aux coins de la bouche et des yeux très clairs, d'une pâleur troublante. Il portait une chemise écossaise, un pantalon kaki et un bonnet de ski en laine bleue. La crosse de l'arme qu'il tenait négligemment dans sa main droite, le canon baissé, était entourée de sparadrap malpropre. Je n'arrivais pas tout à fait à me faire à la présence d'un tel objet dans cette pièce.

Il passa devant moi sans me quitter des yeux, jeta un coup d'œil par la porte puis claqua des doigts en direction du chien. L'animal aplatit les oreilles, mais sortit aussitôt. Carrick ferma la porte de sa main libre, revint se poster devant moi. Il était grand, solidement bâti, mais se déplaçait avec la souplesse et la légèreté d'un léopard. Il jeta son bonnet dans un coin, libérant ses cheveux bruns. Il me dévisagea de ses yeux clairs, dénués d'expression, recula d'un pas.

— Vous avez peur, Michael? demanda-t-il à voix basse.

— Oui. J'ai très peur.

— Tant mieux. Faut que vous sachiez ce que c'est. Et vous avez raison d'avoir peur. Venir ici. Vous.

— Je sais.

— Y a rien pour vous ici. C'était notre coin. Vous avez rien à y faire.

— J'avais besoin de le voir par moi-même.

— Ben, vous l'avez vu, maintenant. Vous avez trouvé ce que vous cherchiez?

— J'ai trouvé ce que j'avais besoin de trouver.

Il pencha la tête sur le côté.

— Vous l'aimiez, dis-je. Elle vous aimait. Il fallait que je vienne ici pour le comprendre.

— Très bien. Très bien.

Je vis un muscle se contracter sur sa mâchoire.

— Mais ça change rien, poursuivit-il. Je suis quand même responsable. Tout comme vous.

— Nous devons tirer un trait, Barney. Dans l'intérêt de tous.

— Oh! ouais, fit-il avec un mince sourire. Dans l'intérêt de tous.

Il fit rouler les muscles de son cou et posa le pistolet sur la table basse, laid et fonctionnel comme une machine-outil. Pour me montrer qu'il n'en avait pas besoin. Puis il s'assit dans l'un des fauteuils et croisa les jambes, m'invitant à faire de même d'un mouvement du menton. Je m'assis au bord de l'autre siège.

— Comment vous avez trouvé le cottage? me demanda-t-il.

— Angie ne m'en a pas parlé, si c'est à ça que vous pensez.

— Oh, sûrement pas. Angie croit que je suis incapable de faire le moindre mal à quiconque.

Après une pause, il ajouta :

— Elle se trompe.

— Barney, tout ce que je veux, c'est savoir comment une chose pareille a pu arriver. Alors que nous l'aimions, tous les deux.

Il me considéra d'un air songeur.

— Vous savez, je me demandais quel effet ça me ferait, de vous rencontrer. Je suis pas du genre jaloux mais je me réveillais la nuit, je regardais Caitlin et je pensais : Pourvu qu'elle ouvre pas les yeux maintenant et s'aperçoive de ce qu'elle a fait, du choix qu'elle a fait. Cette idée me terrifiait.

Je gardai le silence.

— Mais maintenant que je vous ai vu, c'est différent. J'arrive pas à croire que vous ayez pu être aussi bête. Que vous ayez pu la jeter comme vous l'avez fait. Vous aviez tellement d'autres femmes à vos pieds que vous pouviez vous permettre ça?

Carrick était immobile dans la pénombre mouchetée de lumière.

— Avant elle, personne m'avait jamais regardé, continua-t-il. Pas vraiment *regardé*. Mais Caitlin... On aurait dit que tout en moi l'intéressait. Elle s'asseyait là, elle me dessinait. Pendant des heures.

— La façon dont votre corps occupe son espace dans le monde.

Il eut l'air sidéré, comme s'il avait entendu un fantôme. Les traits de son visage bougèrent et se recomposèrent.

— Oui. C'est ce qu'elle disait.

— Ce n'est pas moi qui l'ai rejetée, Barney.

— Non? Vous êtes le médecin futé. Qu'est-ce qui s'est passé, d'après vous?

Il se pencha légèrement en avant.

— Un accès de folie? Un retour de l'Afghanistan? Le putain de stress post-traumatique?

— Si c'est ce qui s'est passé, cela s'explique, en un sens.

— Rien qu'un troufion ignorant, ce Carrick. Et regardez ses antécédents.

— Barney, j'essaie seulement de comprendre. Vous vous êtes disputés. C'était à cause du bébé?

— J'étais pas au courant, pour le bébé, rétorqua-t-il, la voix claquant comme un fouet.

Je restai silencieux quelques secondes puis lâchai :

— Alors, nous avons ça en commun.

Il se détendit un peu.

— J'ai pas tué Caitlin, déclara-t-il en détachant ses mots. Je me serais tué pour elle. Mais vous me croyez pas, hein, Michael? Quoi que je dise.

— J'essaie de faire coller cet élément avec le reste. J'ai trouvé Caitlin mourante, vous veniez de quitter la maison. Qu'est-ce que je dois croire?

Il croisa les bras.

— On s'est disputés, c'est vrai. Jusqu'à ce qu'on entende votre voiture.

— Ma voiture?

— Et puis vous avez remonté l'allée de derrière, dit-il en soutenant mon regard. Caitlin s'est mise à crier, elle m'a ordonné de sortir. C'est ce que j'ai fait. Juste à temps. Juste au moment où vous mettiez la clé dans la serrure de la porte de derrière.

— Ça ne tient pas debout.

— Ah bon? C'est pourtant ce qui s'est passé. Ou alors vous me traitez de menteur?

— Je n'avais pas la voiture. Et je ne suis pas entré par-derrière.

— Mais oui, c'est ça, fit-il avec un sourire indulgent, comme s'il s'adressait à un enfant lent qui avait enfin commencé à prendre la bonne piste pour trouver une devinette. C'était dans tous les journaux. Vous êtes entré par la porte de devant, vous êtes monté, vous avez découvert Caitlin dans l'escalier, vous avez essayé de la sauver...

— C'est vrai. J'ai fait tout ce que j'ai pu pour ça.

— Oh, je vous crois. Et c'est ce qui explique que vous êtes encore en vie, dit-il en joignant les mains sur son giron. Mais y a eu un moment où j'y croyais pas du tout. Où je pensais de vous ce que vous pensez de moi en ce moment. Y a qu'une seule explication, je me disais. Cate avait rien quand je suis parti. Là-dessus vous débarquez, et elle meurt. Qu'est-ce que je dois croire ?

J'ouvris la bouche pour argumenter, mais je compris à cet instant que sa conclusion était aussi rationnelle que la mienne. C'était comme regarder une planche d'un test de Rorschach : les taches sur le carton sont les mêmes mais, tout à coup, l'esprit en fait une interprétation totalement différente. Une colombe devient un démon, un ange un singe.

Carrick dut deviner ce qui se passait dans ma tête.

— Vous en faites pas. Angie dit que vous auriez jamais pu faire une chose pareille. Et si elle le dit, je le crois. Ça fait partie de notre accord. Elle vous a sûrement dit la même chose de moi une ou deux fois. Seulement, vous l'avez pas crue...

— Attendez.

Je passai ma langue sur mes lèvres, m'efforçant de conserver la nouvelle image apparue dans mon esprit.

— Il y avait une voiture ?

— Oui, Michael.

Dehors, le chien aboya une fois puis recommença, avec plus d'insistance. Je tournai la tête en direction du bruit et, quand je revins à Carrick, il était debout et avait glissé le pistolet sous sa ceinture.

— Vous êtes vraiment futé, espèce de salaud.

— Attendez, répétai-je.

Il recula en direction de la porte de la cuisine. Le labrador aboyait furieusement, à présent ; je l'entendais courir dans un sens puis dans l'autre, devant la porte d'entrée. Soudain, il jappa, gémit et le vacarme explosa : meuglement de mégaphone, claquement de pieds bottés.

Carrick croisa un instant mon regard. Je me levai, tentai de le détromper par-dessus le tapage et peut-être m'entendit-il, peut-être pas. Quelque chose craqua dans la cuisine et il tourna la tête vers le bruit. La porte de devant éclata, deux hommes au bras droit tendu se ruèrent dans la pièce en criant, l'un d'eux me frappa violemment sur le côté de la tête. Je tombai à genoux et avant que je puisse me relever une énorme explosion m'assourdit.

Carrick parut tiré en arrière par un fil, son corps percuta les étagères, les livres et les disques cascadèrent sur lui. Une gerbe de sang aspergea le mur.

Le cottage était envahi d'hommes armés, en gilet pare-balles. Ils n'étaient probablement que quatre ou cinq mais, particulièrement massifs, ils semblaient occuper tout l'espace, et quand je recouvrai l'ouïe leurs cris envahirent aussi ma tête. Je sentis une odeur d'adrénaline, de cordite et de sueur. Quand je me redressai, quelqu'un me fit retomber et, furieux, je me levai de nouveau.

— Police! braila un homme dans mon visage. Police! Reculez!

Il m'empoigna au moment où je me remettais debout. Il était jeune et haletait, les yeux écarquillés. Peut-être étais-je encore sous le choc, mais il me semblait absurde de me laisser houspiller par ce jeunot excité dans un moment pareil. Je me dégageai, le bousculai pour passer devant lui et traversai le mur de dos bleus. Comme s'il ne savait plus ce qu'il devait faire, il répéta ses mises en garde :

— Police! Reculez!

Carrick gisait sur le dos. Un jet de sang s'élevait à la verticale de sa cuisse gauche et retombait sur lui, sur les livres éparpillés et les meubles fracassés. Il avait les yeux ouverts. Je m'agenouillai près de lui, saisis le bonnet de laine qu'il avait jeté dans un coin et le pressai des deux mains sur sa plaie. Un moment, je sentis l'artère palpiter et se tordre sous mes doigts comme une minuscule lance d'incendie. Fermant mon esprit au boucan que j'entendais derrière moi, j'accentuai ma pression.

— C'est la fémorale, hein? fit Carrick, comme s'il me demandait l'heure.

Je fis glisser mes mains pour avoir une meilleure prise.

— Ça vaut un billet de sortie? L'artère fémorale?

Je le regardai dans les yeux : impossible de lui mentir.

— Peut-être, dis-je. Sûrement.

Derrière moi, des hommes lançaient des mots en rafales mais le vacarme avait cessé. Je les entendis pénétrer dans les autres pièces. Un carreau brisé, une porte enfoncée, un cri. Des pas lourds s'approchèrent, un policier s'accroupit près de mon épaule droite. Avant même de tourner la tête, je sus que c'était Barrett.

— Vous m'avez suivi, l'accusai-je.

— Désolé si j'ai quelque peu perturbé vos petits projets personnels, dit-il.

Il examinait Carrick comme si c'était un spécimen rare, un tigre abattu pendant une chasse, et souriait vaguement, content de lui.

— Faites venir un hélicoptère tout de suite, réclamai-je.

Il se suçota les dents.

— On a peu de chances d'en avoir un, je dirais. Et avec tous ces arbres...

La laine du bonnet était trempée sous mes mains.

— Ecoutez, cet homme mourra en quelques minutes si je cesse de presser sa jambe. Il faut que vous fassiez venir des secours, et vite.

— Quelques minutes? Pas plus? fit l'inspecteur d'un ton songeur.

Il posa sa grosse main sur mon épaule, approcha ses lèvres si près de mon oreille que je sentis son haleine.

— Dites-moi, doc, vous l'aimiez comment, votre femme?

Je changeai de prise et Barrett fut aspergé de sang avant que je puisse obturer de nouveau l'artère. Il fit un bond en arrière.

— Faites venir l'ambulance, répétai-je.

Il se releva, prit son mouchoir et en tamponna le devant de son manteau puis s'éloigna d'un pas vif.

— Un jour, j'ai eu la moitié des talibans qui me tiraient dessus, dit Carrick d'une voix rêveuse. Et il a fallu qu'un flic qui n'a sûrement jamais abattu un lapin ait un coup de bol...

— C'est déjà assez difficile sans avoir en plus à écouter vos mémoires, grommelai-je.

Il eut un grognement qui pouvait passer pour un rire et remua un peu les épaules. Je regardai son visage : il était pâle, couvert de sueur. Si l'artère se rompait complètement, elle se rétracterait dans sa jambe hors de ma portée et rien ne pourrait le sauver. Je cherchais désespérément dans ma tête quelque chose qui pourrait me servir de clamp. Les muscles de mes avant-bras commençaient à me brûler. Je lançai par-dessus mon épaule :

— Je vais avoir besoin d'aide.

Le silence se fit dans la pièce. Quelqu'un remua les pieds.

— Ecoutez-moi, Michael... commença Carrick.

— La ferme. Je réfléchis.

— Non, écoutez-moi... Caitlin ne serait pas partie avec moi.

J'oubliai de respirer, le regardai de nouveau.

— Ça n'a plus d'importance, maintenant.

— C'est maintenant que ça en a, répondit-il en grimaçant.

Il bougea un peu le dos.

442

— Restez tranquille, bon Dieu!

— Elle m'avait quitté, Michael. Elle vous était revenue. C'était ça, la cause de notre dispute.

Un policier s'approcha en faisant claquer ses lourdes bottes, s'agenouilla à côté de moi, défit les fermetures Velcro de son gilet pare-balles. Je reconnus le jeune type qui m'avait beuglé dans la figure cinq minutes plus tôt, mais il semblait à présent tout penaud. Il me tendit un torchon sur lequel était imprimée la recette du hachis parmentier.

— Ça peut vous être utile? me demanda-t-il.

— Trouvez une ceinture ou une courroie. N'importe quoi pour faire un garrot.

Il déboucla sa propre ceinture, la fit glisser hors des passants de son pantalon et me la tendit.

— Il va mourir?

Sa voix était un peu aiguë et il n'avait plus l'air si coriace, avec son gilet ouvert. Je devinai que c'était lui qui avait tiré.

— Mettez vos pouces là, à la place des miens. Appuyez fort. Et n'arrêtez pas d'appuyer si vous ne voulez pas avoir sa mort sur la conscience.

Je passai la ceinture sous la jambe de Carrick, la tordis et serrai. Le jeune policier enfonça ses pouces si vigoureusement dans le bonnet trempé que Carrick grimaça de nouveau.

— Je reviendrai te hanter, mon gars, tu peux compter là-dessus, dit Carrick, qui laissa sa tête rouler sur le côté pour me regarder. Vous aviez téléphoné à Caitlin, n'est-ce pas? De l'étranger?

— Oui, répondis-je.

— Après votre coup de fil, elle est venue ici, elle a pris ses affaires et elle m'a quitté. Je l'ai suivie à Londres, mais elle a rien voulu savoir.

Je maintins un instant la ceinture serrée puis libérai une main et donnai un peu de mou pour laisser le sang circuler de nouveau. Mes doigts étaient poisseux du sang de Carrick. Sans pouvoir le regarder, je lui demandai :

— Caitlin avait l'intention de revenir ?

— Elle *était* revenue. Ses valises se trouvaient en haut de l'escalier quand je suis sorti de la maison.

Sa main agrippa mon poignet telle une serre rouge.

— Je l'ai laissée partir, vous savez, Michael. Je l'aimais tellement, je l'ai laissée retourner auprès de vous. J'avais jamais fait une chose pareille de ma vie.

Je me renversai en arrière en scrutant le visage livide. Je pensais que Carrick allait ajouter quelque chose mais je vis son regard devenir vague.

— Barney ?

Je le giflai plusieurs fois ; mes mains laissèrent des marques rouges sur sa peau.

— Barney ?

— Il est mort ? demanda le policier, dont la voix grimpa dans les aigus.

— Il n'est pas mort tant que je dis qu'il ne l'est pas.

Je pris le pouls de Carrick. Non, il n'était pas mort, mais il n'était plus là et je savais où il était parti. Il était retourné dans l'antre de Caitlin, il la voyait devant lui, grande et blonde, ses bagages à ses pieds, tandis qu'il tentait de la convaincre de revenir. Il entendait des pas dans l'allée menant à la porte de derrière...

— L'hélico arrive ! cria quelqu'un.

En haut sur la crête, les rampes lumineuses bleues de la police clignotaient entre les arbres obscurs. L'hélicoptère se tint un moment immobile sur une barre de lumière tandis que ses rotors battaient l'air, puis il fila rapidement vers le nord-est. Des radios crépitèrent, des moteurs de voiture démarrèrent à mi-distance. Près de la porte défoncée du cottage, un policier trapu encore engoncé dans son armure pressait son mouchoir contre sa joue mordue par le chien.

Je soulevai le couvercle du tonneau, brisai la galette de glace qui recouvrait l'eau sombre et m'aspergeai le visage du mieux que je pus. L'eau était d'une froideur saisissante mais j'en fus content.

Barrett me rejoignit. Je continuai à m'asperger de mes deux mains en coupe et lui dis :

— Si ça peut vous intéresser, il y a une heure encore, j'ignorais où se trouvait cet endroit.

Les muscles de son cou se contractèrent au-dessus de son col taché par le sang de Carrick.

Il me fixa, immobile dans l'air glacé, et finit par répondre :

— Je vous aime pas, docteur Severin. Depuis que je vous connais, je vous aime pas. Les gens comme vous pensent qu'il y a une règle pour eux et une règle pour tous les autres. Et vous savez ce qui me fout les boules ? C'est que c'est généralement vrai.

— Je suis désolé que vous ayez cette impression.

— Il va mourir ? Carrick ?

— Je ne crois pas. Ce n'est pas son genre.

— Dommage. Ça aurait fait économiser beaucoup d'argent aux contribuables.

Je fis tomber de mes cheveux des gouttes d'eau froide.

— Il a entendu quelqu'un entrer dans la maison, dis-je. Au moment où il partait.

— C'est ce qu'il vous a raconté ?

— Quelqu'un entrait par la porte de derrière. Ils l'ont entendu tous les deux, Caitlin et lui. Ils ont cru que c'était moi.

— Oh, votre femme l'a entendu aussi ? Ça tombe bien.

Maintenant, le jeune Barney a juste besoin d'un médium pour que Mme Severin confirme sa version et il est tiré d'affaire.

— Moi, je le crois.

— Ça m'étonne pas de vous, doc. Croire aux causes désespérées, vous en avez fait une forme d'art.

Il se rapprocha encore de moi.

— Ecoutez, je me bats les couilles de ce que vous pouvez penser, mais pour votre information, y a pas un meurtrier qui ne nie pas. Ils clament tous leur innocence. Ils racontent n'importe quoi. Absolument n'importe quoi. Ils ont rien à perdre.

— Je crois qu'il a dit la vérité.

— Ce type baisait votre femme. Il a un casier chargé. Il a résisté aux policiers venus l'arrêter. On sait par un témoin qu'il était sur les lieux au moment du crime. Là, il pense qu'il va mourir, il vous dit qu'il a entendu un mystérieux inconnu entrer dans la maison — juste au moment critique, notez bien —, donc il est innocent, en fin de compte. Et naturellement, vous le croyez.

— Sergent...

— Barney Carrick est coupable comme le péché. Si j'étais vous, doc, je ne l'oublierais pas. En souvenir de votre femme, m'assena-t-il avant de s'éloigner dans la nuit.

31

En rentrant chez moi, je montai me doucher pour me débarrasser de la boue, du sang de Barney Carrick, de la souillure de la peur et de la transpiration.

Après m'être changé, je redescendis, me servis un scotch et m'assis pour le boire. Des images défilèrent rapidement dans ma tête puis ralentirent, tremblotèrent. La dernière à passer montrait une femme en veste de cuir dans une clairière obscure, apeurée comme une biche. Elle avait l'air d'une combattante de la Résistance française, et le béret qu'elle portait m'empêchait de voir si ses cheveux étaient blonds ou noirs.

J'allai prendre la bouteille, me versai un autre verre et le bus à gorgées régulières, assis à la table de la salle à manger, attendant la paix, ou un ersatz de paix. Le whisky avait un goût de fumée, les lampes brillaient sur le bois ciré.

L'été était fini. Un vent humide cognait aux fenêtres et les lumières de Londres glissaient le long des carreaux. Il était plus de minuit, un soir venteux de septembre, la veille du jour où Stella et moi devions partir pour le Venezuela. Miles Davis murmurait sur la chaîne stéréo, des bougies se reflétaient sur l'argenterie et les verres de la table de la salle à manger. Sérieusement éméché, je fis des yeux le tour du cercle de visages. Anthony, avec ses cheveux argent et son costume sombre froissé, présidant tel un sénateur bienveillant. Caitlin, éblouissante en soie grise. Stella, en face de moi, dont la voix devenait criarde. Et Gordon, souriant nerveusement à côté d'elle. Ils emplissaient la pièce de leur chaleur et de leur énergie.

Caitlin croisa mon regard par-dessus la table et me sourit avant de retourner à sa conversation. Elle avait coupé ses longs cheveux quelques mois plus tôt. J'avais toujours aimé ses cheveux, et j'avais eu une appréhension quand elle avait annoncé son intention de les couper. Mais maintenant que c'était fait, je trouvais que le changement lui redonnait cet air gamin d'autrefois dont j'avais gardé le souvenir. Je fus soudain submergé par une vague de tendresse pour elle, une envie de la prendre dans mes bras, de la protéger. Je n'avais pas éprouvé ce sentiment avec une telle intensité depuis quelque temps. En prendre conscience m'alarma et, un instant, je regrettai de devoir repartir si tôt. Je suivis de l'œil la ligne de sa mâchoire, la longue courbe de son cou. Elle avait un cou de cygne, de danseuse. Je me demandai quand nous serions débarrassés de nos invités.

Caitlin, engagée dans une discussion animée avec Anthony, ne regardait plus dans ma direction. Elle avait l'habitude de flirter avec lui et il répondait avec une galanterie vieille Angleterre pesante. C'était comme regarder une pouliche gambader avec un cheval de trait, un jeu qu'ils aimaient tous deux et qu'ils ne prenaient pas au sérieux. Je ne les avais pas souvent entendus parler d'un ton aussi grave. Une phrase d'Anthony parvint à mes oreilles :

— Très tôt dans ma vie, j'en suis venu à penser que les

seuls engagements véritablement importants sont ceux que l'on prend envers soi-même.

Caitlin parut troublée. Stella, qui à ce stade de la soirée ne pouvait plus être troublée par grand-chose, laissa sa tête tomber sur la table et se mit à ronfler.

Plus tard, dans la maison silencieuse, je m'allongeai sur le lit, mon verre de scotch incliné dans la main droite et l'ours Radieux sous mon bras gauche. Caitlin revint de la douche et entreprit de sécher ses cheveux courts avec une serviette. Je n'arrivais pas à déchiffrer son regard. De la sollicitude. De l'affection. Mais autre chose aussi. Je savais que j'avais trop bu, et c'était peut-être la raison pour laquelle j'étais incapable de décoder son expression. Peut-être pas. Elle me fixa si longuement que je commençai à me sentir mal à l'aise. Finalement, elle dit :

— Si tes collègues de Médecins sans frontières pouvaient te voir en ce moment... Le chirurgien intrépide et l'ours déplumé.

Je tordis la tête de Radieux pour qu'il la regarde, son œil unique étincelant à la lumière, et approchai mon verre de ses lèvres en peluche.

— Tu crois que le scotch lui donnera l'œil rouge ?

— Les tiens le sont, en tout cas. Je suis heureuse que tu ne m'opères pas demain.

Caitlin fit quelques pas et se tint à la fenêtre, me tournant le dos. J'observai sa posture, la courbe de sa hanche, le rouleau de muscles au-dessus de la cuisse. Je me redressai sur le lit, appuyai Radieux à l'oreiller de Caitlin, près de moi.

— Tu es superbe, ce soir.

— *Superbe?* répéta-t-elle.

Elle eut une grimace puis me regarda pensivement.

— Tu veux qu'on parle ? suggérai-je.

Elle remarqua la serviette qui pendait mollement dans sa

main et la jeta sur le panier de linge sale. Elle tira à elle la chaise en rotin de la coiffeuse et s'y assit, nue, face à moi. Par la fenêtre entrouverte, l'air agitait le rideau, et un papillon de nuit noir et crème se glissa dans la chambre, voleta autour de la lampe. Suivre son vol saccadé me fit tourner la tête et je fus soulagé quand il se posa sur le mur sous la photo encadrée de Lavinia. Même dans sa robe noire ancienne, Lavinia ressemblait étonnamment à Caitlin, les mêmes yeux immenses, le même visage ovale, l'expression flottant quelque part au bord d'un sourire.

— Pas ce soir, répondit Cate. Nous ne devrions pas parler ce soir.

— Non?

Je savais qu'il restait un non-dit entre nous, quelque chose qu'il ne fallait pas laisser s'échapper de nos bouches.

— Nous n'avons pas vraiment parlé depuis l'Italie, fis-je observer. C'est peut-être de ma faute.

— Nous ne devrions pas parler ce soir, répéta-t-elle.

Je l'aurais voulue moins sibylline. Je me sentais gauche et stupide, quand elle était comme ça. Le papillon de nuit quitta le mur et dessina un huit dans la pièce. Je maudis en silence sa trajectoire qui donnait le tournis et l'alcool que j'avais avalé.

L'idée germait en moi depuis un moment et avant que je puisse changer d'avis, je proposai à voix haute :

— Cate, tu veux que j'annule le Venezuela ?

— Quoi ?

— Tu sais ce que je veux dire. Passer un peu plus de temps à la maison. Clarifier les choses...

— Je n'ai pas besoin d'être *clarifiée*, répliqua-t-elle sèchement. Je ne suis pas un jouet mécanique qu'il faut remonter régulièrement.

Devant mon expression de surprise, elle s'avança vivement, noua les bras autour de mes épaules et pressa durement ma tête contre son ventre.

Quelques heures avaient dû s'écouler. Je pris lentement conscience que j'étais éveillé. J'eus l'impression d'avoir flotté une heure ou plus entre veille et sommeil, l'esprit engourdi par l'alcool et par un doute à demi perçu. L'aube était sans doute proche, je le savais à la respiration de la ville, dehors, un sifflement étouffé, comme un jet de vapeur s'échappant au loin.

Caitlin remua à côté de moi.

Je tendis la main, touchai son épaule chaude.

— Tu ne devrais pas être réveillée.

Elle se lova contre moi.

— Toi non plus.

J'embrassai le dessus de sa tête. Sa chevelure était chaude.

— Michael, je ne veux pas que tu arrêtes MSF. Je te l'ai déjà dit. Ce n'est pas le problème.

Je fermai les yeux dans l'obscurité, conscient qu'une partie de moi avait cherché à lui faire dire ces mots, à m'accorder une permission renouvelée. Je la berçai un moment en silence. Je sentais que je lui devais une explication, même si j'étais sûr qu'elle comprenait déjà les choses mieux que moi.

— Quelquefois, au restaurant, ou dans une soirée, ou ici, quand nous sommes bien au chaud, en sécurité, je me surprends à penser : Si j'étais là-bas, je pourrais aider. Si j'étais resté, j'aurais peut-être pu faire plus.

Caitlin s'appuya sur ses coudes, posa une main sur ma poitrine et chercha à tâtons la clé accrochée à mon cou, replia les doigts autour en un poing, tira un peu sur la chaînette.

— Tu ne peux pas être responsable de tout, non ?

— Je ne prétends pas que ce soit sensé.

Après un long silence, elle reprit :

— Tu veux que je te dise ce que je ressens ? Même si ce n'est pas sensé non plus ?

— Dis-moi.

Elle posa sa joue contre le renflement de mon épaule.

— Mon beau chevalier est arrivé au galop, comme dans les contes de fées, il m'a délivrée de la tour où j'étais enfermée et il m'a emportée sur son blanc destrier.

Son visage bougea contre ma peau et je sus qu'elle levait les yeux vers moi.

— Il m'a conduite à son château, poursuivit-elle. Il m'en a fait la maîtresse, il m'a accordé tout ce que je demandais. Et nous avons vécu heureux.

Elle se mit à pleurer doucement.

Je sortis de la maison à neuf heures. Londres en décembre était d'un froid glacial sous un ciel de pierre et le jour m'étourdit, mais c'était bon d'être dehors dans l'air en mouvement. Je laissai l'Audi où elle était et marchai un moment, me faufilant entre les banlieusards du matin et les gens qui faisaient leurs achats de Noël à la dernière minute. Des décorations festonnaient les réverbères, explosions de guirlandes rouge et or, étoiles et comètes qui tournaient et scintillaient.

Un autobus rouge s'arrêta devant moi. *Parliament Square*, indiquait le panneau, à l'avant, et je montai, essentiellement parce que je savais où se trouvait Parliament Square et que la familiarité de la destination était réconfortante. Je payai avec un billet de dix livres et le chauffeur dut me rappeler pour que je prenne ma monnaie. Je m'assis, m'affaissai contre la vitre et dus somnoler quelques minutes car, lorsque je repris conscience, le verre lisse tremblait contre mon visage et de hautes flèches s'élevaient au-dessus de moi.

Je descendis du bus. A une baraque située devant la station de métro, j'achetai un petit pain au bacon et un gobelet en plastique de thé laiteux dans lequel je versai une montagne de sucre. Je trouvai un banc en face du fleuve, défis le couvercle de mon gobelet, qui se mit à fumer de manière extravagante dans le froid. Sans avoir vraiment faim, je mangeai le petit pain en le mâchant régulièrement et finis par me sentir revigoré. Je demeurai un moment assis sous les branches nues, les bus rouges grondant autour de la place derrière moi. J'aimais ce bruit. J'aimais voir le fleuve glisser vers la mer à mes pieds, j'aimais l'odeur humide et froide de l'eau. Je m'approchai du parapet et contemplai la Tamise gris acier.

Un soleil sans chaleur passait à travers les branches. Dans mon esprit je vis le cottage délabré, la lumière des bois tombant sur le lit et les objets simples de la maison, les tasses à café, les livres, la poignée de CD offrant une musique que je n'avais jamais pris la peine d'aimer. Je vis le portfolio et imaginai Caitlin dessinant pendant des heures un homme qui restait assez longtemps immobile pour qu'on fasse son portrait. Je vis l'écriture de Cate sur les Post-it jaunes du réfrigérateur rappelant d'acheter de la nourriture et du vin pour un homme qui resterait assez longtemps pour les partager.

Et je songeai à Stella. Elle devait être partie, maintenant. Je me la représentai traversant à grandes enjambées le hall d'un aéroport, son sac à bandoulière rebondissant sur sa hanche. Je me demandai qui lui succéderait dans l'appartement, ne parvins pas à imaginer quelqu'un d'autre y vivant. Je me demandai où elle avait bien pu dénicher un acheteur pour une Golf cabossée de douze ans repeinte à la main en deux tons de marron pas tout à fait assortis.

Alors, j'eus d'elle une image frappante, dans une rue bondée au sortir de l'aéroport de Caracas : couleurs primaires, taxis faisant mugir leurs Klaxon, odeur de gazole et de chili dans l'air. Elle discutait avec un chauffeur, les mains sur les hanches, les lunettes de soleil relevées sur sa chevelure rousse, ses sacs éraflés posés dans la poussière à ses pieds. Plus tard, elle descendrait dans l'un des petits hôtels pas chers qu'elle affectionnait. Je la voyais essayer le mince matelas, ouvrir les volets pour laisser le soir tropical chargé d'arômes la submerger. Elle prenait une douche, se promenait dans la rue bruyante jusqu'à la terrasse d'un café et buvait une San Miguel sous des arbres qui agitaient leurs palmes sombres sur un ciel lavande. Un gosse en haillons quémandait une pièce. Stella se montrait généreuse. Elle le pouvait, elle était libre et sans engagements. Malgré ou peut-être à cause de toutes les lacunes de son existence, elle était libre de toute entrave. C'était la seule d'entre nous à l'être.

Je pris le billet d'avion qu'elle m'avait donné, le considérai un instant puis le déchirai soigneusement en petits morceaux qui tournoyèrent, emportés par le vent.

La boutique de Harry Judah se trouvait dans une rangée de magasins miteux derrière Edgware Road. Je n'étais pas allé là-bas depuis des années, mais, autrefois, Anthony m'y avait souvent amené après les puces du dimanche. Lui et Harry se donnaient rendez-vous en principe pour discuter d'une trouvaille quelconque mais surtout, je le comprenais fort bien, parce qu'ils étaient amis. Par-dessus la vieille table de l'arrière-boutique, ils marchandaient et se traitaient mutuellement de brigands en vidant une Guinness en bouteille de Harry.

Enfant, je me perdais une heure ou deux dans la remise du premier étage et les laissais se chamailler. Je ne m'ennuyais jamais. J'aimais le chaos d'objets exotiques, les piles de vieux magazines, les animaux empaillés et l'odeur secrète de la vieille poussière. J'y trouvais quelque chose de durable et de sûr.

Je poussai la porte du magasin. Penché au-dessus de son comptoir, Harry montrait ses dents irrégulières dans l'effort qu'il faisait pour maintenir une loupe d'horloger collée à son œil. Il ne releva pas la tête. Son chapeau mou était posé sur le verre du comptoir à côté de lui et j'eus l'impression de l'avoir surpris nu dans sa salle de bains.

— Désolé. C'est fermé.

— Pour moi aussi, Harry?

Il se leva, laissa la loupe tomber de son œil et la rattrapa habilement sans même la regarder.

— Monsieur Michael!

De son autre main il saisit le chapeau et l'enfonça sur sa tête.

— Ben, pour une surprise...

Ne sachant par où commencer, je lui souris, parcourus des yeux la boutique : étagères de jouets mécaniques, de machines à vapeur rouge et vert, de voitures de course en métal émaillé fuselées comme des torpilles, vitrines bourrées de montres — de gousset ou à savonnette —, de pendules.

— J'ai une question à vous poser, Harry.

Il tira sa bouche sur le côté, expira par le nez.

— C'est au sujet de cette prise de bec avec M. Gilchrist, hein?

— Oui.

— Je l'ai pas revu depuis, le pauvre. Il est pas passé aux puces, il est pas passé ici. Je sais que j'ai pas su tenir ma langue mais...

— Ce n'était pas votre faute, Harry.

— Monsieur Michael, j'aurais pas dû... J'aurais voulu

m'excuser, voyez? Réparer ma gaffe. Mais je pouvais pas aller là-bas, dans cette grande maison. Je suis pas fier mais je sais pas si j'aurais été le bienvenu. Plus maintenant.

— Parlez-moi d'Amsterdam, Harry.

La question le prit au dépourvu.

— Quoi, Amsterdam?

— Le dernier jour, le vendredi. Anthony était avec un de ses... amis?

Harry me coula un regard méfiant.

— J'ai pas envie de dire où il était, monsieur Michael.

— Harry, j'ai juste besoin de savoir s'il était là-bas.

— Je l'ai vu au dîner le jeudi soir. C'est tout ce que je peux dire.

— Mais plus du tout après?

— Qu'est-ce qui se passe, monsieur Michael?

— Ne vous en faites pas, Harry. Vous avez été d'un grand secours, assurai-je en gagnant la porte.

— Monsieur Michael...

J'avais refermé la porte tintinnabulante et je m'éloignais déjà.

Une heure plus tard, le taxi me déposa au bout de la rue d'Anthony. Pas très pressé d'arriver, je montai lentement la butte, passai devant les pavillons de banlieue à l'allure suffisante dont je me souvenais si bien. Tout était en ordre, dans ce quartier. Des vies dignes et respectables menées selon une succession de tranches régulières : travail, golf, astiquage de la voiture, éducation des enfants, vacances dans des lieux simples où la nourriture était acceptable, et le soleil pas trop féroce.

La maison d'Anthony détonnait un peu. La façade un peu défraîchie, le jardin un peu mal tenu. Même de l'extérieur, elle avait cet aspect bohème indéfinissable. Le mobilier sombre qui luisait derrière les fenêtres en saillie lui donnait l'air d'un vieux magasin d'antiquités. La Rover blanche était garée dans l'allée à sa place habituelle et, bien qu'il fît encore jour, je vis une lampe allumée dans le bureau et de la fumée sortant de la cheminée. Je fus rassuré car j'avais craint qu'Anthony ne fût parti chiner. L'endroit était semblable à ce qu'il était dans mon souvenir, un lieu où se réfugier en temps de crise.

Je pris une inspiration et ouvris la porte de devant. Dans le vestibule obscur, je défis mon manteau, le posai sur la rampe de l'escalier et m'arrêtai un instant pour écouter les bruits familiers de la maison, tintements des horloges, craquements du feu dans le bureau. Et quelque chose que je n'avais pas entendu depuis longtemps, une voix superbe, aérienne : la Callas chantant *La Bohème*.

Anthony se tenait au centre de la pièce, près de la chaîne stéréo. Il portait son plus beau costume sombre à rayures et un nœud papillon prune, comme s'il s'était habillé pour une soirée chic mais avait décidé au dernier moment de ne pas sortir. Il leva les yeux quand j'ouvris la porte et la joie éclaira son visage. Il tendit une main pour baisser le volume de la chaîne et se tourna vers moi.

— Michael, mon cher garçon. Je n'étais pas sûr que tu reviendrais. Pas si tôt. Peut-être jamais.

— Tu sais bien qu'il fallait que je revienne.

— J'ai appris ce qui s'est passé. Avec ce Carrick. Est-ce qu'il... est-ce qu'il vivra ?

— Oui.

— Dieu merci, fit-il avec un soupir. Longtemps j'ai cru que je serais content s'il lui arrivait quelque chose d'épouvantable, mais je m'aperçois maintenant que ce n'est plus le cas. Il y a eu assez de peine et de souffrances. Il me semble parfois qu'il n'y a que peine et souffrances dans ce monde.

Il fit quelques pas, s'assit dans son fauteuil habituel, près du feu.

— Mais il est enfin derrière les barreaux, poursuivit-il. On peut penser que cela amène les choses à leur conclusion.

— Affaire bouclée, comme ils disent.

Anthony eut une moue de dégoût.

— Quelle vilaine expression ! Et même pas exacte. La rigueur se perd un peu partout, j'en ai peur. C'est parfois un tel fardeau d'essayer de la maintenir.

Je remarquai qu'il avait posé à ses pieds, sur le devant du foyer, un de ces coffrets en bois de rose dans lesquels des hommes vieillissants gardent leurs souvenirs : un insigne de casquette du collège, la bague d'une femme aimée, la photo jaunie d'un fils perdu. Sur le guéridon, près de son coude, un verre en cristal tenait compagnie à une carafe de cognac. Je l'avais rarement vu boire dans la journée. De l'endroit où je me tenais, je voyais la lumière du feu danser à travers l'alcool. Quand mes yeux furent habitués à la pénombre, je découvris que le coffret en bois de rose n'était pas le seul trésor qu'Anthony avait sorti. D'autres étaient disposés autour de la cheminée, des objets que je n'avais pas vus depuis des années : des horloges anciennes aux hauts chiffres et au bois couleur porto, un pot à café en argent cannelé, d'exquises porcelaines de Meissen, une vitrine de papillons azur épinglés en spirale, des premières éditions reliées cuir, une boîte à musique sur laquelle une ballerine virevoltait en silence. Derrière elle, le portrait de mon père.

— Toutes mes jolies choses, dit Anthony.

Il prit la carafe, me servit un cognac et me le tendit.

— Tu as l'air épuisé, mon garçon. Assieds-toi.

Je pris le verre, bus une gorgée mais ne m'assis pas aussitôt. La voix de la Callas sanglotait, proche de la fin, et je tendis le bras pour éteindre la chaîne.

— Stella est passée me dire adieu avant d'aller à l'aéroport, annonça Anthony. Très gentil de sa part. Je l'ai toujours trouvée plutôt effrontée, je l'avoue, mais ces dernières semaines elle s'est conduite d'une façon si remarquable... J'ai été désolé de la voir partir.

— Moi aussi.

— Son départ réduit en miettes ce qui restait de notre petit cercle, non?

Je me laissai tomber dans le gros fauteuil marron en face du sien. Entre nous, le feu craquait et crachait. Anthony me regardait avec ses yeux de boxer. J'éprouvais une tristesse insupportable pour lui, assis là avec son nœud papillon prune, l'esprit meurtri. Je tendis le bras vers son poing grassouillet posé sur l'accoudoir du fauteuil. Il baissa la tête, fixa ma main qui couvrait la sienne, ferma un instant les yeux puis dégagea sa main et prit son verre.

— Je n'avais jamais frappé un être humain de toute ma vie, tu sais, dit-il, presque sur le ton de la conversation. Je n'avais aucune idée des ravages que cela pouvait faire. Tu dois savoir que je n'ai pas voulu... ce qui est arrivé. Bien sûr. Qui l'aurait voulu? Je l'ai frappée, elle est tombée. Ce buste en marbre grotesque qu'elle avait installé en haut de l'escalier est tombé aussi. Et il l'a...

Il leva les yeux vers moi, cherchant le mot.

— Il l'a brisée. Comme un vase de porcelaine. Comme un objet ravissant, fracassé.

Je gardai le silence.

— Je prenais plaisir à m'occuper d'elle quand tu étais parti, continua-t-il. Je n'aimais pas la savoir seule. La solitude, je connais. Alors, je lui rendais visite à l'improviste.

Il avala une gorgée de cognac, se passa la main sur le visage.

— Souvent, elle n'était pas chez vous. De plus en plus souvent, ces derniers mois.

— Anthony, pourquoi tu ne m'en as pas parlé? Pourquoi?

— Mais, mon cher garçon, je n'avais aucun soupçon. Jamais je n'aurais imaginé que l'adorable Caitlin pouvait trahir notre confiance. Je n'arrive pas encore à y croire. Et si je n'avais pas quitté Amsterdam un jour plus tôt, je ne l'aurais peut-être jamais découvert. J'en avais assez d'entendre les petites plaisanteries de ce pauvre Harry. Oh, ses intentions étaient bonnes. Il voulait me montrer qu'il comprenait. Mais c'était tellement blessant, je ne pouvais plus le supporter. Alors, je suis rentré à Londres.

— Et tu es allé voir Caitlin.

— Directement, de l'aéroport. Je n'avais pas de nouvelles depuis une semaine entière. Je me doutais qu'elle se faisait du souci pour toi, après le tremblement de terre. Nous savions tous que tu serais sur place.

— Tu es venu avec la voiture prêtée par le garage. Cette grosse Volvo rouge avec laquelle tu es passé me prendre. Henry Kendrick l'a confondue avec la mienne.

— Il était là, Michael. Cet homme. Cet inconnu. Il ne m'a pas vu, mais moi je l'ai aperçu un instant, de la grille de derrière. Chez toi, dans ta maison!

Anthony respira à fond, se maîtrisa.

— Je ne pouvais pas m'en aller comme ça. Je me suis dit que j'arriverais à dominer la situation, à me conduire d'une façon civilisée.

— Je vois, fis-je avec une immense lassitude. Je vois.

— Je l'ai toujours fait, tu le sais, déclara-t-il en me lançant un regard désespéré. Toute ma vie, je me suis conduit de manière civilisée.

— C'est vrai, Anthony.

— Je me suis introduit par la porte de derrière. Ils ont dû m'entendre parce que, le temps que je monte, il avait disparu. Et Caitlin criait. Je ne peux pas te décrire son état. Un animal pris au piège. Je ne supportais pas ses cris. Elle était hystérique. Elle hurlait qu'elle t'avait trahi. Qu'elle nous avait tous trahis. C'était insoutenable.

Ses mains tremblaient. Il but de nouveau et renversa un peu de cognac sur le revers de sa veste, qu'il essuya d'un air gêné.

— Je ne m'attendais pas que la police accuse qui que ce soit en particulier, reprit-il d'une voix calme. Je pensais que ce serait une de ces affaires vite classées : une ou des personnes inconnues. C'était naïf de ma part, et je pensais même que tu n'apprendrais peut-être jamais la... l'écart de Caitlin. J'ai prié pour que cela te soit épargné. Je me suis laissé aller à espérer que tu n'apprendrais peut-être jamais ce que j'avais fait.

— Cela aurait tout arrangé?

— Tout arrangé? fit-il, abasourdi. Rien n'aurait pu tout arranger. Michael, tu n'imagines quand même pas que je songeais à moi? Tu crois que je pourrai oublier les souffrances que j'ai causées? Je brûlerai en enfer pour ça. Je suis déjà en enfer. Mais en quoi cela t'aurait-il aidé de savoir? En quoi cela t'aide-t-il, maintenant?

Ma tête palpitait, de petites piques de douleur s'enfonçaient dans mon crâne. Je me forçai à boire un peu de cognac. Anthony fixait le fond de son verre.

— Je n'ai rien manigancé, dit-il. Je pensais que si je faisais semblant de croire que ce n'était qu'un horrible cauchemar, ce ne serait que ça, tu comprends? Rien qu'un cauchemar. Alors, je ne suis pas revenu ici. J'ai passé la nuit dans un hôtel et je suis allé te chercher le lendemain matin au poste de police. Je t'ai dit que j'arrivais de l'aéroport. Tu sais qu'à ce moment-là je le croyais moi-même? Je pensais que je finirais par me réveiller et que tout irait bien.

Il demeura un moment silencieux, à se rappeler cet espoir envolé.

— C'était impossible, évidemment, reprit-il. Elle était si belle. Comment vivre en sachant que j'ai détruit tant de beauté? Ce n'est pas supportable.

Il déplia sa pochette en soie prune, s'en frotta les paumes et la remit en place en veillant à ce qu'elle s'épanouisse telle une orchidée sur sa poitrine.

— Je ne peux pas laisser la police accuser Barney Carrick, déclarai-je. Je ne peux pas, Anthony. Pas même pour toi.

Il parut stupéfait.

— Bien sûr que non, mon garçon.

Il tira de la poche intérieure de sa veste une enveloppe de papier crème qu'il me montra. Elle était adressée en lettres nettes à l'inspectrice Emma Dickenson.

— Comme tu vois, j'ai découvert que je ne le peux pas non plus.

Ne supportant pas de voir son visage, je baissai les yeux. Les flammes du feu se reflétaient sur le coffret en bois de rose et sur ses incrustations de cuivre. Les fermoirs étaient ouverts. Je voyais la plaque vissée à l'intérieur et pouvais maintenant lire l'inscription. *Wheelers, Londres.* Anthony se mit debout, tira sur les revers de sa veste, appuya l'enveloppe crème contre la ballerine en porcelaine, immobile sur sa boîte à musique, puis me regarda et attendit que je me lève.

— Il est temps que tu partes, dit-il. Tu ne crois pas?

Je quittai lentement mon fauteuil.

— Tu crois que je te laisserai faire ça?

— Ton père était un type bien, fit-il, comme si cela avait un rapport avec ma question.

Il prit la photo encadrée et l'inclina vers la lumière. Mon père nous souriait, beau, un rien canaille, à jamais jeune. Anthony reposa le portrait sur la table et le regarda longuement.

— Tu dois essayer de nous pardonner, Michael. Nous avons fait tout ce que nous pouvions pour t'épargner, mais nous étions de si faibles créatures. Comment pourrions-nous changer le monde? Nous ne sommes même pas maîtres de nous-mêmes.

Nous restâmes un instant à quelques centimètres l'un de l'autre et je vis ses yeux se mettre à briller. Sans me rendre compte que j'avais bougé, je me retrouvai en train de presser contre moi son corps rondelet de pingouin. Je sentis le frôlement de sa joue contre mon cou et l'odeur de son eau de Cologne démodée.

— Anthony, tu ne peux pas me demander de...

Il me tapota le dos d'une main rassurante, m'écarta doucement de lui.

— Si tu m'aimes un tant soit peu, mon garçon...

Je ne saurai jamais si je l'entendis ou non. J'étais parvenu au bas de la rue et j'avançais, tel un aveugle, entre les fausses maisons Tudor aux jardins proprets. Un autobus rouge fit halte devant l'arrêt, une femme en descendit avec une poussette. Des gens entraient dans le magasin de vins et spiritueux d'en face, en ressortaient. Un homme réparait une clôture, quelques mètres plus loin. Je chancelai et la femme à la poussette me saisit par le bras pour me retenir. Son geste bien intentionné eut pour effet de me vider un instant de mes forces. Je fus pris de vertige et là, dans ce tournoiement rouge, je crus entendre un claquement sec derrière moi, mais ce n'était peut-être que le bruit du marteau de l'artisan sur un clou. Lorsque je me fus totalement ressaisi et que je regardai par-dessus le visage aimable et inquiet de la femme, je vis des pigeons voler dans le ciel blanc, effrayés par quelque fausse alerte.

32

J'attendis une semaine. Jusqu'à ce que le pire des formalités, des questions et des déclarations soit passé. Puis, un jour de froid mordant, en fin d'après-midi, je sortis la voiture et pris la direction de l'ouest.

Il ne faisait pas encore noir. Le soleil se couchait dans les nuages, pareil à une boule de fer rouge fondant dans un chaudron, et j'en visais le centre. Pas consciemment, mais sans hésitation. C'était un soulagement de bouger, d'avoir le corps, les yeux et le devant du cerveau occupés. Je conduisais, faisant glisser l'Audi sur le long ruban de bitume pointé vers l'éventail de lumière, à l'ouest. Le bref crépuscule bleu sombra dans la nuit.

Je quittai l'autoroute pour une route de campagne déserte, éclairée par la lune, flanquée d'arbres noirs et de bas-côtés saupoudrés d'un givre qui miroitait dans la lueur de mes phares. Une chouette apparut soudain dans leur faisceau, ses grands yeux étincelants, et rasa la voiture de son vol bas. L'horloge du tableau de bord m'indiqua qu'il était 19 h 58 quand je passai entre les piliers de brique de la grille d'entrée pour descendre le tunnel sombre de hêtres pourpres et de cèdres. Il gelait et les pelouses étaient un tapis d'argent.

Les hautes fenêtres du rez-de-chaussée étaient éclairées et Margot Dacre se tenait en haut des marches quand je sortis de ma voiture. Elle me laissa traverser l'allée de gravier, gravir le perron et m'avancer à un mètre d'elle avant de parler :

— Je vous attendais, Michael.

Elle portait un pull bleu foncé et des culottes de cheval fauve, et elle semblait en forme, maîtresse d'elle-même. Nous gardâmes un moment le silence puis elle se redressa et regarda par-dessus mon épaule le gazon scintillant.

— Si Caitlin s'était confiée à moi, dit-elle, quels qu'aient été mes sentiments envers vous à l'époque, je lui aurais conseillé de faire éclater au grand jour cette affaire sordide. Je veux que vous le sachiez.

— Je le sais, Margot. Je crois qu'elle essayait elle-même de me le dire. Elle laissait des indices. Des traces. Je crois qu'elle voulait en fait que je déchiffre les signes et que je me mette à sa recherche, mais j'étais incapable de les voir.

— Des indices, des traces, des signes, répéta-t-elle avec mépris. La pauvre idiote. Comme si la vie n'était pas suffisamment mystérieuse...

Elle tourna légèrement la tête et contempla de nouveau le parc obscur.

— Margot, j'aimerais beaucoup rester ici cette nuit.

Revenant de l'endroit où son esprit s'était égaré, elle m'adressa un sourire. Pas le sourire dur qui n'atteignait jamais ses yeux, mais un sourire dans lequel j'entrevis un reflet de sa fille. Elle me prit la main et m'entraîna dans la maison, me fit traverser le hall et la vaste salle à manger pour me conduire dans un agréable salon, sur l'arrière. Un téléviseur y était allumé, devant un canapé confortable. Je ne me serais jamais douté qu'il y avait dans la maison des Dacre quelque chose d'aussi décadent qu'un poste de télévision et je vis dans cette petite entorse aux traditions le courage renaissant d'une veuve de fraîche date. Un film en noir et blanc passait, dans le cadre des programmes de Noël.

— Asseyez-vous, Michael. Ce sont de vieux films, et plutôt bêtes, quelquefois, mais j'ai l'impression d'avoir beaucoup de retard à rattraper.

Je m'assis. Margot apporta des sandwiches et une bouteille de vin et nous mangeâmes dans la pièce gaie dont Caitlin avait fait la décoration, comme un couple un dimanche soir, regardant un vieux film sans parler, sans avoir besoin de parler. Au bout d'un moment, elle se leva.

— Vous souhaitez dormir dans la chambre de Caitlin, naturellement, dit-elle. Je vais vous la préparer.

Je m'éveillai juste avant l'aube. J'avais dû bouger en dormant, et le grincement des vieux ressorts du sommier m'avait tiré de mon sommeil. Devant la fenêtre ouverte, le rideau s'agitait dans le vent de la nuit. Je roulai sur le côté. La fenêtre donnait à l'ouest et le ciel était encore d'un gris anthracite au-dessus des pentes boisées sur le versant le plus éloigné de la vallée. Appuyé sur un coude, je regardai — comme Caitlin avait dû le faire dans son enfance — la brume laiteuse rouler au-dessus du fleuve qui coulait dans la rainure de la vallée, en contrebas.

J'avais dormi d'un sommeil sans rêve et je me sentais calme, reposé. Je me glissai hors du lit et m'habillai, quittai la chambre en silence, parcourus le couloir, descendis l'escalier de derrière et sortis par la porte de la cuisine dans un matin noir et dur comme de l'obsidienne. L'air était vif et je sentais l'odeur du fleuve. Je traversai la pelouse et il y avait assez de lumière dans le ciel derrière moi pour révéler l'empreinte noire de mes pas dans l'herbe givrée. Je passai devant la souche où j'avais vu Caitlin pour la première fois, devant les hautes herbes où elle m'avait conduit autrefois, descendis l'allée sombre entre les hêtres tandis que le fleuve noir et argent marmonnait sous un rouleau de brume. A quelques mètres en aval, le barrage grondait doucement dans l'obscurité.

Il ne restait plus grand-chose de la jetée, quelques piliers faisant des angles curieux avec le fleuve, une demi-douzaine de planches s'étendant péniblement sur l'eau comme les marches d'un escalier fou. Du bout du pied, je testai la plus proche, elle tourna un peu sous mon poids. Les pièces de monnaie que j'avais perdues huit ans plus tôt reposaient quelque part dans la vase. Je les avais entendues rouler sur la jetée tandis que j'embrassais Cate. Nous nous en étions aperçus tous les deux, mais nous avions feint de ne rien entendre. Je fis un second pas hésitant, un troisième, m'agenouillai sur le bois mouillé. En tombant de l'urne, les cendres de Caitlin tournoyèrent sur l'eau noire, s'accrochèrent un instant aux piliers tordus puis glissèrent en un long ruban pâle vers le barrage rugissant. Je les suivis des yeux jusqu'à ce qu'elles disparaissent dans la brume. Comment peut-on posséder un fleuve? me demandai-je de nouveau. Quel morceau vous appartient? Celui d'hier ou celui d'aujourd'hui?

— On ne peut pas revenir en arrière, dit-elle derrière moi. Rien n'est jamais comme avant. Et personne n'est jamais ce qu'il a été.

J'entendais la voix de Caitlin mais je n'avais plus peur, ni de cela ni de quoi que ce soit. Je n'éprouvais en me retournant que de la tristesse, parce que je savais que cette voix ne pouvait être la sienne. Margot se tenait dans l'obscurité au bout du sentier, emmitouflée dans une veste en peau de mouton pour se protéger du froid de l'aube. Elle s'avança. A l'est, le ciel prenait une couleur champagne et la lumière naissante éclaira son visage. Je vis un héron dans l'eau peu profonde, à moins de dix mètres; un poisson sauta et retomba dans l'eau derrière moi avec un éclaboussement. Le jour s'éveillait.

— Elle venait ici quelquefois, dit Margot. Quand elle était petite fille. Bien sûr, cela lui était formellement interdit. Elle croyait que je l'ignorais mais je le savais.

Elle inspira une goulée d'air froid, laissa ses bras tomber le long de ses flancs.

— Je voulais qu'elle s'échappe, ce que je n'avais pas su faire. Maintenant, je viens ici moi-même, et chaque fois j'espère la retrouver.

— Et vous la retrouvez?

Elle sourit.

— En un sens, oui.

— Que lui dites-vous?

— Que je suis désolée. Que je l'ai trahie.

— Que répond-elle?

Elle leva son visage vers moi.

— Elle dit que chacun trahit tout le monde et soi-même. Elle dit que c'est ainsi. Que le truc, c'est d'essayer sans cesse de ne pas trahir.

Je retournai sur la berge et la rejoignis dans le sentier.

— C'est ce qu'elle me dit également, murmurai-je.

— Caitlin me dit aussi autre chose, Michael. Elle dit qu'on ne peut demander à quelqu'un de faire plus qu'essayer. Qu'on n'a pas besoin d'être parfait. Qu'il suffit d'être assez bon.

La mère de Cate me prit le bras et nous remontâmes ensemble le sentier dans le jour naissant.

— Je suis heureuse que vous l'ayez trouvée, Michael.

469

Elle cessa de marcher, me fit face et me pressa les épaules.

— Mais il vient un temps pour laisser les morts derrière soi. Un temps pour regarder parmi les vivants.

33

L'antre de Caitlin était enfin débarrassé et il ne restait de ses disques, de ses livres et de ses pensées qu'un espace vide et sonore.

J'entendais les déménageurs sortir les dernières affaires des pièces du bas. Ils savaient ce qui s'était passé dans cette maison, ils ne riaient pas, ne sifflaient pas en travaillant. Toute la matinée, ils m'avaient traité avec une déférence charitable que j'appréciais, même si je n'en avais plus besoin. Le travail ne leur prit pas longtemps. Il n'y avait pas grand-chose à emporter, les gens de la salle des ventes avaient déjà fait place nette. J'avais envoyé quelques objets à Margot et à des amis. Le reste irait au centre de York Road. Je ne savais pas ce que son personnel pourrait faire de la moitié de ces choses, mais je ne doutais pas que ce fût la bonne destination.

J'attendis que les déménageurs aient fini, je ne voulais pas les voir emporter les humbles objets de la maison. Ils étaient sans valeur, mais ils avaient constitué la trame de notre vie quotidienne : assiettes et bols, couteaux et fourchettes, livres de poche, meubles bon marché, pots à plantes, cassettes vidéo que nous avions enregistrées et jamais regardées, ouvre-boîte, porte-savon, aimants du frigo et torchons.

Le silence s'était fait en bas et j'entendis la serrure de la porte d'entrée cliqueter. Les déménageurs étaient allés attendre dans leur camion à demi monté sur le trottoir, impatients de partir mais n'osant pas me bousculer. Je traversai le parquet vide jusqu'à la fenêtre. C'était sa vue, la vue de Caitlin, dans son coin à elle. Des toits en pente, un nid de pigeon dans la gouttière d'un voisin et une vaste étendue de ciel pâle. Chaque jour, tandis que je vivais pleinement dans quelque lieu passionnant. Je savais maintenant ce qu'elle avait imaginé comme avenir. Des scènes d'une vie ordonnée et convenable, reliées par un chapelet de promesses, se fondant l'une dans l'autre, vides de sens, au bout du compte, et jamais totalement réalisées. Elle m'avait dit un jour ce qu'elle craignait : une vie sans jalons importants.

Je sortis de la pièce et descendis sans m'arrêter l'escalier en colimaçon où je l'avais trouvée, passai devant la porte de notre chambre, descendis le deuxième escalier puis le couloir, sans même ralentir. Je décrochai mon blouson dans l'entrée, l'enfilai, ouvris la porte, sortis et la refermai derrière moi.

— C'est pas un vrai nouvel an pour vous, hein? fit le chauffeur du camion, un chauve avec un cou de taureau et un anneau à l'oreille.

Il détourna aussitôt les yeux. Ils étaient trois dans la cabine et il était le chef, et je savais qu'il avait pensé qu'il lui incombait de dire quelque chose mais qu'il se sentait maintenant mal à l'aise. Les deux autres regardaient fixement par l'autre fenêtre.

Je lui souris pour le soulager, pris la tablette qu'il me tendait, signai le formulaire à l'endroit indiqué, pêchai un peu d'argent dans ma poche et le lui donnai. Il me remercia, jeta un coup d'œil à la maison par-dessus mon épaule. Je lui rendis la tablette et vis dans ses yeux cette

472

sympathie intimidée que j'avais vue sur le visage d'autres personnes qui me souhaitaient bonne chance sans trop y croire. Il démarra, embraya, fit descendre le camion du trottoir et se coula dans la circulation.

Le grondement du moteur emplit la rue et je n'entendis pas tout de suite la sonnerie de mon portable.

— C'est moi, dit Angie.

Un instant, je ne trouvai rien à répondre. Je restais planté sur le trottoir, comme au garde-à-vous.

— Je ne savais pas que tu étais encore à Londres, dis-je enfin.

— Nous partons aujourd'hui.

Après un silence, elle reprit :

— On pourrait se voir ? Juste un moment. Je voudrais... C'est l'oncle Stanley. Il ne veut pas qu'on parte sans t'avoir vu.

— Vous ne pouvez pas venir ici. Il n'y a plus rien, maintenant.

— On peut se retrouver quelque part. Choisis.

— Tower Bridge, dis-je au hasard. Sur le pont. Au milieu.

Elle hésita, comme si le lieu ne lui convenait pas, finit par acquiescer.

— D'accord. Tu pourrais venir maintenant ?

— C'est ce que tu veux ?

— Oui.

— Alors, j'y serai. J'ai quelque chose à te donner.

Le taxi me déposa sur une aire de stationnement, côté City, et je les vis sur le trottoir, au milieu même du pont. Les pans du manteau brun de l'oncle Stanley s'agitaient dans le vent. Elle se tenait un peu en arrière, appuyée au parapet, tournée vers l'aval, et je devinai qu'elle refusait de regarder, de voir si j'arrivais. Je réglai la course et descendis du taxi, soulevai mon sac à dos et fis à pied les deux cents derniers mètres sous les montants de fer bleus.

— Le jeune docteur Seven! s'exclama l'oncle, qui s'avança à ma rencontre.

Il avait son brûle-gueule à la bouche et le vent de janvier cinglant le fleuve en emportait la fumée au loin. Il me tendit une main osseuse, se pencha un peu en avant et scruta mon visage de ses yeux bleus.

— Vous direz pas que je vous ai jamais rien donné, marmonna-t-il.

Elle le rejoignit et me regarda, le visage fermé, les bras croisés sur ses seins. Elle avait attaché ses cheveux, mais le vent en libérait des mèches. Ses yeux étaient très noirs.

— Bonjour, Angie.

Elle ne parla pas, ne bougea pas.

— Faites pas attention à elle, me dit l'oncle d'un ton dédaigneux. Moi, je sais me tenir, si elle sait pas. C'est pas poli de partir sans dire au revoir. Maintenant, je l'ai dit.

Il m'assena une tape sur le bras, passa devant moi et ne s'arrêta pas avant d'être à quelque distance. Puis, adossé au garde-fou, il leva les yeux vers la masse de la Tour et les bâtiments étincelants de la City, au-delà, nous laissant seuls ensemble.

— Il a raison sur un point, admit-elle. Je ne devrais pas partir sans te remercier. Pour Barney. On m'a dit qu'il serait mort sans toi.

— C'est mon boulot, répondis-je avec ce que je pouvais faire de mieux en matière de sourire. Je suis dans le sauvetage.

Les mots firent tomber un peu la tension entre nous et nous nous déplaçâmes vers le côté du trottoir où un montant nous abrita quelque peu du vent.

— Je t'ai apporté quelque chose, dis-je.

Je posai le sac à dos sur les pavés entre nous, l'ouvris. Angie regarda, vit les deux portfolios et je l'entendis reprendre sa respiration.

— Ils ne m'appartiennent pas, poursuivis-je. Ils sont à lui. A Barney. Tu peux les lui donner. De la part de Caitlin.

— Ses magnifiques dessins... Moi, je n'ai rien à te donner en échange.

Elle serra ses bras autour de sa poitrine d'un air pitoyable. Je m'approchai pour la toucher, mais elle recula aussitôt.

— Qu'est-ce que je serais censée faire? explosa-t-elle. Attendre dans mon petit appartement de Leeds que mon chevalier blanc arrive au galop sur l'autoroute chaque fois qu'il reviendra de l'étranger?

Ses cheveux, volant à présent en tous sens comme ceux d'une Gorgone, lui donnaient un air sauvage et dangereux.

— Ça ne se passerait pas forcément de cette façon. J'ai appris des choses...

— Quelle différence cela ferait, en fin de compte?

Elle se retourna pour contempler le fleuve.

— L'oncle Stanley a raison, nous n'avons pas de page blanche sur laquelle écrire notre histoire. Plus maintenant. Nous n'en avons peut-être jamais eu.

— Nous pourrions essayer.

Elle me fit de nouveau face.

— Tu ne comprends pas? J'ai ma vie. Des choses dont je dois m'occuper. Ce vieux toqué auquel je dois penser. J'ai un travail.

Elle se pencha et accrocha le sac à son épaule.

— Tu n'es pas le seul à être dans le sauvetage, Michael.

La discussion semblait terminée, mais nous n'étions prêts à partir ni l'un ni l'autre.

— Qu'est-ce que tu vas faire, maintenant? demanda-t-elle d'un ton radouci.

— Rien pendant un moment.

— Mais ensuite?

— Je recommencerai, je suppose. C'est tout ce que je sais faire. Sauver le monde.

— Alors, j'ai quand même quelque chose à te donner, finalement.

— Ah oui?

— Un conseil.

— Lequel?

— Monte dans ta voiture de friqué, roule pendant une semaine. Vers le sud. Vers le soleil. Trouve-toi un joli coin au bord de l'eau et assieds-toi devant une bouteille de vin. Trouve ton Ithaque. Offre au monde une chance de te sauver.

— Et si je le fais?

— Tu ne le feras pas, fit-elle avec tristesse. Tu en es incapable.

Elle tendit la main, effleura du doigt le milieu de ma poitrine, là où la clé pendait sous mes vêtements. Soudain étourdi, je fermai les yeux et les images s'animèrent, vives et claires, défilèrent dans ma tête. Caitlin dans l'eau froide, riant de sa bouche mais m'implorant de ses yeux et de son corps. Caitlin dans la prairie, les chaussures pendant à un doigt par-dessus son épaule, me souriant. Caitlin guidant ma main vers son ventre.

— J'avais fermé la porte à clé, dis-je, étonné par la clarté de ma voix. La porte de derrière, la nuit de l'incendie. Et j'avais emporté la clé. Je n'avais pas le droit. Mais j'avais pensé que si mon père descendait et trouvait la porte fermée, il me croirait dans ma chambre, comme j'étais censé l'être. Au lieu d'errer dans les rues en lui reprochant de m'abandonner. Une fois de plus.

— Tu n'étais qu'un gosse, argua Angie.

— A mon retour, j'ai vu les flammes à travers les carreaux. Je savais qu'ils étaient pris au piège mais je ne pouvais pas entrer pour les prévenir. Pris de panique, je n'ai même pas eu la présence d'esprit d'appeler un voisin. J'avais perdu la clé dans le noir. J'ai fouillé dix fois chacune de mes poches, j'ai cherché sur le sol à tâtons. Je l'ai retrouvée une semaine plus tard dans l'herbe, à cinquante centimètres de la porte. Je ne pouvais pas entrer pour les réveiller. J'ai frappé à la porte jusqu'à l'arrivée de la police. Quelqu'un d'autre l'avait appelée, pas moi. J'ai frappé si fort que je me suis cassé trois doigts. J'ai cogné des deux poings dans les carreaux et il a fallu quarante points de suture pour soigner mes blessures aux mains. J'ai crié si fort que je suis resté une semaine sans voix. Mais je n'ai pas trouvé la clé. Je n'ai pas trouvé le moyen de les sauver.

Angie resta un moment sans bouger puis reposa le sac avec précaution, fit un pas en avant, passa ses bras autour de mon cou et m'embrassa durement, et tandis que nous nous pressions l'un contre l'autre elle glissa soudain une main sous ma chemise et l'ouvrit en faisant sauter les boutons. Elle saisit la clé, tira violemment sur la chaîne qui se rompit et, d'un geste en arrière, la jeta par-dessus le parapet. Je la vis tournoyer dans le pâle soleil jusqu'à ce qu'elle fende l'eau agitée avec un petit éclaboussement.

Une mouette gris ardoise descendit vers l'eau mais, ne trouvant rien d'intéressant, se remit à planer au-dessus du fleuve. Quand je relevai les yeux, Angie traversait le pont, un bras sous celui de l'oncle Stanley, son sac à l'épaule. Je vis le vieil homme secouer la tête, mais Angie ne se retourna pas.

Epilogue

Nick fit glisser le bateau par le goulet rocheux et réduisit le bruit du vieux moteur Diesel à un battement régulier.

J'aimais cette partie du trajet, quand le vent de la mer Ionienne rebondissait sur mon visage, le laissant tendu et chaud sous le soleil, et que les rochers ronds du fond du port apparaissaient sous l'eau, autour de nous. Ils étaient énormes, gros comme des maisons, mais l'eau bleu-vert était si claire en cette saison qu'ils étaient parfaitement visibles dans l'ombre de la coque en bois, tels les cubes d'un jeu de construction. Un panache de poissons argentés tourna sous le bateau et s'égailla. Au-dessus de nous, des bicoques bleu et blanc escaladaient le flanc de la colline. Il était près de six heures du soir et une odeur de cuisine s'échappait des tavernes, le long du quai, herbes, huile chaude et viande rôtie.

Je me sentais en forme et détendu, dopé par le soleil et l'exercice. D'autres bateaux manœuvraient dans le port, plus nombreux que la veille, et le troisième des quatre taxis du village avait été tiré de son hibernation. Son propriétaire, un gros type appelé Georges, astiquait déjà le véhicule sur le quai dans la perspective de nouveaux clients. Il possédait aussi la taverne d'en face, ainsi que l'agence de location de motocyclettes, et les touristes avaient beaucoup d'importance pour lui. Mais on n'était qu'en avril, les voyageurs n'avaient pas commencé à débarquer en nombre et j'aurais le village pour moi seul pendant un moment encore. ·

Nick accosta près de l'endroit où Georges travaillait et sauta à terre d'un bond souple. Je lui tendis les paniers. De l'un d'eux un tentacule de calmar tentait une sortie vers le soleil. Je me sentais un peu désolé pour l'animal, mais j'imaginais déjà le goût qu'il aurait dans une ou deux heures et cela atténuait fortement ma compassion.

— Salut, Georges, dit Nick en jetant son mégot dans l'eau. Mike a presque pris un poisson aujourd'hui.

— C'est vrai?

Georges abattit sa peau de chamois sur le capot du taxi et s'approcha du bord du quai en se dandinant.

— Hé, les gars, protestai-je, c'était un espadon.

— Ah, c'est bien, un espadon, fit Georges en me tendant la main pour m'aider à descendre du bateau. La plupart du temps, on attrape presque que des sardines.

Ils rugirent de rire, échangèrent de grandes claques dans le dos et crièrent la plaisanterie en grec six ou sept fois dans la rue : je n'étais pas près d'en voir la fin.

J'aidai Nick à amarrer le bateau bleu, traversai la rue en direction de la taverne de Georges et saluai les deux vieux qui jouaient au trictrac. Je pris une bière Hellas dans le frigo et m'installai à ma table habituelle près du fond, sous la banne, d'où j'aimais suivre les activités du village. Le ferry du jeudi soir venait d'arriver de Lefkas, à l'autre bout du port. Je vis les passagers descendre, quelques îliens revenant du marché mais aussi un petit groupe d'étrangers, qui posèrent leurs sacs sur les pavés et que les femmes de l'île entourèrent aussitôt pour leur proposer une chambre. Ils appartenaient sans doute à la catégorie la plus aventureuse des routards, ceux qui venaient observer les oiseaux ou les fleurs sauvages.

L'entrée du port n'était pas assez large pour les hydro-glisseurs modernes, et le ferry de Lefkas était un ancien caïque de pêcheur auquel une famille locale faisait faire la traversée quand elle en avait envie. Un jour, quelqu'un ferait sauter l'entrée du vieux port à la dynamite pour permettre l'accès d'embarcations plus grandes et l'ouvrir au tourisme de masse. J'espérais que ce ne serait pas pour bientôt.

Je me renversai en arrière sur ma chaise, bus ma bière. Nick et un de ses frères, plus un cousin ou deux, arrive-raient plus tard quand ils auraient fait un brin de toilette. D'autres nous rejoindraient : le policier local, le patron belge du bar huppé qui n'ouvrirait pas avant mai, quel-ques pêcheurs, peut-être un ou deux des touristes les plus hardis. Commencerait alors ce rituel nocturne grec de convivialité que partout ailleurs on appellerait une « soi-rée », et même une soirée animée. Je l'apprécierais moi aussi, mais pour le moment c'était bon de regarder le soleil sombrer dans la mer et de rêver à mon espadon qui filait là-bas quelque part, libre, telle une comète phos-phorescente.

Georges finit d'astiquer sa voiture, se faufila entre les tables avec une partie de la prise de Nick et je l'entendis faire claquer des casseroles dans la cuisine derrière moi. Au bout d'un moment, il ressortit, posa un verre épais et une carafe du rouge râpeux de l'île sur la table devant moi. Il portait son tablier, ce qui signifiait que la taverne était officiellement ouverte. Personne n'était servi avant que Georges ne mette son tablier. J'étais autorisé à prendre moi-même une bière dans le réfrigérateur, uni-quement parce que je louais l'étroite maison blanche voi-sine qui, naturellement, lui appartenait aussi.

— Hé, Mike! s'exclama-t-il de cette voix qu'il utilisait pour capter l'attention de tout l'établissement. Quel poisson tu veux presque manger? Celui que t'as presque attrapé?

Il se gifla la cuisse, me frappa le dos et manqua s'étrangler de rire en versant le vin.

— Bonsoir, Michael, dit Angie.

Le silence se fit instantanément dans la taverne. Voyant mon expression, Georges s'éclipsa, revint aussitôt avec un autre verre, le remplit, tira une chaise pour Angie avec un sourire radieux et disparut de nouveau. Je sentais sa présence dans la pénombre de la cuisine, derrière moi.

Angie portait une blouse de lin blanc et sa peau avait pris le soleil. Sa chevelure noire, attachée sur le côté, tombait presque jusqu'à sa taille.

— Alors, tu as suivi mon conseil, dit-elle avec un regard autour d'elle. Je ne l'aurais jamais cru. Tu as trouvé Ithaque.

Elle me sourit et s'assit.

— Moi, j'ai eu beaucoup de mal à te trouver.

— Comment as-tu fait?

— J'ai demandé à tout le monde, et une femme de St Ruth a fini par avoir pitié de moi. Meredith Machinchose? Je ne suis pas censée te le dire. Même elle n'avait pas vraiment ton adresse. Et il m'a fallu deux jours pour pouvoir venir ici de Lefkas.

Elle but une gorgée de vin, grimaça, inclina la tête sur le côté, but de nouveau.

— Pas mauvais, non, une fois qu'on s'y est fait?

— Non. Et je m'y suis fait.

— En tout cas, il a l'air de te profiter, fit-elle remarquer en reposant son verre. Il doit te convenir.

J'avais conscience du silence de la taverne. Les pions du trictrac cliquetaient de temps en temps, mais personne ne parlait. C'était comme tenir une conversation sur la scène d'un théâtre bondé. Angie prit une inspiration.

— Ne t'inquiète pas, Michael. Je ne suis pas venue troubler ta tranquillité.

— Je ne suis pas inquiet.

— En fait, je suis venue t'apporter un message. Un message triste, en un sens.

— Ah?

— L'oncle Stanley. Il est mort il y a une semaine. Dix jours, maintenant, je suppose.

— Je suis désolé. Comment est-ce arrivé?

— Les médecins ont dit que le cœur avait fini par lâcher, mais je crois qu'il s'est juste éteint comme ça. Il n'est resté que deux jours à l'hôpital. Et il était prêt à mourir. Il avait quatre-vingt-cinq ans, tu sais. Tu lui aurais donné cet âge-là?

— Je suis content qu'il n'ait pas souffert. C'était un bon vieux. Je l'aimais bien.

— Il t'aimait bien aussi, apparemment.

Angie posa son sac sur la table, en tira une épaisse enveloppe blanche.

— Il savait qu'il ne lui restait plus beaucoup de temps. Il m'avait fait promettre de te remettre ça. Et tout de suite.

Elle prit l'accent du vieillard et son expression faussement sévère :

— « Dès qu'on m'aura mis dans le trou, ma fille. » Tu l'entends dire ça? Et pas moyen de discuter, il ne voulait pas que je l'envoie par la poste. En mains propres, il y tenait absolument.

— Qu'est-ce que c'est?

— Il ne m'a pas laissé voir. Il a simplement dit que je devais te la remettre. Il voulait même me donner l'argent pour le voyage. Mais tout de suite. Il fallait te la remettre tout de suite. Alors, la voilà.

L'enveloppe était adressée, en pattes de mouche, au docteur Michael Seven. Je la fis tourner plusieurs fois entre mes mains en me demandant si je devais l'ouvrir maintenant, devant Angie. Pour gagner du temps, je lui dis :

— Ça a dû te faire drôle, de le perdre.

— Oui. Je me sens triste. Et reconnaissante de l'avoir connu.

Elle but une autre gorgée de vin avant d'ajouter :

— Et libre.

Elle reposa le verre, me dévisagea. Il émanait d'elle un calme que je ne lui connaissais pas.

— Ouvre-la.

Je déchirai de l'ongle l'enveloppe épaisse, en tirai une liasse de feuilles de papier, une dizaine environ, que j'examinai rapidement l'une après l'autre.

— Elles sont vierges, n'est-ce pas? fit Angie.

Je tins les feuilles blanches devant elle pour qu'elle les voie. Elle sourit, nous resservit à boire, posa ses coudes sur la table et appuya son menton sur ses mains jointes. Derrière nous, un bateau se dirigeait en haletant vers la sortie du port. Nous l'écoutâmes jusqu'à ce qu'il l'ait franchie et que le bruit de son moteur meure au-dessus de la mer magenta.

Achevé d'imprimer sur les presses de

BUSSIÈRE
GROUPE CPI

à Saint-Amand-Montrond (Cher)
en janvier 2005
pour les Presses de la Cité
12, avenue d'Italie
75013 Paris